ACCESO GRATIS *a la Lectura en la Nube*

Para visualizar el libro electrónico en la nube de lectura envíe junto a su nombre y apellidos una fotografía del código de barras situado en la contraportada del libro y otra del ticket de compra a la dirección:

ebooktirant@tirant.com

En un máximo de 72 horas laborables le enviaremos el código de acceso con las instrucciones de acceso

LA REGULARIZACIÓN TRIBUTARIA
Análisis crítico y problemas prácticos

LA REGULARIZACIÓN TRIBUTARIA

Análisis crítico y problemas prácticos

IOANA A. GRIGORAS
Doctora en Derecho
Universidad de Cantabria

Financia: PID2019-107974RB-I00

tirant lo blanch
Valencia, 2023

En caso de erratas y actualizaciones, la Editorial Tirant lo Blanch publicará la pertinente corrección en la página web www.tirant.com.

La presente obra ha sido sometida a la revisión de pares ciegos según el protocolo de publicación de la editorial a efectos de ofrecer el rigor y calidad correspondiente tanto en su contenido como en su forma, aplicándose los criterios específicos aprobados por la Comisión Nacional E 016 (BOE num. 286, de 26 de noviembre de 2016).

Trabajo realizado en el marco del Proyecto I+D "Derecho Penal y Distribución de la Riqueza en la Sociedad Tecnológica" [PID 2019-107974RB-I00/AEI/10.13039/501100011033]. IP principal: Paz M. de la Cuesta Aguado.

EDITA: TIRANT LO BLANCH
C/ Artes Gráficas, 14 - 46010 - Valencia
TELFS.: 96/361 00 48 - 50
FAX: 96/369 41 51
Email:tlb@tirant.com
www.tirant.com
Librería virtual: www.tirant.es
DEPÓSITO LEGAL: V-753-2023
ISBN: 978-84-1147-659-1
MAQUETA: Disset Ediciones

Si tiene alguna queja o sugerencia, envíenos un mail a: *atencioncliente@tirant.com*. En caso de no ser atendida su sugerencia, por favor, lea en *www.tirant.net/index.php/empresa/politicas-de-empresa* nuestro procedimiento de quejas.

Responsabilidad Social Corporativa: http://www.tirant.net/Docs/RSCTirant.pdf

A mi maestra.

"Si he podido ver más allá es porque me subí a hombros de gitantes."
Isaac Newton

Índice

Capítulo II

El objeto y los requisitos objetivos de la regularización tributaria: completo reconocimiento y pago de la deuda tributaria

Capítulo III

Las causas de bloqueo: límites temporales a la regularización tributaria

Abreviaturas

AEAT	Agencia Estatal de Administración Tributaria
AP	Audiencia Provincial
AP	Administración Pública
ap.	apartado
art./arts.	artículo/artículos
AT	Administración Tributaria
BOE	Boletín Oficial del Estado
CA/CAAA	Comunidad Autónoma/Comunidades Autónomas
CE	Constitución Española
cit.	citado
Coord.	coordinador
CP	Código Penal
Dir.	Director
DTE	Declaración Tributaria Especial
EA	Estatuto de Autonomía
ed.	edición
Ed.	Editorial
edit.	editor
ej.	ejemplo
etc.	etcétera
fasc.	fascículo
FJ	Fundamento Jurídico
HP	Hacienda Pública
id.	*Idem* – el mismo
LEC	Ley de Enjuiciamiento Civil
LECRIM	Ley de Enjuiciamiento Criminal
LGT	Ley General Tributaria
LO	Ley Orgánica
n.	número

p./pp.	página/páginas
passim	en lugares diversos
RD	Real Decreto
RDL	Real Decreto Ley
s/l	sin lugar
s/p	sin página
SAP	Sentencia de la Audiencia Provincial
sic.	*"sic erat scriptum"* – así fue escrito
ss.	siguientes
STC	Sentencia del Tribunal Constitucional
STS	Sentencia del Tribunal Supremo
T.	Tomo
TC	Tribunal Constitucional
TS	Tribunal Supremo
UE	Unión Europea
Vol.	Volumen

Prólogo

I. La distribución de la riqueza en las sociedades occidentales, entre ellas, la española, se ha convertido en una preocupación continua para la clase política, la económica y, por supuesto, la jurídica; preocupación que, ni siquiera las adversidades de los dos últimos años –pandemia primero, invasión de Ucrania, después- han sido capaces de enterrar.

En los últimos tiempos, libros que reflexionan sobre cómo lidiar con el desequilibrio rampante se encuentran entre los más vendidos en las librerías; instituciones internacionales, de forma insólita, alertan sobre la necesidad de gravar, algo más que mínimamente, a las grandes fortunas. Más aún, la fuerza de las armas desplegada por Putin ha sido contestada con la fuerza del control sobre el capital y, mientras escribo estas líneas, leo que cierto paraíso fiscal ha suspendido las certificaciones de aviones rusos matriculados en su territorio para evadir impuestos.

Pandemia, guerra, crisis económica. Tiempos adversos a los que los democráticos Estados del Bienestar han respondido con firmeza y en Europa con una cohesión impensable solo quince años antes. El futuro cercano, en estos momentos, se presenta incierto y las esperanzas de los ciudadanos se apoyan en la certeza de que el Estado del Bienestar responderá a los desafíos garantizando nuestro nivel de vida ... más o menos. Paradójicamente, las noticias, un día sí y otro también, insisten en continuas y reiteradas peticiones de rebajas de impuestos (de toda índole) y la presión sobre los paraísos fiscales se mantiene inamovible desde hace años.

Por su parte, paraísos fiscales, territorios con "baja tributación" y evasión de impuestos son algunas de las lacras que van a condicionar la recuperación económica lastrada por el proceso desequilibrador de la igualdad de la acumulación del capital en el 1% de la población mundial. España no escapa a este fenómeno pues se calcula que más de 1,1 millones de ciudadanos españoles integran ese 1% mundial de los más favorecidos.

Estas consideraciones no responden a ideologías legitimadoras de dominio –o quizá sí... aunque, en ese caso, no del dominio del 1% de la población mundial más favorecida-, sino que son compartidas por numerosos especialistas: solo el Estado de Bienestar puede garantizar la superación pacífica de los actuales momentos históricos en las democracias occidentales, pero el Estado del Bienestar necesita –se nutre- de impuestos.

La evasión de impuestos por parte de personalidades de toda índole que se integran en esas 1.100.000 personas que acumulan más del 40% de la riqueza en España ha generado, en la opinión pública, indignación y desconfianza respecto de la respuesta penal por parte del Estado español, especialmente, por sonadas "regularizaciones" que, en estos momentos, aún están en tela de juicio y que han situado a esta figura en el centro del debate político, televisivo y, por supuesto, jurídico-penal.

II. La eficacia despenalizadora de la regularización tributaria es una cuestión que amplios sectores admiten como un mal necesario por razones prácticas. Ciertamente, nos encontramos ante lo que no deja de ser una cuestión de política-criminal que, además, encaja perfectamente en lo que sucede en otros países de nuestro entorno. Pero esta decisión de exonerar de responsabilidad penal a quien, tras haber consumado un delito fiscal, abona la deuda tributaria -es decir, cumple con sus obligaciones de solidaridad fiscal a destiempo- permite observar nítidamente el equilibrio entre Derecho y poder. Quiero decir con ello que el Derecho penal, en particular, y el Ordenamiento Jurídico, en general, han de ser muy cuidadosos para evitar que clausulas exoneradoras de responsabilidad–como la contenida en el art. 305.4 CP, en relación con la responsabilidad penal- aparezcan como mecanismos que privilegian a ciertos grupos sociales que, además, gozan de mayor capacidad económica, poder económico o poder social; pues, aunque no cabe duda de que el Derecho -también el penal- es reflejo de la sociedad de la que emana, lo cierto es que también hay unos valores que la impregnan y que no pueden ser obviados -por ejemplo, la aspiración a la igualdad de trato-.

Solo las dudas con que se enfrenta el Código penal al delito fiscal -que, recuérdese, solo es punible a partir de la defraudación de una cierta cuantía- permite entender las razones del Legislador, pero quizá sea el momento de abordar de frente las reticencias que plantean unos efectos penales tan amplios y de cuestionar si la exención efectivamente ha de ser completa o si ha llegado el momento de mantener algún tipo de responsabilidad penal incluso aunque no sea privativa de libertad ni pecuniaria y si tal responsabilidad penal debe necesariamente limitarse a cuantías tan elevada -aunque, de nuevo, se renunciare a la pena privativa de libertad o a penas pecuniarias-, sin perjuicio, por supuesto, de que los argumentos recaudatorios puedan seguir teniendo un peso importante en la decisión final.

La decisión de sancionar penalmente las conductas defraudadoras a partir de un límite cuantificable (120.000 euros) puede aparecer como el uso de la fuerza (penal) estatal para garantizar el cumplimiento de deberes que sustentan al Estado, como son los tributarios. Pero esta reflexión encubre muchos matices. Por un lado, desde una perspectiva estrictamente jurídico-penal y dogmática, abre la puerta a los delitos de infracción de deber. Más aún, no son escasas las sentencias del Tribunal Supremo que, al enfrentarse al delito tributario lo califican como un delito consistente en la infracción de un deber que, aun siendo lo mismo, parecería que no es exactamente igual. La incorporación al Código penal de delitos de infracción de deber es, esto sí, más que controvertida en la Doctrina penal española -especialmente por la Doctrina penal que tuvo que lidiar con los excesos de la dictadura-. Sin embargo, no es una cuestión totalmente cerrada –más allá de la Jurisprudencia- y es necesario reflexionar sobre si no estaremos revistiendo de apariencia de lesividad basada en *ultranormativos* conceptos de bien jurídico lo que, en realidad, no son más que infracciones de deberes esenciales con respecto a la sociedad.

Por otro lado, la utilización del Derecho penal para reforzar el cumplimiento de las obligaciones tributarias aparece como un acto de fuerza: es el Estado –redistribuidor de la riqueza- el que utiliza su poder frente a "otros poderes" no políticos, de modo que la norma penal y la amenaza de pena también jugaran un papel importante en el mantenimiento de equilibrios sociales, lo que haría muy necesario, en un sistema democrático, que se pudiera asegurar que no coadyuva al mantenimiento de posiciones económicas no igualitarias o que favorezcan la desigual distribución de la riqueza...

Veremos cómo se desarrollan los acontecimientos en el panorama internacional y si, efectivamente, está amaneciendo un nuevo orden geopolítico más justo en el que, probablemente, la defraudación fiscal y, consiguientemente, la regularización exoneradora de pena se afronte desde una nueva perspectiva.

III. En este libro, Ioana A. Grigoras se enfrenta a la figura de la regularización tributaria con la meticulosidad de quien quiere dejar bien cosidas todas las costuras. En esta monografía, que constituye el núcleo de lo que fue su tesis doctoral, la autora bucea en el complejo entramado normativo sobre el que se asienta la figura de la regularización fiscal contenida en el artículo 305.4 del Código penal español; cuya interpretación requiere bordear continuamente los difusos límites entre el Derecho fiscal y el Derecho penal. De forma sistemática, rigurosa, metódica, la Dra. Grigoras aborda, una a una, las cuestiones fundamentales que configuran la regularización tributaria; desde quién puede regularizar o quién es el obligado tributario, hasta las complejísimas cuestiones del cómo o del cuándo...según el caso. Y ello, precisamente, porque gran parte de la complejidad de la regularización con efectos penales deriva de la multiplicidad de casos posibles y de cómo esa variedad incide en la configuración de la concreta regularización con eficacia penal. Así, el libro que tengo el honor de prologar ofrece soluciones prácticas que responden a los problemas con los que se encuentran quienes se enfrentan a la figura de una concreta regularización.

Hemos hecho referencia ya a la complejidad de la regularización fiscal contenida en el art. 305.4 del Código penal; pues bien, la autora se enfrenta a esta complejidad con una enorme claridad expositiva, con una meritoria sobriedad y con una sistemática propia de una lógica matemática. Gracias a ello, el lector encontrará desgranadas, una a una, ordenadamente, las cuestiones a las que se enfrenta el jurista en relación con la aplicación de esta figura.

IV. La tesis doctoral de la que trae causa esta monografía fue defendida, bajo mi dirección, en la Universidad de Cantabria en el año 2021, contó con los informes favorables de los profesores Alessandro Melchionda y Roberto Bartoli, catedráticos de Derecho penal de las universidades italianas de Trento y Florencia, respectivamente, y obtuvo la máxima calificación de *sobresaliente cum laude con mención internacional*. Por ello, quiero aprovechar la oportunidad que me brindan estas líneas para mostrar mi reconocimiento al tribunal que la juzgó, presidido por la Profa. Dra. Esther Hava García, catedrática de Derecho penal de la Universidad de Cádiz e integrado por el Prof. Dr. Juan Enrique Varona Alabern, catedrático de Derecho financiero de la Universidad de Cantabria y el Prof. Dr. Luigi Foffani, catedrático de Derecho penal de la Universidad de Módena (Italia). Y, por supuesto, no puedo dejar de recordar a mi apreciado amigo y admirado colega el Prof. Dr. Michele Papa quien, con la cortesía que le caracteriza, acogió y tuteló a la autora en la Universidad de Florencia.

Estos años de trabajo con Ioana A. Grigoras han pasado rápidamente –con la rapidez con la que vuelan los años del doctorado-, pero nos van a dejar una profunda huella. La calidez, la inquietud por el conocimiento y la capacidad de trabajo de Ioana son las mejores bases para construir un futuro sólido en tiempos inciertos. Los años del doctorado vuelan rápido, pero no son inmunes a las dudas y al desaliento; dudas que desaparecen cuando se vuelve la vista atrás y se comprueba que el esfuerzo no fue en vano, que ha dado sus frutos, y que hoy los ojos perciben más matices, las palabras son más sabias y la memoria está cargada de recuerdos.

La publicación de este libro abre nuevos caminos a su autora. Nadie sabe a dónde conducirán, porque, como dijera el poeta, son nuestros pasos los que lo hacen. Pero estoy segura de que los caminos que ahora inicia Ioana Grigoras serán largos y conducirán a prósperos destinos, pues ha demostrado su valía, y en los recodos, con su fuerza, sabrá convertir a los gigantes en molinos cuyas aspas, volteadas por el viento, recortarán el horizonte al contraluz de muchas hermosas tardes de primavera.

Y yo, desde mi otoño, la miraré y sonreiré en la distancia.

En Santander, a 21 de marzo de 2022

PAZ DE LA CUESTA AGUADO
Catedrática de Derecho Penal
Universidad de Cantabria

Capítulo I

El ámbito de aplicación de la regularización tributaria del art. 305.4 CP

1. CONSIDERACIONES INTRODUCTORIAS

Desde el año 1995, el Código Penal contiene para algunos delitos previstos en el Título XIV del Libro II relativo a los delitos contra la Hacienda Pública y contra la Seguridad Social algunas previsiones que permiten a los jueces no imponer pena si, con anterioridad al inicio de determinadas actuaciones de investigación de naturaleza administrativa o judicial y con algunas condiciones, se devuelve o reintegra lo defraudado.

De todas estas cláusulas previstas en el Título XIV del CP, la que más interés ha despertado en la Doctrina ha sido, sin duda, la regularización tributaria contemplada en el art. 305.1 y 4 CP, según el cual:

> "1. El que, por acción u omisión, defraude a la Hacienda Pública estatal, autonómica, foral o local, eludiendo el pago de tributos, cantidades retenidas o que se hubieran debido retener o ingresos a cuenta, obteniendo indebidamente devoluciones o disfrutando beneficios fiscales de la misma forma, siempre que la cuantía de la cuota defraudada, el importe no ingresado de las retenciones o ingresos a cuenta o de las devoluciones o beneficios fiscales indebidamente obtenidos o disfrutados exceda de ciento veinte mil euros será castigado con la pena de prisión de uno a cinco años y multa del tanto al séxtuplo de la citada cuantía, salvo que hubiere regularizado su situación tributaria en los términos del apartado 4 del presente artículo.
>
> [...]
>
> 4. Se considerará regularizada la situación tributaria cuando se haya procedido por el obligado tributario al completo reconocimiento y pago de la deuda tributaria, antes de que por la Administración Tributaria se le haya notificado el inicio de actuaciones de comprobación o investigación tendentes a la determinación de las deudas tributarias objeto de la regularización o, en el caso de que tales actuaciones no se hubieran producido, antes de que el Ministerio Fiscal, el Abogado del Estado o el representante procesal de la Administración autonómica, foral o local de que se trate, interponga querella o denuncia contra aquél dirigida, o antes de que el

Ministerio Fiscal o el Juez de Instrucción realicen actuaciones que le permitan tener conocimiento formal de la iniciación de diligencias.

Asimismo, los efectos de la regularización prevista en el párrafo anterior resultarán aplicables cuando se satisfagan deudas tributarias una vez prescrito el derecho de la Administración a su determinación en vía administrativa.

La regularización por el obligado tributario de su situación tributaria impedirá que se le persiga por las posibles irregularidades contables u otras falsedades instrumentales que, exclusivamente en relación a la deuda tributaria objeto de regularización, el mismo pudiera haber cometido con carácter previo a la regularización de su situación tributaria."

La figura contenida en el artículo 305.4 CP es comúnmente conocida como "regularización tributaria" debido a la propia designación del precepto que la contiene: "se considerará regularizada la situación tributaria"[1]. No obstante, conviene tener presente que ha recibido

---

1 En este sentido, pueden verse MORILLAS CUEVA, L., "Delitos contra la Hacienda Pública y contra la Seguridad Social", en *Curso de Derecho Penal español. Parte Especial,* Vol. I, de M. Cobo del Rosal (dir.), Madrid, 1996, p. 876; BAJO FERNÁNDEZ, M./ BACIGALUPO, S., *Delitos contra la Hacienda pública,* Madrid, 2000, pp. 105-111; BOIX REIG, J./ MIRA BENAVENT, J., *Delitos contra la Hacienda Pública y contra la Seguridad Social,* Valencia, 2000, pp. 88-101; MORALES PRATS, F., "De los delitos contra la Hacienda Pública contra la Seguridad Social", en *Comentarios al Código Penal Español,* T. II, 6ª ed., de G. Quintero Olivares (dir.) y F. Morales Prats (coord..), Cizur Menor, 2011, pp. 461-563; CUGAT MAURI, M./ BAÑERES SANTOS, F., "Delitos contra la Hacienda Pública y la Seguridad Social", en *Derecho Penal Español. Parte Especial,* Vol. II, de F. J. Álvarez García (dir.), A. Manjón-Cabeza Olmeda y A. Ventura Püschel (coords), Valencia, 2011, pp. 793-880; SÁNCHEZ-OSTIZ GUTIÉRREZ, P., *La Exención de Responsabilidad Penal por Regularización Tributaria,* Navarra, 2002, pp. 73 y ss.; QUERALT JIMÉNEZ, J.J., "La regularización como comportamiento postdelictivo en el delito fiscal", en *Política fiscal y delitos contra la Hacienda Pública: mesas redondas Derecho y Economía,* de M. Bajo Fernández (dir.), S. Bacigalupo y C. Gómez-Jara Díez (coords.), Madrid, 2007, pp. 31-58.

La misma denominación ha recibido la figura equivalente del delito contra la Seguridad Social. En este sentido, véanse, entre otros, BRANDARIZ GARCÍA, J.A., *La exención de responsabilidad penal por regularización en el delito de defraudación a la Seguridad Social,* Granada, 2005, *passim*; BUSTOS RUBIO, M., *La regularización en el delito de defraudación a la Seguridad Social,* Valencia, 2019, *passim.*

otras denominaciones como "rectificación postdelictiva voluntaria"[2], "autodenuncia"[3] o "cláusula de regularización tributaria"[4], términos que, sin embargo, no han terminado de asentarse en nuestra Doctrina. Por este motivo y para evitar confusiones, consideramos preferente la expresión "regularización tributaria", si bien, quizá convendría añadir un adjetivo que hiciera referencia a la naturaleza penal de la cláusula a efectos de poder distinguirla de la regularización tributaria regulada en la normativa tributaria[5].

---

2 Así, MARTÍNEZ-BUJÁN PÉREZ, C., *Los delitos contra la Hacienda Pública y la Seguridad Social,* Madrid, 1995, pp. 91 y ss. No obstante, en obras posteriores este autor utiliza la locución "regularización de la situación tributaria" para referirse a lo contenido en el art. 305.4 CP. En este sentido, MARTÍNEZ-BUJÁN PÉREZ, C., *Derecho penal económico. Parte Especial,* Valencia, 1999, p. 353. Más recientemente, MARTÍNEZ-BUJÁN PÉREZ, C., *Derecho Penal Económico y de la Empresa. Parte Especial,* 5ª ed., Valencia, 2015, p. 650.

3 IGLESIAS RÍO, M.A., *La regularización fiscal en el delito de defraudación tributaria (un análisis de la «autodenuncia». Art. 305-4 CP),* Valencia, 2003, pp. 31 y ss. Aclara este autor que, si bien la expresión autodenuncia no expresa el significado material de la figura contenida en el art. 305.4 CP, esta es la traducción del término que utiliza la doctrina alemana para describir una figura de características similares a la nuestra. De todas formas, aunque existen otras denominaciones posibles, IGLESIAS RÍO considera que ninguna de ellas expresa con suficiente claridad su contenido y alcance, por lo que, en realidad, ninguna alcanza a reflejar el contenido material de la figura que designa.

4 OCTAVIO DE TOLEDO Y UBIETO, E., "Consideración penal de las cláusulas de regularización tributaria", en *La Ley: Revista jurídica española de doctrina, jurisprudencia y bibliografía,* n. 7, pp. 1472-1478. Igualmente, SUÁREZ GONZÁLEZ, C.J., "Delitos contra la Hacienda Pública y contra la Seguridad Social", en *Compendio de Derecho Penal. Parte Especial,* Vol. II, de M. Bajo Fernández (dir.), Madrid, 1998, pp. 608-613.

5 En Derecho Tributario, la regularización se encuentra regulada, con carácter general, en el artículo 179.3 de la Ley General Tributaria (Ley 58/2003, de 17 de diciembre, *General Tributaria*) que dispone lo siguiente: "[l]os obligados tributarios que voluntariamente regularicen su situación tributaria o subsanen las declaraciones, autoliquidaciones, comunicaciones de datos o solicitudes presentadas con anterioridad de forma incorrecta no incurrirán en responsabilidad por las infracciones tributarias cometidas con ocasión de la presentación de aquellas". Asimismo, tal como precisa SÁNCHEZ-OSTIZ GUTIÉRREZ, el término regularización comprende también conductas de la Administración Tributaria destinadas a la averiguación y determinación de las deudas tributarias dentro de sus potestades de comprobación e investigación como, por ejemplo, el actual art. 115.3 LGT (SÁNCHEZ-OSTIZ GUTIÉRREZ, P., *La Exención de Responsabilidad Penal por Regularización Tributaria,* cit., pp. 26-27, nota 4).

Una de las cuestiones más debatidas tras la incorporación al Código Penal de la regularización tributaria ha sido la relativa al significado que debía tener el término regularizar. Dicha controversia se debía, principalmente, a que ni el inicial art. 349.3 del CP1973 ni el art. 305.4 CP guardaba silencio sobre este aspecto, a diferencia de lo que ocurre en la actualidad, tras una reforma que hubo en el año 2012 y sobre la que hablaremos más adelante, lo que provocó que se cuestionara si, a efectos del art. 305.4 CP, regularizar consistía tan solo en el reconocimiento de la deuda tributaria eludida u omitida –tema que parecía no generar controversia– o si, además del reconocimiento, el contribuyente debía pagar la deuda tributaria.

Esta laguna legal tuvo que ser suplida por la Jurisprudencia que entendió, de forma casi unánime[6], que regularizar suponía tanto el reconocimiento como el pago de la deuda tributaria[7]. Esta línea interpretativa fue asumida, igualmente, por la Doctrina mayoritaria[8],

---

6 Inicialmente, algunos pronunciamientos judiciales, como el Auto de la Sala 2ª del Tribunal Supremo de 19 de julio de 1997 [ponente: Sr. De Vega Ruiz] (Tol 3.456.245) y la Sentencia de la Sala 2ª del Tribunal Supremo 1/1997, de 28 de octubre [ponente: Sr. De Vega Ruiz] (Tol 407.979), seguidas de algunas sentencias de Audiencias Provinciales como la de la Sección 2ª de la Audiencia Provincial de Barcelona 403/1998, de 12 de mayo; de la Sección 8ª de la Audiencia Provincial de Barcelona de 30 de junio de 2001 o la Sentencia de la Sección 15ª de la Audiencia Provincial de Madrid 411/1998, de 4 de septiembre, mantuvieron que, a efectos de la del art. 305.4 CP, bastaba con el reconocimiento de la deuda tributaria, no siendo necesario su pago. Más tarde, sin embargo, este criterio jurisprudencial fue modificado para exigir el pago de la deuda tributaria.

7 Así, puede consultarse la Sentencia de la Sala 2ª del Tribunal Supremo 539/2003, de 30 de abril [ponente Sr. Jiménez Villarejo] (Tol 27.6376). En el mismo sentido, véanse SSTS 636/2003, de 30 de mayo [ponente Sr. Calvo-Rubio] (Tol 731.508); 611/2009, de 29 de mayo [ponente Sr. Granados Pérez] (Tol 1.554.232) y 340/2012, de 30 de abril [ponente Sr. Sánchez Melgar] (Tol 2.542.574).

8 Véanse, por todos, MARTÍNEZ-BUJÁN PÉREZ, C., *Los delitos contra la Hacienda Pública y la Seguridad Social,* cit., pp. 166 y ss.; SÁNCHEZ-OSTIZ GUTIÉRREZ, P., *La Exención de Responsabilidad Penal por Regularización Tributaria,* cit., pp. 93-113; IGLESIAS RÍO, M.A., *La regularización fiscal en el delito de defraudación tributaria (un análisis de la «autodenuncia». Art. 305-4 CP)*, cit., pp. 317-351; id., "Aproximación crítica a la cláusula de exención de la pena por regularización en el delito de defraudación tributaria", en *Revista de Derecho Penal,* n. 13, 2004, pp. 65-86; BRANDARIZ GARCÍA, J.A., *La exención de responsabilidad penal por regularización en el delito de defraudación a la Seguridad Social,* cit., pp. 39-164.

así como por la Fiscalía General del Estado[9]. Más tarde, en 2012, el Legislador adoptaría el mismo criterio para incluir en el art. 305.4 CP la exigencia del pago de la deuda tributaria, zanjando de esta forma el debate[10].

La regularización tributaria, como forma de evitar la imposición de pena, fue bien recibida en su momento por la Doctrina, que consideraba que no había razón para que el Derecho Penal no premiara este tipo de comportamientos, de la misma forma que ya lo hacían las normas tributarias. Sin embargo, con el transcurso del tiempo, la práctica judicial y distintos estudios doctrinales demostraron que la regularización tributaria lejos de ser pacífica, suscitaba cuestiones de distinta índole que la convirtieron en objeto de constante polémica.

La actual redacción del art. 305.4 CP es fruto de la Ley Orgánica 7/2012, de 27 de diciembre, *por la que se modifica la Ley Orgánica 10/1995, de 23 de noviembre, del Código Penal en materia de transparencia y lucha contra el fraude fiscal y en la Seguridad Social*, que modificó sustancialmente el precepto con el propósito de solucionar los problemas interpretativos que suscitaba. No obstante, este objetivo no fue alcanzado en su totalidad, toda vez que algunas cuestiones problemáticas se mantuvieron intactas, mientras que la modificación de otras contribuyó a ensombrecer todavía más el ámbito de aplicación de la cláusula de la regularización tributaria.

---

9 Concretamente, la Fiscalía General del Estado dictó una circular para aclarar el sentido del término regularizar: la Circular 2/2009, de 4 de mayo, *sobre la interpretación del término regularizar en las excusas absolutorias previstas en los apartados 4 del art. 305 y el 3 del art. 307 del Código penal.* Disponible en línea: https://www.fiscal.es/memorias/estudio2016/CIR/CIR_02_2009.html [fecha última consulta: 02/03/2018]. Según la Fiscalía, regularizar consistía "una conducta positiva y eficaz del sujeto pasivo de la obligación contributiva que incluye la autodenuncia (a través del reconocimiento voluntario y veraz de la deuda, previo de las causas de bloqueo temporal legalmente previstas) y el ingreso de la deuda derivada de la defraudación satisfaciendo ambas exigencias el pleno retorno a la legalidad al que el legislador ha querido anudar la renuncia al *ius puniendi* respecto del delito principal y sus instrumentales".

10 Recuérdese que el actual art. 305.4 CP determina que "[s]e considerará regularizada la situación tributaria cuando se haya procedido por el obligado tributario al completo reconocimiento y pago de la deuda tributaria".

A pesar de la reforma llevada a cabo en el año 2012 y de la extensa literatura que aborda el estudio de los efectos penales de la regularización tributaria, su régimen jurídico sigue siendo, en nuestra opinión, confuso, tal y como lo demuestra el debate relativo a su fundamento, naturaleza jurídica, ámbito de aplicación o requisitos. Las imprecisiones del art. 305.4 CP, unidas a la difícil legitimación de una figura tan excepcional e inédita como la exención de responsabilidad fruto de la regularización tributaria –cuando, la reparación del daño causado por el delito en nuestro Ordenamiento Jurídico, con carácter general, solo conlleva una atenuación de la pena–, la convierten en una institución de difícil análisis; cuyo estudio requiere manejar no solo los conceptos propios del Derecho Penal, sino, también, los propios del Derecho Tributario.

La Doctrina española aborda el estudio de la exención de pena por regularización tributaria desde una perspectiva eminentemente dogmática, lo que nos hace echar en falta quizá mayores reflexiones de política criminal, pues no siempre el análisis dogmático va acompañado de una reflexión crítica desde los fines y consecuencias de aplicación de la cláusula del art. 305.4 CP, y menos aún se cuestiona la conveniencia de prever la exención de pena para quien regularice su situación tributaria. En su lugar, la Doctrina dirige sus esfuerzos a justificar, es decir, a legitimar esta exención de la pena, por un lado, y a interpretar sus requisitos, por otro, cosa, que, ciertamente, no es en absoluto sencilla. En particular, la Doctrina tiene la difícil tarea de dotar de significado a los conceptos utilizados por el art. 305.4 CP, muchos de los cuales son de naturaleza tributaria. Para ello, no siempre se acoge el significado propio del Derecho Tributario de los términos jurídicos, sino que estos se redefinen a efectos penales, lo que significa que el Derecho Penal, en esta materia, es autónomo conceptualmente del Derecho Tributario, aunque tenemos serias dudas acerca de la conveniencia de esta opción. Como consecuencia, nos encontramos con que algunos conceptos tienen un significado en el ámbito tributario y otro en el penal; un panorama que genera inseguridad jurídica y dificulta la aplicación de la cláusula, sin olvidar el hecho de que, además, en la práctica, el impulso procesal viene dado en gran medida por la Agencia Tributaria.

Por su parte, la Jurisprudencia en escasas ocasiones participa en la construcción conceptual de los términos porque tiende a asumir el significado tributario de la expresión y porque, con frecuencia, se centra en la resolución del caso. Muestra de ello es que hasta los pronunciamientos más recientes siguen manejando conceptos en parte superados por la LO 7/2012, de 27 de diciembre, y asumen, sin mayores reflexiones, otros inspirados por esta última, como, por ejemplo, la configuración de la naturaleza jurídica de la regularización como causa sobrevenida de atipicidad, a pesar de que conduce a consecuencias dogmáticas inasumibles.

Por nuestra parte, hemos procurado abordar el estudio de la exención de pena por regularización tributaria desde una perspectiva dogmática, pero sin olvidar las consecuencias prácticas a las que conducen muchas de las ideas abstractamente consideradas. Para ello hemos tomado como punto de partida un Derecho Penal mínimo dirigido a proteger valores e instituciones fundamentales en nuestro Ordenamiento Jurídico y en nuestra sociedad; un Derecho Penal que no puede quedar al margen de una concepción de la sociedad y su funcionamiento de corte constitucional y vinculada a la protección de los Derechos Humanos. En este sentido, cabe recordar que el cumplimiento de obligaciones tributarias y la existencia de tributos cumple la función de redistribución de la riqueza, esencial en una sociedad, que garantiza la paz social; sin perjuicio, por supuesto, de que también materializan otros principios constitucionales, como pudiera ser el principio de igualdad, entre otros. Así planteado, las instituciones tributarias se convierten en instituciones fundamentales en el Ordenamiento Jurídico y en la sociedad, lo que justifica la intervención penal y dota de extraordinaria relevancia a figuras, como la regularización tributaria, que interfieren de alguna manera en la exigencia de deberes estructurales, como es el deber de tributar.

2. ORIGEN Y TRAYECTORIA DE LA CLÁUSULA PENAL DE LA REGULARIZACIÓN TRIBUTARIA

La regularización tributaria como medio de exención de responsabilidad penal en los delitos fiscales fue introducida en el sistema jurídico-penal español, poco antes de que fuera promulgado el Código Penal de 1995, por la Ley Orgánica 6/1995, de 29 de junio, *por la que se modifican determinados preceptos del Código Penal relativos a los delitos contra la Hacienda Pública y contra la Seguridad Social*[11]. En el breve periodo de tiempo que transcurrió entre ambas leyes, la regularización, también con efectos exoneradores de pena, fue regulada en el antiguo art. 349.3 del CP de 1973[12] y tras la entrada en vigor del Código Penal de 1995 pasó a regularse en el art. 305.4 CP[13].

La incorporación de una cláusula que exime de responsabilidad penal en virtud de la regularización tributaria supuso un importante cambio en los delitos fiscales, hasta tal punto que se ha llegado a decir que fue "la novedad de mayor trascendencia dogmática y político criminal en el marco de la reforma de los delitos contra la Hacienda Pública"[14]. Gracias a la eficacia exoneradora de la regularización se acallaron muchas de las exigencias que, desde diferentes esferas pro-

---

11 Se suele citar como antecedente más remoto de esta figura el Anteproyecto de Nuevo Código Penal de 1983 que proponía atenuar la pena al obligado tributario que abonaba la cantidad debida. Sin embargo, muchos autores sostienen que el origen hay que buscarlo en el Derecho Penal alemán, concretamente, en la figura de la, todavía vigente, *Selbstanzeige bei Steuerhinterziehung* regulada en el § 371 de la *Abgabenordnung* (AO) de 1997, al que la Doctrina española ha denominado "autodenuncia". Véanse, en este sentido, MARTÍNEZ-BUJÁN PÉREZ, C., *Los delitos contra la Hacienda Pública y la Seguridad Social,* pp. 192-193; IGLESIAS RÍO, M.A., *La regularización fiscal en el delito de defraudación tributaria (un análisis de la «autodenuncia». Art. 305-4 CP),* cit., pp. 22 y ss.

12 El art. 349.3 del CP 1973 decía lo siguiente: "Quedará exento de responsabilidad penal el que regularice su situación tributaria, en relación con las deudas a que se refiere el apartado 1 de este artículo, antes de que se le haya notificado por la Administración Tributaria la iniciación de actuaciones de comprobación tendentes a la determinación de las deudas tributarias objeto de regularización o, en el caso de que tales actuaciones no se hubieran producido, antes de que el Ministerio Público, el Abogado del Estado o el representante procesal de la Administración Autonómica, Foral o Local de que se trate, interponga querella o denuncia contra aquél dirigida, o cuando el Ministerio Público o el Juez Instructor realicen actuaciones que le permitan tener conocimiento formal de la iniciación de diligencias. La exención de responsabilidad penal contemplada en el párrafo anterior alcanzará igualmente a dicho sujeto por las posibles irregularidades contables u otras falsedades instrumentales que, exclusivamente en relación a la deuda tributaria objeto de regularización, el mismo pudiera haber cometido con carácter previo a la regularización de su situación tributaria."

13 En la actualidad, tras la reforma del año 2012, el apartado 1 del art. 305 CP también hace referencia a la regularización tributaria.

14 MARTÍNEZ-BUJÁN PÉREZ, C., *Los delitos contra la Hacienda Pública y la Seguridad Social,* cit., p. 91.

fesionales, judiciales y académicas[15], se formularon para que el pago extemporáneo de tributos produjera efectos similares a los que tenía en el Derecho Tributario. Efectivamente, la Ley General Tributaria de 1963, tras su reforma por la Ley de Presupuestos Generales del Estado de 1986[16], había incorporado en su art. 61.2 la posibilidad de eximir de responsabilidad tributaria –y, con ello, evitar la sanción en los supuestos de regularización voluntaria y extemporánea realizada por el contribuyente–, así como algunos supuestos especiales de regularización[17]. Sin embargo, cuando la conducta era constitutiva de un delito contra la Hacienda Pública, ese comportamiento del contribuyente, consistente en regularizar su situación tributaria, podía dar

---

15 Sobre el debate doctrinal existente en aquel momento, véanse MARTÍNEZ-BUJÁN PÉREZ, C., *Los delitos contra la Hacienda Pública y la Seguridad Social*, cit., p. 92; SERRANO GONZÁLEZ DE MURILLO, J.L./ CORTES BECHIARELLI, E., *Delitos contra la Hacienda Pública,* Madrid, 2002, p. 84; SÁNCHEZ-OSTIZ GUTIÉRREZ, P., *La Exención de Responsabilidad Penal por Regularización Tributaria,* cit., pp. 42-50; IGLESIAS RÍO, M.A., *La regularización fiscal en el delito de defraudación tributaria (un análisis de la «autodenuncia». Art. 305-4 CP)*, cit., pp. 92-104; PÉREZ MARTÍNEZ, D., "La regularización fiscal del artículo 305.4 del Código Penal como causa de exención de responsabilidad criminal", en *Manual de delitos contra la Hacienda Pública,* de AA.VV, Madrid, 2004, pp. 198-199; MORALES PRATS, F., "De los delitos contra la Hacienda Pública y contra la Seguridad Social", en *Comentarios al Código Penal Español,* T. II, 7ª ed., de G. Quintero Olivares (dir.) y F. Morales Prats (coord.), Cizur Menor, 2016, pp. 579-583; FERRÉ OLIVÉ, J.C., *Tratado de los delitos contra la Hacienda Pública y contra la Seguridad Social,* Valencia, 2018, p. 291.

16 La Disposición Adicional 31ª de la Ley 46/1985, de 27 de diciembre, *de Presupuestos Generales del Estado para 1986,* modificaba el art. 61.2 de la LGT/1963 que quedaba redactado con el siguiente tenor: "Los ingresos realizados fuera de plazo sin requerimiento previo comportarán asimismo el abono de interés de demora, con exclusión de las sanciones que pudieran ser exigibles por las infracciones cometidas. En estos casos, el resultado de aplicar el interés de demora no podrá ser inferior al 10 por 100 de la deuda tributaria". Posteriormente, este precepto fue modificado por la Disposición Adicional 14ª de la Ley 18/1991, de 6 de junio, *del Impuesto sobre la Renta de las Personas Físicas.*

17 Tales como la regularización tributaria practicada mediante declaración complementaria aprobada por la Disposición Adicional 14ª de la Ley 18/1991, de 6 de junio, *del Impuesto sobre la Renta de las Personas Físicas,* que eximía de sanciones e intereses de demora y la regularización tributaria practicada a través de la suscripción de Deuda Pública aprobada por la Disposición Adicional 13ª de la misma Ley.

lugar, como mucho, a una atenuación de la pena[18]. Esta diferencia de tratamiento generaba, según algunos autores, una situación de inseguridad jurídica y desigualdad de trato para los contribuyentes que solo obtenían incentivos para regularizar su situación tributaria en caso de que su conducta fuera constitutiva de una infracción tributaria, pero no cuando lo fuera de un delito fiscal[19].

La Ley Orgánica 6/1995, de 29 de junio, incorporó la figura de la regularización tributaria en los delitos fiscales. Según consta en su Exposición de Motivos, la regularización tributaria obedecía a la necesidad de "determinar la relación existente entre la regularización tributaria, autorizada expresamente por el artículo 61.2 de la Ley General Tributaria, y el delito fiscal, lo que conlleva la ausencia de responsabilidad penal para estas conductas siempre que se realicen de manera espontánea [...]". De esta forma, añade la Exposición de Motivos, se podía "salvaguardar el cumplimiento voluntario de sus obligaciones por los contribuyentes". Con ello, en definitiva, se pretendía ofrecer una respuesta homogénea y coherente del Ordenamiento Jurídico para los casos de regularización tributaria[20].

---

18 La existencia de supuestos especiales de regularización tributaria, como la regularización tributaria a través de la suscripción de Deuda Pública aprobado por la Disposición Adicional 13ª de la Ley 18/1991, de 6 de junio, hizo que la Doctrina se planteara qué ocurriría si con la regularización tributaria practicada en virtud de la citada norma se pusiera de manifiesto la comisión de un delito contra la Hacienda Pública. Ante la inexistencia de un precepto en el Código Penal que permitiera eximir de responsabilidad penal en los casos de regularización tributaria en ese momento, la Doctrina planteó la posibilidad de extender interpretativamente la eficacia de exención de sanciones prevista en el ordenamiento tributario al ámbito penal. Sobre las vías interpretativas propuestas y el debate suscitado puede verse MARTÍNEZ-BUJÁN PÉREZ, C., *Los delitos contra la Hacienda Pública y la Seguridad Social,* cit., pp. 106-123.

19 Entre otros, BERDUGO GÓMEZ DE LA TORRE, I./ FERRÉ OLIVÉ, J.C., *Todo sobre el fraude tributario,* Barcelona, 1994, p. 108.

20 Así, OCTAVIO DE TOLEDO Y UBIETO, E., "Consideración penal de las cláusulas de regularización tributaria", cit., pp. 1472-1478.También en este sentido CUGAT MAURI, M./ BAÑERES SANTOS, F., "Delitos contra la Hacienda Pública y la Seguridad Social", cit., p. 822 y MORALES PRATS, F., "De los delitos contra la Hacienda Pública contra la Seguridad Social, cit., p. 1071. Según este último autor, la incorporación de la regularización tributaria en el Código Penal "responde a la acuciante necesidad de esclarecer las reglas del juego a la vista de

Si bien la reforma penal del año 1995 fue, inicialmente, bien recibida por los distintos sectores doctrinales y judiciales, tanto el antiguo art. 349.3 del CP de 1973, como su sucesor, el art. 305.4 del CP de 1995 –que no incorporó, apenas, cambios en la configuración de la regularización tributaria[21]–, demostraron ser, de nuevo, excesivamente ambiguos e indeterminados[22]; ambigüedad que generó, como se pudo comprobar en la práctica judicial, serias dificultades para delimitar su ámbito de aplicación.

Entre las distintas cuestiones problemáticas que planteaba el art. 305.4 CP cabe mencionar: a) las dificultades para legitimar y explicar por qué una figura inédita para el sistema jurídico-penal español eximía de responsabilidad penal por reparación del daño cuando, con carácter general, esta solo producía efectos atenuantes; b) las dificul-

---

la inseguridad jurídica que suscita un modelo de incriminación que no traduzca penalmente las reglas tributarias de regularización voluntaria".

21 Con la promulgación del CP de 1995 el art. 305.4 CP pasó a tener una redacción casi idéntica al antiguo art. 349.3 del CP de 1973. En concreto, el nuevo art. 305.4 CP de 1995 disponía lo siguiente: "Quedará exento de responsabilidad penal el que regularice su situación tributaria, en relación con las deudas a que se refiere el apartado primero de este artículo, antes de que se le haya notificado por la Administración tributaria la iniciación de actuaciones de comprobación tendentes a la determinación de las deudas tributarias objeto de regularización, o en el caso de que tales actuaciones no se hubieran producido, antes de que el Ministerio Fiscal, el Abogado del Estado o el representante procesal de la Administración autonómica, foral o local de que se trate, interponga querella o denuncia contra aquél dirigida, o cuando el Ministerio Fiscal o el Juez de Instrucción realicen actuaciones que le permitan tener conocimiento formal de la iniciación de diligencias. La exención de responsabilidad penal contemplada en el párrafo anterior alcanzará igualmente a dicho sujeto por las posibles irregularidades contables u otras falsedades instrumentales que, exclusivamente en relación a la deuda tributaria objeto de regularización, el mismo pudiera haber cometido con carácter previo a la regularización de su situación tributaria."

22 En este sentido, pueden verse MARTÍNEZ-BUJÁN PÉREZ, C., *Los delitos contra la Hacienda Pública y la Seguridad Social,* cit., pp. 106-123; MORALES PRATS, F., "Los efectos penales de la regularización tributaria en el Código Penal de 1995", en *La reforma de la justicia penal. Estudios en homenaje al Prof. Klaus Tiedemann,* de J.L. Gómez Colomer y J.L. González Cussac (coords.), Castellón, 1997, pp. 49-76 o CARRERAS MANERO, O., "La cláusula de regularización tributaria como causa de exención de la responsabilidad penal en el delito contra la Hacienda Pública", en *Revista Española de Derecho Financiero,* n. 155, 2012, pp. 1-21.

tades para delimitar el significado del término "regularizar", que, a falta de mayor concreción, tanto la Doctrina como la Jurisprudencia mayoritaria interpretaron que comprendía tanto la declaración como el pago de la deuda tributaria–; c) la imprecisión de sus requisitos o sus límites como alguna de las causas de bloqueo –esto es; los límites temporales que, una vez superados, impedían la eficacia de la cláusula del art. 305.4 CP–; d) la naturaleza jurídica de la regularización tributaria, sus efectos y su eventual extensión a los partícipes.

Con los años, el art. 305 CP fue objeto de distintas reformas[23], pero no fue hasta el año 2012 cuando se decidió modificar el apartado cuarto a través de una ley dirigida especialmente a los delitos contra la Hacienda Pública y contra la Seguridad Social, la Ley Orgánica 7/2012, de 27 de diciembre, *por la que se modifica la Ley Orgánica 10/1995, de 23 de noviembre, del Código Penal en materia de transparencia y lucha contra el fraude fiscal y en la Seguridad Social.* Esta reforma –a la que, a partir de ahora, nos referiremos como "la reforma de 2012" o, directamente, "la LO/2012"–, ha tenido un gran impacto en la regulación de los delitos contra la Hacienda Pública y contra la Seguridad Social, tanto por su extensión como por la entidad de las modificaciones introducidas, y ha afectado, de un modo especial, al régimen jurídico de la regularización tributaria[24].

---

23 Hasta el año 2012 se reformó en dos ocasiones. Una primera modificación fue realizada por la Ley Orgánica 15/2003, de 25 de noviembre, *por la que se modifica la Ley Orgánica 10/1995, de 23 de noviembre, del Código Penal* y una segunda a través de la Ley Orgánica 5/2010, de 22 de junio, *por la que se modifica la Ley Orgánica 10/1995, de 23 de noviembre, del Código Penal.* Después de la reforma del año 2012, ha tenido lugar otra reforma, la producida con la Ley Orgánica 1/2019, de 20 de febrero, *por la que se modifica la Ley Orgánica 10/1995, de 23 de noviembre, del Código Penal*, para transponer Directivas de la Unión Europea en los ámbitos financiero y de terrorismo, y abordar cuestiones de índole internacional, que ha afectado únicamente al punto 3 del artículo 305 sobre el delito contra la Hacienda Pública de la Unión Europea.

24 La LO 7/2012 introdujo profundas modificaciones en los delitos contra la Hacienda Pública y contra la Seguridad Social, así como en los delitos contra los derechos de los trabajadores, con la finalidad de evitar y corregir disfunciones en la aplicación de estos delitos. Sobre la configuración de los delitos contra los trabajadores, véase DE VICENTE MARTÍNEZ, R., *Derecho Penal del Trabajo. Los delitos contra los derechos de los trabajadores y contra la Seguridad Social*, Valencia, 2020, pp. 37 y ss o SAN MILLÁN FERNÁNDEZ, B., "Coacciones a la huelga: perspectivas de futuro ante la crisis económica derivada de la covid-19",

Las modificaciones realizadas por la LO 7/2012 fueron las siguientes. En primer lugar, se reformó el art. 305.1 CP, para incluir la cláusula "salvo que hubiere regularizado su situación tributaria en los términos del apartado 4 del presente artículo". En segundo lugar, el art. 305.4 CP, que es el apartado donde se configura el actual modelo de regularización, cambió de redacción. En concreto, la parte del art. 305.4 CP que decía "quedará exento de responsabilidad penal el que regularice su situación tributaria, en relación con las deudas a que se refiere el apartado primero de este artículo" pasó a decir "se considerará regularizada la situación tributaria cuando se haya procedido por el obligado tributario al completo reconocimiento y pago de la deuda tributaria".

---

en *La Ley Penal,* n. 146, septiembre-octubre 2020, s/p. Disponible en línea: www.diariolaley.es [fecha última consulta: 03/03/2020]. En cuanto a los delitos contra la Seguridad Social, véase HAVA GARCÍA, E., "Evolución jurisprudencial en materia de fraudes a la Seguridad Social", en *Revista de Derecho Social,* n. 8, 1999, pp. 189-196.

En lo que atañe estrictamente a los delitos contra la Hacienda Pública, esta reforma permitió: 1) alterar las reglas de determinación de la cuota tributaria defraudada en los supuestos de defraudación cometida en el seno de una organización criminal y en el delito de fraude a la Hacienda Pública de la UE; 2) revisar en profundidad el régimen jurídico de la regularización tributaria del art. 305.4 CP; 3) modificar el apartado quinto del art. 305 CP que establecía la paralización de los procedimientos tributarios en favor del proceso penal; 4) introducir una atenuación especial de la pena en caso de reparación del daño o de colaboración con las autoridades; 5) crear un nuevo art. 305 *bis* con un tipo agravado.

En cuanto a los demás delitos, la reforma afectó igualmente: 1) al delito de fraude de los presupuestos de la Unión Europea del art. 306 CP que fue modificado de un modo en el que se pudiera diferenciar del delito contra la Hacienda Pública de la Unión Europea del art. 305.3 CP; 2) al delito contra la Seguridad Social del art. 307 CP en un sentido similar al previsto en el art. 305 CP, con algunas particularidades, como la considerable disminución del umbral de punibilidad –que pasa de 120.000 a 50.000 euros–; 3) al delito de fraude de ayudas o subvenciones de las Administraciones Públicas del art. 308 CP; 4) al art. 310 *bis* que permite exigir responsabilidad penal por estos delitos a las personas jurídicas; y, finalmente, 5) se introdujo un nuevo art. 307 *ter* que tipifica como delito autónomo el fraude de prestaciones a la Seguridad Social. Un análisis más detallado de la reforma de 2012 puede verse en ÁLVAREZ GARCÍA, F.J./ DOPICO GÓMEZ-ALLER, J., *Estudio crítico sobre el Anteproyecto de Reforma Penal de 2012,* Valencia, 2013.

Como cláusula complementaria, la LO 7/2012 introdujo un nuevo apartado segundo al art. 305.4 CP en el que se prevé que los efectos de la regularización tributaria se producirán, aunque se satisfagan deudas tributarias ya prescritas en vía administrativa. Además, modificó el antiguo apartado segundo que pasó a ser el tercero, para impedir que el sujeto que ha regularizado su deuda con la Hacienda Pública sea perseguido por posibles irregularidades contables y falsedades documentales.

La reforma del año 2012 nace, según su Exposición de Motivos, con el objetivo de adaptar los delitos contra la Hacienda Pública a los cambios económicos y a las nuevas necesidades sociales a través de la "mejora de la eficacia de los instrumentos de control de los ingresos y del gasto público"[25]. Desde esta perspectiva, el nuevo art. 305.4 CP, continúa la Exposición de Motivos, pasa a configurar la regularización tributaria, como "el reverso del delito" que neutraliza "el desvalor de la acción, con una declaración completa y veraz" y el "desvalor de resultado mediante el pago completo de la deuda tributaria", en tanto que permitirá "el pleno retorno a la legalidad que pone fin a la lesión provisional del bien jurídico protegido producida por la defraudación consumada con el inicial incumplimiento de las obligaciones tributarias"[26].

---

25 Véase el discurso pronunciado por el Sr. Ruiz Gallardón Jiménez, ministro de Justicia, en el Debate a la totalidad del *Proyecto de Ley Orgánica por el que se modifica la Ley Orgánica 10/1995, de 23 de noviembre, del Código Penal, en materia de transparencia y lucha contra el fraude fiscal y en la Seguridad Social*, pronunciado en el Congreso de los Diputados el día 30 de octubre de 2012. Disponible en línea: http://www.congreso.es/portal/page/portal/Congreso/PopUpCGI?CMD=VERLST&BASE=pu10&FMT=PUWTXDTS.fmt&DOCS=1-1&QUERY=%28DSCD-10-PL-69-C1.CODI.%29#(Página8) [fecha última consulta: 21/05/2020]. Se trataba, en palabras del Sr. Ruiz-Gallardón Jiménez, Ministro de Justicia por aquel entonces, de garantizar la solidaridad que propugna el art. 31 de la Constitución Española para lo cual era absolutamente necesario defender "lo público", que es lo que, en definitiva, sustenta el Estado Social y del Bienestar. Para ello, era preciso, según el Ministro, endurecer el reproche penal por este tipo de fraude, dotar a la Administración Tributaria de herramientas eficaces para la persecución del fraude, facilitar el cobro de la deuda tributaria y reforzar la regularización tributaria de tal forma que se consiga incentivar el cobro voluntario.

26 Exposición de Motivos III de la Ley Orgánica 7/2012, de 27 de diciembre.

Así, según la Exposición de Motivos de la LO 7/2012, la modificación del art. 305.1 CP para añadir la referencia a la regularización tributaria supone que esta última hará que desaparezca "el injusto derivado del inicial incumplimiento de la obligación tributaria". Por otra parte, la modificación del art. 305.4 CP lleva consigo la supresión de las referencias que conceptuaban la regularización tributaria como una excusa absolutoria. De ello se deduce que, detrás de la reforma del CP introducida por la LO 7/2012, se escondía la voluntad del Legislador de cambiar la naturaleza jurídica que, de forma pacífica, se había atribuido a la regularización tributaria por parte de la Doctrina y la Jurisprudencia, así como de aclarar la necesidad del pago de la deuda tributaria.

Con ello, en definitiva, se ha diseñado un procedimiento complejo de regularización tributaria sobre el que versará, en gran medida, esta investigación.

3. EL ÁMBITO MATERIAL DE APLICACIÓN DEL ART. 305.4 CP

3.1. El delito contra la Hacienda Pública (art. 305.1 y 305 bis CP) y el delito contra la Hacienda Pública de la Unión Europea (art. 305.3 CP)

3.1.1. El delito contra la Hacienda Pública: tipo básico y tipo agravado

La cláusula de regularización tributaria del art. 305.4 CP será aplicable, en primer lugar, tal y como se deduce de la propia redacción del precepto, al delito contra la Hacienda Pública previsto en su apartado 1 (el tipo básico), que establece que se impondrá la pena prevista, "salvo que hubiere regularizado su situación tributaria en los términos del apartado 4 del presente artículo". Así lo ha considerado la Doctrina, incluso antes de que el art. 305.1 CP contuviera esta referencia a su punto cuarto –introducida con la reforma de 2012–[27].

En segundo lugar, algunos autores han señalado que la cláusula del art. 305.4 CP también exime de pena cuando el delito fiscal se presenta en alguna de sus formas imperfectas de ejecución[28]. Ello, no obstante, plantea ciertos inconvenientes. Por una parte, para que las formas imperfectas de ejecución sean conceptualmente posibles en el delito fiscal es necesario que este sea concebido como un delito de resultado[29]; algo que es así, al menos para la Doctrina mayoritaria[30], aunque, también es cierto, que ya son cada vez más los autores que

---

27 Antes de la mencionada reforma, el argumento que utilizaba la Doctrina para extender el ámbito de aplicación de la regularización tributaria al delito fiscal del art. 305.1 CP era que el art. 305.4 CP hacía expresa referencia a las deudas contenidas en el punto 1. En este sentido, el art. 305.4 CP decía que "[q]uedará exento de responsabilidad penal el que regularice su situación tributaria, *en relación con las deudas a que se refiere el apartado primero de este artículo* [...]" (la cursiva es nuestra).

28 MARTÍNEZ-BUJÁN PÉREZ, C., *Los delitos contra la Hacienda Pública y la Seguridad Social*, cit., p. 160.

29 Aunque es preciso remarcar que algunos autores admiten la tentativa en los delitos de mera actividad. Véase, en este sentido, ACALE SÁNCHEZ, M., "Los delitos de mera actividad", en *Revista de Derecho Penal y Criminología,* n. 10, 2002, pp. 37 y ss.

30 Así, véanse MARTÍNEZ-BUJÁN PÉREZ, C., *Derecho Penal Económico y de la Empresa. Parte Especial,* 5ª ed., cit., p. 633; BOIX REIG, J./ MIRA BENAVENT, J., *Delitos contra la Hacienda Pública y contra la Seguridad Social,* cit., p. 72; BAJO FERNÁNDEZ, M./ BACIGALUPO, S., *Delitos contra la Hacienda pública,* cit., pp. 58-64; RANCAÑO MARTÍN, M.A., *El delito de defraudación tributaria,* Madrid, 1997, pp. 77-81; RODRÍGUEZ LÓPEZ, P., *Delitos contra la Hacienda Pública y contra la Seguridad Social,* Barcelona, 2008, pp. 126-132; CUGAT MAURI, M./ BAÑERES SANTOS, F., "Delitos contra la Hacienda Pública y la Seguridad Social", cit., pp. 810-811; IGLESIAS RIO, M.A., "Artículo 305", cit., p. 742; DE LA MATA BARRANCO, N.J., "El delito fiscal del art. 305 CP después de las reformas de 2010, 2012 y 2015: algunas cuestiones, viejas y nuevas, todavía controvertidas", en *Revista General de Derecho Penal*, n. 26, 2016, pp. 20-24; MORALES PRATS, F. "De los delitos contra la Hacienda Pública y contra la Seguridad Social", cit., pp. 539-681; FERRÉ OLIVÉ, J.C., *Tratado de los delitos contra la Hacienda Pública y contra la Seguridad Social,* cit., p. 143. Esta es también la posición que mantiene en la actualidad el Tribunal Supremo, que, recientemente, se ha pronunciado al respecto en la Sentencia de la Sala 2ª del Tribunal Supremo 374/2017, de 24 de mayo [ponente: Sr. Varela Castro] (Tol 6.110.618).

advierten que no todas las modalidades típicas previstas en el art. 305.1 CP admitirían esa calificación[31]. Por otra parte, en aquellos supuestos en los que fuera posible castigar el delito fiscal por tentativa –cuestión que, como acabamos de decir, podría depender de la modalidad típica y de la forma de comisión–, la aplicación del art. 305.4 CP tampoco resulta sencilla, pues, en caso de admitirse, sería necesario determinar si, en estos casos, los requisitos para eximir de pena se han de plantear en similares términos que en el delito consumado. En concreto, lo que se cuestiona es si en el caso de un delito fiscal cometido en grado de tentativa –en el que el resultado típico no se ha producido por motivos ajenos a la voluntad del autor, según establece el art. 16 CP– sería exigible, a efectos de la exención de pena del art. 305.4 CP, el pago de la deuda tributaria. Dicho de otro modo ¿cómo va a regularizar el obligado tributario su deuda tributaria pagando, si todavía no ha provocado un perjuicio económico a la Hacienda Pública? ¿Bastaría con una nueva declaración que impidiera causar el perjuicio económico? Y en caso de que así fuera ¿no sería este un supuesto de desistimiento voluntario? Según MARTÍNEZ-BUJÁN PÉREZ, no existe inconveniente en aplicar el art. 305.4 CP cuando se dé un delito fiscal en grado de tentativa y precisa que, en función de la voluntad del sujeto, podríamos hablar de un posible desistimiento voluntario y no de regularización *stricto sensu*[32].

Junto a lo mencionado anteriormente, también será aplicable el art. 305.4 CP al tipo agravado previsto en el art. 305 *bis* CP, por expresa referencia de su apartado segundo que señala que "[a] los supuestos descritos en el presente artículo les serán de aplicación todas las restantes previsiones contenidas en el artículo 305". Ello, no obstante, ha sido criticado por algunos autores, como SÁNCHEZ-OSTIZ GUTIÉRREZ, quien considera que esta previsión no puede extenderse a casos en los que las conductas son más desvaloradas,

---

31 En este sentido, véanse, por ejemplo, BERDUGO GÓMEZ DE LA TORRE, I., "Consideraciones sobre el delito fiscal en el Código Español", en *Themis,* n. 32, 1995, p. 76; MUÑOZ CONDE, F. *Derecho penal. Parte Especial,* 21ª ed., cit., pp. 902-903 o DE LA CUESTA AGUADO, P.M., "Cuestiones jurisprudenciales sobre el delito fiscal. Especial consideración de la responsabilidad penal del asesor fiscal", en *prensa.*

32 MARTÍNEZ-BUJÁN PÉREZ, C., *Los delitos contra la Hacienda Pública y la Seguridad Social,* cit., pp. 141 y 184-190.

pues, de este modo, se "podría pervertir el sentido político-criminal y tributario de la regularización"[33].

3.1.2. El delito de fraude a la Hacienda de la Unión Europea

Mayores problemas que en los supuestos anteriores plantea, sin embargo, la aplicación de la cláusula del art. 305.4 CP al delito de fraude contra la Hacienda de la Unión Europea previsto y penado en el art. 305.3 CP.

Con anterioridad a la reforma de 2012, el art. 305.4 CP solo hacía mención expresa a las deudas señaladas en el art. 305.1 CP –el tipo básico–, pero no a las deudas derivadas de la defraudación a la Hacienda Pública de la Unión Europea, lo que hacía que se cuestionara si este delito sería susceptible de regularización tributaria. Ante la ausencia de previsión normativa, parte de la Doctrina interpretó que, a pesar de la desafortunada redacción del precepto, el delito mencionado debía formar parte del ámbito de aplicación del art. 305.4 CP[34].

Con la reforma de 2012, el art. 305.4 CP dejó de hacer expresa referencia solo a las deudas del art. 305.1 CP, por lo que también desaparecieron, según algunos autores, "los obstáculos gramaticales"[35]

---

33 SÁNCHEZ-OSTIZ GUTIÉRREZ, P., *La Exención de Responsabilidad Penal por Regularización Tributaria*, cit., p. 82.

34 Al respecto, véanse QUERALT JIMÉNEZ, J.J., *Derecho Penal español. Parte Especial*, 3ª ed., Barcelona, 1996, p. 654; BOIX REIG, J./ MIRA BENAVENT, J., *Delitos contra la Hacienda Pública y contra la Seguridad Social*, cit., p. 134; OCTAVIO DE TOLEDO Y UBIETO, E., "Consideración penal de las cláusulas de regularización tributaria", cit., pp. 1472-1478; SÁNCHEZ-OSTIZ GUTIÉRREZ, P., *La Exención de Responsabilidad Penal por Regularización Tributaria*, cit., pp. 77-80; MORALES PRATS, F., "De los delitos contra la Hacienda Pública y contra la Seguridad Social", en *Comentarios al Código Penal Español*, T. II, 6ª ed., de G. Quintero Olivares (dir.) y F. Morales Prats (coord.), Cizur Menor, 2011, p. 504; CUGAT MAURI, M./ BAÑERES SANTOS, F., "Delitos contra la Hacienda Pública y la Seguridad Social", cit., p. 857.

35 Así, MARTÍNEZ-BUJÁN PÉREZ, C., *Derecho Penal Económico y de la Empresa. Parte Especial*, 5ª ed., cit., p. 666. Le siguen en este punto FERRÉ OLIVÉ, J.C., *Tratado de los delitos contra la Hacienda Pública y contra la Seguridad Social*, cit., p. 765 y DE LA MATA BARRANCO, N.J., "El delito fiscal del art. 305 CP después de las reformas de 2010, 2012 y 2015: algunas cuestiones, viejas y nuevas, todavía controvertidas", cit., p. 30.

que pudieron haber impedido que el delito de fraude a la Hacienda Pública de la Unión Europea fuera regularizado según lo previsto en el art. 305.4 CP. Pese a las modificaciones introducidas en el art. 305.4 CP coincidimos con MORALES PRATS en que hubiese sido preferible una adaptación expresa de los requisitos de la regularización tributaria a las particularidades de los tributos de la Unión Europea[36].

3.2. Deudas prescritas en vía administrativa (art. 305.4, segundo párrafo, CP)

A diferencia de los supuestos enumerados en el epígrafe anterior, en el segundo párrafo del art. 305.4 CP sí que se ha previsto de forma expresa la regularización de las deudas tributarias satisfechas "una vez prescrito el derecho de la Administración a su determinación en vía administrativa".

Esta cláusula fue introducida por la LO 7/2012 para dar respuesta a ciertos inconvenientes que planteaba la redacción anterior a la reforma que guardaba silencio sobre los efectos de la regularización de deudas ya prescritas en vía administrativa[37]. En concreto, el principal problema que se suscitaba antes de la reforma de 2012 era ocasionado por la diferencia entre el plazo establecido para extinguir las deudas tributarias por prescripción –que era y sigue siendo de cuatro años, según el art. 66 LGT[38]– y el plazo de prescripción del delito fis-

---

[36] En este sentido, MORALES PRATS, F., "De los delitos contra la Hacienda Pública y contra la Seguridad Social", cit., p. 578.

[37] Así, CARRERAS MANERO, O., "La cláusula de regularización tributaria como causa de exención de responsabilidad penal en el delito contra la Hacienda Pública", cit., pp. 1-21; MANJÓN-CABEZA OLMEDA, A., "Delitos contra la Hacienda Pública y Seguridad Social: art. 305, apartados 1, 4 y 5", en *Estudio crítico sobre el anteproyecto de reforma penal de 2012*, de F. J. Álvarez García (dir.) y J. Dopico Gómez-Aller (coord.), Valencia, 2013, pp. 839-840; BACIGALUPO ZAPATER, E., "La reforma del delito fiscal por la LO 7/2012", en *Diario La Ley*, n. 8637, 2013, s/p. Disponible en línea: www.diariolaley.es [fecha última consulta: 13/02/2020]; MORALES PRATS, F., "De los delitos contra la Hacienda Pública y contra la Seguridad Social", cit., p. 600; FERRÉ OLIVÉ, J.C., *Tratado de los delitos contra la Hacienda Pública y contra la Seguridad Social,* cit., p. 509.

[38] El art. 66 LGT dispone lo siguiente: "Prescribirán a los cuatro años los siguientes derechos: a) El derecho de la Administración para determinar la deuda tributa-

cal –que, conforme al art. 131 CP, es de cinco años en el caso del tipo básico del art. 305.1 CP y 10 años para el tipo agravado del art. 305 *bis* CP[39]–. Estos desiguales márgenes temporales para la prescripción provocaban múltiples desajustes tanto en el ámbito penal como en el tributario. La disonancia entre uno y otro periodo parecía permitir que, durante el transcurso del quinto año, el obligado tributario pudiera regularizar su situación tributaria y, una vez finalizado este, solicitar la devolución de ingresos indebidos al amparo del art. 221 c) LGT que –por aquel entonces– permitía iniciar el procedimiento para el reconocimiento del derecho a la devolución de ingresos indebidos "[c]uando se hayan ingresado cantidades correspondientes a deudas o sanciones tributarias después de haber transcurrido los plazos de prescripción".

Para evitar este tipo de situaciones, claramente perjudiciales para la Hacienda Pública, se optó por modificar, por un lado, el art. 305.4 CP en el modo antes indicado y, por otro, el art. 221 c) LGT para especificar que "[e]n ningún caso se devolverán las cantidades satisfechas en la regularización voluntaria establecida en el artículo 252 de esta Ley". De esta forma, queda claro que la regularización tributaria de deudas prescritas administrativamente entran en el ámbito de

---

ria mediante la oportuna liquidación. b) El derecho de la Administración para exigir el pago de las deudas tributarias liquidadas y autoliquidadas. c) El derecho a solicitar las devoluciones derivadas de la normativa de cada tributo, las devoluciones de ingresos indebidos y el reembolso del coste de las garantías. d) El derecho a obtener las devoluciones derivadas de la normativa de cada tributo, las devoluciones de ingresos indebidos y el reembolso del coste de las garantías."

39 Más ampliamente pueden verse CORDOBA RODA, J., "El Estatuto del Contribuyente y la prescripción de los delitos contra la Hacienda Pública: un debate actual", en *Revista jurídica de Catalunya,* n. 4, 1999, pp. 983-996; FERREIRO LAPATZA, J.J., "Prescripción tributaria y delito fiscal", en *Diario La Ley,* n. 5, 1999, s/p. Disponible en línea: www.diariolaley.es [fecha última consulta: 13/02/2020]; SOTO NIETO, F., "Prescripción del delito fiscal", en *Diario La Ley,* n. 1, 2002, s/p. Disponible en línea: www.diariolaley.es [fecha última consulta: 13/02/2020]; MERINO JARA, I./ SERRANO GONZÁLEZ DE MURILLO, J.L., *El delito fiscal,* 2ª ed., Madrid, 2004, pp. 147-172; RUIZ RESCALVO, M.P., *La prescripción tributaria y el delito fiscal,* Madrid, 2004, pp. 77-110; HUERTA TOCILDO, S., "Dos cuestiones constitucionales relacionadas con el delito fiscal: su distinción del fraude de ley tributaria y el momento de su prescripción", en *Delitos e infracciones contra la Hacienda Pública,* de E. Octavio de Toledo y Ubieto (dir. y coord.), Valencia, 2009, pp. 167-194.

aplicación del art. 305.4 CP y que, además, las cantidades pagadas a tales efectos no darán lugar a devolución alguna, ya que su cobro ha dejado de considerarse indebido[40].

3.3. Irregularidades contables u otras falsedades instrumentales que se hayan cometido en relación con la deuda tributaria objeto de regularización (art. 305.4, párrafo tercero, CP)

3.3.1. Cuestiones introductorias: fundamento, naturaleza jurídica y sujetos beneficiarios

Según el párrafo tercero del art. 305.4 CP, la regularización de la situación tributaria por parte del obligado tributario evitará que se le persiga por aquellas "irregularidades contables u otras falsedades instrumentales que, exclusivamente en relación a la deuda tributaria objeto de regularización, el mismo pudiera haber cometido con carácter previo a la regularización de su situación tributaria". Dos elementos destacan del tenor literal del precepto: 1) el carácter previo a la regularización de las irregularidades contables y otras falsedades instrumentales; 2) que los delitos a los que se extienden los efectos de la regularización deben estar relacionados con la deuda objeto de regularización[41].

La referencia a las "irregularidades contables y falsedades documentales" suscitó, desde su inicio, recelos entre la Doctrina, tanto en

---

40 Así, MANJÓN-CABEZA OLMEDA, A., "Delitos contra la Hacienda Pública y Seguridad Social: art. 305, apartados 1, 4 y 5", cit., pp. 839-840; BACIGALUPO ZAPATER, E., "La reforma del delito fiscal por la LO 7/2012", cit., s/p; MORALES PRATS, F., "De los delitos contra la Hacienda Pública y contra la Seguridad Social", cit., p. 600; FERRÉ OLIVÉ, J.C., *Tratado de los delitos contra la Hacienda Pública y contra la Seguridad Social,* cit., p. 509; DE LA MATA BARRANCO, N.J., "El delito fiscal del art. 305 CP después de las reformas de 2010, 2012 y 2015: algunas cuestiones, viejas y nuevas, todavía controvertidas", cit., p. 30.

41 Art. 305.4, tercer párrafo, CP: "La regularización por el obligado tributario de su situación tributaria impedirá que se le persiga por las posibles irregularidades contables u otras falsedades instrumentales que, exclusivamente en relación a la deuda tributaria objeto de regularización, el mismo pudiera haber cometido con carácter previo a la regularización de su situación tributaria."

cuanto a la conveniencia de su previsión –y su fundamento– como en cuanto a la delimitación de los delitos afectados por la cláusula, sin olvidar las dudas sobre los requisitos exigidos para su aplicación y la posibilidad de extender sus efectos a los partícipes de estos delitos[42].

Por lo que atañe al fundamento de la expansión del ámbito de aplicación del art. 305.4 CP a las irregularidades contables u otras falsedades instrumentales, la Doctrina mayoritaria apunta a razones político criminales, pues tal y como señala SÁNCHEZ-OSTIZ GUTIÉRREZ, si se exigiera responsabilidad penal en estos casos se

---

42 Sobre estos aspectos, véanse, entre otros, MARTÍNEZ-BUJÁN PÉREZ, C., *Los delitos contra la Hacienda Pública y la Seguridad Social,* cit., pp. 142-143; id., "El delito de defraudación tributaria", en *Revista Penal,* n. 1, 1997, p. 65; id., *Derecho Penal Económico y de la Empresa. Parte Especial,* 5ª ed., pp. 653-654; BACIGALUPO ZAPATER, E., "El delito fiscal", cit., p. 305; SÁNCHEZ-OSTIZ GUTIÉRREZ, P., *La Exención de Responsabilidad Penal por Regularización Tributaria,* cit., pp. 127-135; IGLESIAS RÍO, M.A., *La regularización fiscal en el delito de defraudación tributaria (un análisis de la «autodenuncia». Art. 305-4 CP),* cit., pp. 180-188; BRANDARIZ GARCÍA, J.A., *La exención de responsabilidad penal por regularización en el delito de defraudación a la Seguridad Social,* cit., pp. 125-142; SERRANO GONZÁLEZ DE MURILLO, J.L./ MERINO JARA, I., "La regularización tributaria en la reforma de los delitos contra la Hacienda Pública", en *Revista de Derecho Financiero y Hacienda Pública,* Vol. 45, n. 236, 1995, p. 346; id., *El delito fiscal,* 2ª ed., cit., pp. 146-147; DE LA MATA BARRANCO, N., "La cláusula de regularización tributaria en el delito de defraudación fiscal del artículo 305 del Código Penal", en *Estudios penales en homenaje al profesor Cobo del Rosal,* de J.C. Carbonell Mateu (coord.), Madrid, 2005, pp. 301-326; QUERALT JIMÉNEZ, J.J., "La regularización como comportamiento postdelictivo en el delito fiscal", cit., p. 53; MAGALDI PATERNOSTRO, M.J., "De los delitos contra la Hacienda Pública y contra la Seguridad Social", en *Comentarios al Código Penal. Parte Especial,* T. I, de J. Córdoba Roda y M. García Arán (dirs.), Madrid, 2004, pp. 1205-1206; OCTAVIO DE TOLEDO Y UBIETO, E., "Los «delitos contra la Hacienda Pública» relativos a los ingresos tributarios: el llamado «delito contable» del artículo 310 del Código Penal", en *Delitos e infracciones contra la Hacienda Pública,* de E. Octavio de Toledo y Ubieto (dir. y coord.), Valencia, 2009, pp. 195-213; MANJÓN-CABEZA OLMEDA, A., *Las excusas absolutorias en Derecho Español. Doctrina y jurisprudencia,* Valencia, 2014, pp. 172-173; MUÑOZ CONDE, F., *Derecho Penal. Parte Especial,* 20ª ed., Valencia, 2015, pp. 910-911; MORALES PRATS, F., "De los delitos contra la Hacienda Pública y contra la Seguridad Social", cit., pp. 601-602; BUSTOS RUBIO, M., *La regularización en el delito de defraudación a la Seguridad Social,* cit., pp. 398-436; FERRÉ OLIVÉ, J.C., *Tratado de los delitos contra la Hacienda Pública y contra la Seguridad Social,* cit., p. 324.

"frustraría la pretensión que se encierra en que los obligados defraudadores regularicen", de modo que solo se conseguiría incentivar la regularización "si regularizar no supone a la vez autodenunciarse por unas falsedades documentales punibles"[43]. MORALES PRATS, por su parte, considera, con base en argumentos hermenéuticos, que "si la regularización voluntaria puede lo más (enervar la responsabilidad criminal del delito fin de defraudación tributaria, de fraude de subvenciones o de defraudación a la Seguridad Social), también debe poder lo menos (exonerar de responsabilidad penal con relación al delito instrumental o delito medio de falsedad, cuya comisión se verificó exclusivamente para defraudar a la Hacienda Pública o a la Seguridad Social)"[44].

Si bien la cláusula del párrafo tercero del art. 305.4 CP posee, según la opinión mayoritaria, un fundamento similar al de la regularización tributaria –razones político-criminales–, ello no significa que ambas figuras compartan naturaleza jurídica. En este sentido, en la actualidad, la Doctrina mantiene, desde nuestro punto de vista con razón, que la cláusula que estamos analizando es una causa de procedibilidad, es decir, una causa que impide iniciar el proceso penal[45] por dichas irregularidades contables u otras falsedades instrumentales[46].

---

43 SÁNCHEZ-OSTIZ GUTIÉRREZ, P., *La Exención de Responsabilidad Penal por Regularización Tributaria,* cit., p. 130.

44 MORALES PRATS, F., "De los delitos contra la Hacienda Pública y contra la Seguridad Social", cit., p. 601. También reconoce que sin esta cláusula la eficacia de la regularización podría "verse seriamente comprometida" si tenemos en cuenta que las falsedades instrumentales "preceden a la defraudación tributaria o a la Seguridad Social con numerosísima frecuencia".

45 En este sentido, véanse MUÑOZ CONDE, F./ GARCÍA ARÁN, M., *Derecho Penal. Parte General,* 9ª ed., Valencia, 2015, p. 429 y MIR PUIG, S., *Derecho Penal. Parte General,* 10ª ed., Barcelona, 2016, p. 184.

46 En sentido contrario al expuesto, BUSTOS RUBIO considera que la cláusula del párrafo tercero del art. 305.4 CP constituye una causa de levantamiento o anulación de la pena (así, BUSTOS RUBIO, M., *La regularización en el delito de defraudación a la Seguridad Social,* cit., pp. 399 y 402). Por su parte, FERRÉ OLIVÉ opina que, con independencia de que se trate de una condición de perseguibilidad o de una causa de levantamiento de la pena, "seguimos moviéndonos en el mismo eslabón sistemático", esto es, en la punibilidad (FERRÉ OLIVÉ, J.C., *Tratado de los delitos contra la Hacienda Pública y contra la Seguridad Social,* cit., p. 324).

En cuanto a los sujetos que pueden beneficiarse de los efectos de la cláusula del art. 305.4, párrafo tercero, el precepto establece que será el obligado tributario. Nada dice, sin embargo, de otros posibles intervinientes en los delitos contables o de falsedades documentales. La Doctrina ha interpretado el alcance de la cláusula desde el punto de vista de los sujetos en dos sentidos: por una parte, mientras algunos autores se muestran favorables a extender la cláusula a los partícipes para dotarla de mayor eficacia[47], otros abogan, en nuestra opinión con mejor criterio, por restringir su aplicación a los partícipes que "adopten su propio comportamiento postdelictivo"[48], si bien no se concreta en qué debe consistir dicho comportamiento.

3.3.2. Significado de "irregularidades contables" y "falsedades documentales"

La expresión "irregularidades contables" hace referencia, según la Doctrina[49], al delito contable previsto en el art. 310 CP –que tipifica diferentes conductas relacionadas con la contabilidad mercantil y el

---

47 En este sentido, SÁNCHEZ-OSTIZ GUTIÉRREZ, P., *La Exención de Responsabilidad Penal por Regularización Tributaria*, cit., p. 131; IGLESIAS RÍO, M.A., *La regularización fiscal en el delito de defraudación tributaria (un análisis de la «autodenuncia». Art. 305-4 CP)*, cit., p. 186 y DE LA MATA BARRANCO, N., "La cláusula de regularización tributaria en el delito de defraudación fiscal del artículo 305 del Código Penal", cit., p. 311.

48 Así, BRANDARIZ GARCÍA, J.A., *La exención de responsabilidad penal por regularización en el delito de defraudación a la Seguridad Social*, cit., p. 128 y OCTAVIO DE TOLEDO Y UBIETO, E., "Los «delitos contra la Hacienda Pública» relativos a los ingresos tributarios: el llamado «delito contable» del artículo 310 del Código Penal", cit., p. 204.

49 Entre otros, véanse MARTÍNEZ-BUJÁN PÉREZ, C., *Los delitos contra la Hacienda Pública y la Seguridad Social*, cit., p. 142; id., *Derecho Penal Económico y de la Empresa. Parte Especial*, 5ª ed., p. 653; SÁNCHEZ-OSTIZ GUTIÉRREZ, P., *La Exención de Responsabilidad Penal por Regularización Tributaria*, cit., p. 133; MAGALDI PATERNOSTRO, M.J., "De los delitos contra la Hacienda Pública y contra la Seguridad Social", cit., p. 1205; DE LA MATA BARRANCO, N., "La cláusula de regularización tributaria en el delito de defraudación fiscal del artículo 305 del Código Penal", cit., p. 310; OCTAVIO DE TOLEDO Y UBIETO, E., "Los «delitos contra la Hacienda Pública» relativos a los ingresos tributarios: el llamado «delito contable» del artículo 310 del Código Penal", cit., p. 204; MUÑOZ CONDE, F., *Derecho Penal. Parte Especial*, 20ª ed., cit., p. 911; MORALES PRATS, F., "De los delitos contra la Hacienda Pública y contra la

incumplimiento de obligaciones de llevar libros o registros fiscales–, mientras que la expresión "falsedades instrumentales" sería más ambigua y podría hacer referencia a varios delitos y, en este punto, las posiciones doctrinales divergen.

Un primer sector doctrinal entiende que la expresión "falsedades documentales" permitiría incluir en el ámbito de aplicación del art. 305.4 CP a "toda clase de delitos tipificados en nuestro Código penal"[50], siempre y cuando, se acreditara, además de su carácter instrumental respecto del delito fiscal, el cumplimiento de una serie de requisitos –requisitos que, sin embargo, difieren de un autor a otro–. Una segunda posición doctrinal considera, por el contrario, que únicamente podrán ser calificados como de "falsedad documental" los delitos de falsedad documental previstos en el Capítulo II del Título XVII, Libro II del CP[51], pudiendo distinguir dentro de este sector a quienes restringen su ámbito de aplicación a los delitos de falsedad sobre documentos de carácter privado[52].

En nuestra opinión, la solución propuesta por este último sector doctrinal es la que resulta compatible con el tenor literal del art. 305.4 CP del que se deduce que quedarán exentos de pena únicamente los delitos que según el CP son de "falsedad documental" y que presentan las siguientes notas características: 1) que los delitos afectados sean anteriores a la regularización; 2) que sean instrumentales al delito de

---

Seguridad Social", cit., pp. 601-602; FERRÉ OLIVÉ, J.C., *Tratado de los delitos contra la Hacienda Pública y contra la Seguridad Social*, cit., p. 324.

50 MARTÍNEZ-BUJÁN PÉREZ, C., *Los delitos contra la Hacienda Pública y la Seguridad Social*, cit., p. 142; id., *Derecho Penal Económico y de la Empresa. Parte Especial*, 5ª ed., p. 654.

51 Así, IGLESIAS RÍO, M.A., *La regularización fiscal en el delito de defraudación tributaria (un análisis de la «autodenuncia». Art. 305-4 CP)*, cit., p. 185; DE LA MATA BARRANCO, N., "La cláusula de regularización tributaria en el delito de defraudación fiscal del artículo 305 del Código Penal", cit., p. 310; MUÑOZ CONDE, F., *Derecho Penal. Parte Especial*, 20ª ed., cit., p. 973; MORALES PRATS, F., "De los delitos contra la Hacienda Pública y contra la Seguridad Social", cit., p. 602.

52 En este sentido, MUÑOZ CONDE, F., *Derecho Penal. Parte Especial*, 20ª ed., cit., p. 973.

fraude fiscal y 3) particular conexidad objetiva y funcional[53] con el delito de defraudación[54].

Junto a la instrumentalidad y la particular conexidad objetiva y funcional, algunos autores exigen que las "irregularidades contables u otras falsedades instrumentales" sean anteriores al delito de defraudación y no solo anteriores a la regularización tal y como establece el precepto[55]. No obstante, esta interpretación restringe indebidamente el ámbito de aplicación de la cláusula, por lo que coincidimos con SÁNCHEZ-OSTIZ GUTIÉRREZ en afirmar que los delitos instrumentales están exentos tanto si facilitan la defraudación tributaria, como si se utilizan, con posterioridad, para encubrirla[56].

3.4. La regularización tributaria del art. 305.4 CP y el delito de blanqueo de capitales

No es infrecuente que el delito contra la Hacienda Pública vaya precedido o acompañado de un delito de blanqueo de capitales (art.

---

53 Expresión empleada por BRANDARIZ GARCÍA, J.A., *La exención de responsabilidad penal por regularización en el delito de defraudación a la Seguridad Social*, cit., p. 126.

54 En este punto habría que mencionar que la cláusula tendrá eficacia aun cuando la defraudación tributaria no constituya delito por expresa previsión de la Disposición Adicional Quinta CP, según la cual "[l]a exención de responsabilidad penal contemplada en los párrafos segundos de los artículos 305, apartado 4; 307, apartado 3, y 308, apartado 4, resultará igualmente aplicable aunque las deudas objeto de regularización sean inferiores a las cuantías establecidas en los citados artículos".
Nótese que esta disposición contiene lo que podría ser una errata ya que hace referencia a los "párrafos segundos de los artículos 305", cuando, en realidad, según la redacción vigente, el segundo párrafo no es el que contiene la cláusula que afecta a las "irregularidades contables y falsedades instrumentales", sino que es el que determina la aplicación de la regularización tributaria cuando las deudas han prescrito en vía tributaria. Este error se debe a que dicha disposición fue aprobada con la Ley Orgánica 6/1995, de 29 de junio, y posteriormente incorporada al Código Penal de 1995 cuando la alusión a las "irregularidades contables y falsedades instrumentales" aparecían reguladas en el segundo párrafo.

55 Así, por todos, véase MARTÍNEZ-BUJÁN PÉREZ, C., *Los delitos contra la Hacienda Pública y la Seguridad Social*, cit., p. 142.

56 SÁNCHEZ-OSTIZ GUTIÉRREZ, P., *La Exención de Responsabilidad Penal por Regularización Tributaria*, cit., p. 131.

301 CP)[57], lo que implica la necesidad de determinar si los efectos de la regularización tributaria del art. 305.4 CP podrían extenderse sobre un eventual delito de blanqueo de capitales. Antes de analizar tal cuestión, resulta conveniente contextualizar el problema, cuyo origen está, según creemos, en dos modificaciones legislativas del año 2010. Por un lado, la realizada por la Ley 10/2010, de 28 de abril, *de prevención del blanqueo de capitales y de la financiación del terrorismo,* que venía a disponer, en el tercer párrafo de su art. 1.2. d), que la cuota defraudada del delito contra la Hacienda Pública debía ser considerada (a efectos de la citada ley) como bien procedente de

[57] Pueden verse al respecto QUINTERO OLIVARES, G., "El delito fiscal y el ámbito material del delito de blanqueo", en *Actualidad Jurídica Aranzadi*, n. 698, 2006, s/p. Disponible en línea: www.aranzadi.es [fecha última consulta: 25/02/2020]; BOIX REIG, J., "Delito fiscal vs blanqueo de capitales", en *Intercambio de información, blanqueo de capitales y lucha contra el fraude fiscal,* de F. A. García Prats (dir.), Ed. Instituto de Estudios Fiscales, Madrid, 2014, pp. 47-50; MARTÍN QUERALT, J., "Delito fiscal y delito de blanqueo de capitales", en *Intercambio de información, blanqueo de capitales y lucha contra el fraude fiscal,* de F. A. García Prats (dir.), Madrid, 2014, pp. 23-45; MANJÓN-CABEZA OLMEDA, A., "Un matrimonio de conveniencia: blanqueo de capitales y delito fiscal", en *Revista de Derecho Penal*, n. 37, 2012, pp. 9-41; DÍAZ Y GARCÍA CONLLEDO, M., "El castigo del autoblanqueo en la reforma penal de 2010. La autoría y la participación en el delito de blanqueo de capitales", en *III Congreso sobre Prevención y Represión del blanqueo de dinero*, de M. Abel Souto y N. Sánchez Stewart (coords.), Valencia, 2013, pp. 281-299; CASTRO MORENO, A., "Nuevas tendencias sobre el delito de blanqueo: ¿anteblanqueo? Delito fiscal, blanqueo de capitales y regularización tributaria", en *Corrupción y delito: aspectos de Derecho penal español y desde la perspectiva comparada*, de A. Castro Moreno (dir.), P. Otero González (dir.) y A. M. Garrocho Salcedo (coord.), Madrid, 2017, pp. 139-154; BLANCO CORDERO, I., "El delito fiscal como actividad delictiva previa del blanqueo de capitales", en *Revista Electrónica de Ciencia Penal y Criminología*, n. 13, 2011, pp. 1-46. Disponible en línea: www. dialnet.es [fecha última consulta: 25/02/2020]; id., *El Delito de Blanqueo de Capitales,* 3ª ed., Cizur Menor, 2012, pp. 369-441; FERRÉ OLIVÉ, J.C., "Una nueva trilogía en Derecho Penal Tributario: fraude, regularización y blanqueo de capitales", en *Estudios financieros. Revista de contabilidad y tributación*, n. 372, 2014, pp. 41-82; id., *Tratado de los delitos contra la Hacienda Pública y contra la Seguridad Social,* cit., pp. 357-392; FERNÁNDEZ BERMEJO, D., "El delito previo al delito de blanqueo de capitales, ¿concurso de delitos o agotamiento del delito antecedente?", en *Revista General de Derecho Penal*, n. 28, 2017, pp. 1-27; MARTÍNEZ-ARRIETA MÁRQUEZ DE PRADO, I., *El autoblanqueo. El delito fiscal como delito antecedente del blanqueo de capitales,* Valencia, 2014, pp. 67-83.

actividad delictiva a efectos de blanqueo de capitales, y la formulada poco después por la Ley Orgánica 5/2010, de 22 de junio, *por la que se modifica la Ley Orgánica 10/1995, de 23 de noviembre, del Código Penal,* que, entre otras cuestiones, vino a introducir al art. 301 CP nuevas conductas típicas del delito de blanqueo de capitales, concretamente, la "posesión" y "utilización" de bienes cuyo origen tuvieren una actividad delictiva[58]. Ambas modificaciones llevaron a un sector de la Doctrina a postular que la comisión de un delito fiscal podría considerarse "actividad delictiva previa" a efectos del delito de blanqueo de capitales, por lo que la mera posesión o utilización de bienes provenientes del delito fiscal sería constitutiva de un delito de blanqueo[59]. En consecuencia, con esta interpretación, serían muchas las ocasiones en las que el delito fiscal iría necesariamente acompañado de un delito de blanqueo de capitales; de allí que también se cuestionara qué pasaría con el delito de blanqueo de capitales en caso de regularización tributaria, habida cuenta que la regularización del delito fiscal comportaría una *autodenuncia* del delito de blanqueo, pero este último no se encuentra expresamente incluido en el ámbito de aplicación del art. 305.4 CP[60].

A raíz de lo anterior y pese a que el art. 1.2 de la Ley 10/2010, de 28 de abril, precisaba que la definición de las actividades que constituían blanqueo de capitales se efectuaba únicamente a efectos de dicha ley, algunos autores[61] interpretaron que la cuota defraudada

---

58 Sobre las novedades introducidas por esta Ley, puede verse, brevemente, FARALDO CABANA, P., "El blanqueo de capitales tras la reforma de 2010", en *Revista de Inteligencia,* n. 0, primer trimestre, 2012, pp. 30-33. Disponible en línea: http://www.ecrim.es/publications/2011/BlanqueoCapitales2010.pdf [fecha última consulta: 20/07/2020].

59 Véase, por todos, con bibliografía, BLANCO CORDERO, I., "El delito fiscal como actividad delictiva previa del blanqueo de capitales", cit., pp. 1-46; id., *El Delito de Blanqueo de Capitales,* 3ª ed., cit., pp. 369-441.

60 Esta hipótesis la plantea, entre otros, MORALES PRATS, F., "Delito de defraudación tributaria y blanqueo de capitales. Reflexiones en supuestos de regularización tributaria con efectos penales", en *Liber amicorum. Estudios Jurídicos en Homenaje al Prof. Dr. Dr. H.c. Juan Mª. Terradillos Basoco,* de VV.AA., Valencia, 2018, pp. 895-903.

61 Se manifiesta a favor de esta teoría BLANCO CORDERO, para quien el delito fiscal "contamina" los bienes objeto del mismo y, por ello, su mera posesión sería constitutiva de un delito de blanqueo de capitales. Para llegar a esta conclusión

en los delitos contra la Hacienda Pública habría de ser también considerada bien de origen delictivo a efectos del delito de blanqueo de capitales del art. 301 CP. Como consecuencia de tal postura, la mera posesión –o la realización de cualquiera de las conductas típicas del art. 301.1 CP– de la cuota defraudada en el delito fiscal constituiría, a su vez, un delito de blanqueo de capitales.

Desde esta perspectiva, una posible regularización tributaria del delito contra la Hacienda Pública dejaría al descubierto el delito de blanqueo de capitales subyacente; o, dicho de otro modo, la regularización tributaria comportaría una *autodenuncia* del delito de blanqueo, que, en principio y salvo ulteriores consideraciones, no podría formar parte del ámbito de aplicación del art. 305.4 CP. Por tanto, tras la regularización tributaria, el delito fiscal quedaría exento de responsabilidad penal, pero podría exigirse responsabilidad penal por los activos de origen ilícito (cuota defraudada) que se hubiera poseído.

Para superar este obstáculo –que podría afectar de forma negativa a la eficacia de la regularización tributaria–, la Doctrina ha propuesto distintas interpretaciones.

En primer lugar, un sector doctrinal ha propuesto configurar la regularización tributaria como elemento típico, de tal forma que la con-

---

el autor toma como referencia las recomendaciones del Grupo de Acción Financiera Internacional (GAFI) en la materia y, además, acude al art. 1.2 de la Ley 10/2010, de 28 de abril, *de prevención del blanqueo de capitales y de la financiación del terrorismo* que define las actividades que se consideran blanqueo de capitales (a efectos de dicha Ley), entre las cuales se incluye "la cuota defraudada en el caso de los delitos contra la Hacienda Pública". Véase, con bibliografía, BLANCO CORDERO, I., "El delito fiscal como actividad delictiva previa del blanqueo de capitales", cit., pp. 1-46; id., *El Delito de Blanqueo de Capitales,* 3ª ed., cit., pp. 369-441. En este sentido, véase, también, MORALES PRATS, F., "Delito de defraudación tributaria y blanqueo de capitales. Reflexiones en supuestos de regularización tributaria con efectos penales", cit., pp. 895-903, quien, a pesar de admitir que este supuesto sería conceptualmente posible, considera que los bienes procedentes del delito fiscal no tienen origen delictivo y, por tanto, no podrían ser tenidos en cuenta para un posible delito de blanqueo de capitales. Véanse, asimismo, las Sentencias de la Sala 2ª del Tribunal Supremo 649/1996, de 7 de diciembre [ponente: Sr. Delgado García] (Tol 5.011.620); 1493/1999, de 21 de diciembre [ponente: Sr. Conde-Pumpido Tourón] (Tol 5.160.255) y 20/2001, de 28 de marzo [ponente: Sr. Conde-Pumpido Tourón] (Tol 4.914.117).

ducta "inicialmente constitutiva de un delito fiscal" deviniera atípica[62] como consecuencia de la regularización. De este modo, los bienes dejarían de tener origen ilícito y la eficacia de la regularización quedaría salvaguardada[63]. El inconveniente que se plantearía en este caso, es que la configuración de la regularización tributaria como elemento típico adolece de innumerables inconvenientes, razón por la que rechazamos esta concepción, al igual que la Doctrina mayoritaria[64].

---

62 Entre otros, CASTRO MORENO, A., "Nuevas tendencias sobre el delito de blanqueo: ¿anteblanqueo? Delito fiscal, blanqueo de capitales y regularización tributaria", cit. pp. 150-152.

63 Otros autores, como FERRÉ OLIVÉ, consideran que la regularización tributaria excluiría el posible delito de blanqueo de capitales, aunque esta fuera una excusa absolutoria toda vez que "la ausencia de punibilidad restablece sin más el orden jurídico alterado, ya que no existen bienes contaminados" (FERRÉ OLIVÉ, J.C., *Tratado de los delitos contra la Hacienda Pública y contra la Seguridad Social,* cit., p. 391).

64 Entre otros, pueden verse MANJÓN-CABEZA OLMEDA, A., *Las excusas absolutorias en Derecho Español. Doctrina y jurisprudencia,* cit., pp. 161-162; id., "Regularización fiscal y responsabilidad penal. La propuesta de modificación del delito fiscal", en *Teoría y Derecho,* n. 1, 2012, pp. 211-229; id., "Delitos contra la Hacienda Pública y Seguridad Social: art. 305, apartados 1, 4 y 5", cit., pp. 839-840; CARRERAS MANERO, O., "La cláusula de regularización tributaria como causa de exención de responsabilidad penal en el delito contra la Hacienda Pública", cit., pp. 1-21; BOIX REIG, J., "Reflexiones sobre la reforma del delito fiscal", en *Boletín de la Real Academia de Jurisprudencia y Legislación de las Illes Baleares,* n. 14, 2013, p. 368; BACIGALUPO ZAPATER, E., "La reforma del delito fiscal por la LO 7/2012", cit., s/p; IGLESIAS RÍO, M.A., "Delitos contra la Hacienda Pública y la Seguridad Social: Arts. 305 a 310 *bis* CP", en *Estudio crítico sobre el Anteproyecto de reforma penal de 2012,* de F.J. Álvarez García (dir.) y J. Dopico Gómez-Aller (coord.), Valencia, 2013, pp. 824-825; SERRANO GONZÁLEZ DE MURILLO, J.L./ MERINO JARA, I., "Pasado, presente y futuro de las regularizaciones tributarias en Derecho Penal", en *Diario La Ley*, n. 8052, 2013, s/p. Disponible en línea: www.laleydigital.es [fecha última consulta: 23/06/2020]; MORALES PRATS, F., "Delito de defraudación tributaria y blanqueo de capitales. Reflexiones en supuestos de regularización tributaria con efectos penales", cit., pp. 895-903; id., MORALES PRATS, F., "De los delitos contra la Hacienda Pública contra la Seguridad Social", cit., p. 1081; FERRÉ OLIVÉ, J.C., "Una nueva trilogía en Derecho Penal Tributario: fraude, regularización y blanqueo de capitales", cit., pp. 72-73; id., *Tratado de los delitos contra la Hacienda Pública y contra la Seguridad Social,* cit., pp. 301-303; MARTÍNEZ-BUJÁN PÉREZ, C., *Derecho Penal Económico y de la Empresa. Parte Especial,* 6ª ed., Valencia, 2019, p. 697; BOIX REIG, J./ GRIMA LIZANDRA, V., "Delitos contra la Hacienda Pública y contra la Seguridad Social", en

En segundo lugar, una solución alternativa podría ser la que plantea DEMETRIO CRESPO, para quien lo relevante no es si el delito fiscal constituye o no actividad delictiva previa al delito de blanqueo de capitales, sino la relación concursal que exista entre ambos preceptos[65].

Por último, otra solución podría venir de la mano del art. 252 de la LGT que establece –al igual que lo hacía con anterioridad al año 2015 el ya derogado art. 180 LGT– la posibilidad de que la Administración Tributaria no pase el tanto de culpa al Juez o al Ministerio Fiscal. De este modo, si los órganos judiciales no llegan a tener conocimiento de la defraudación porque ha sido regularizada y la Administración no traslada el tanto de culpa, será difícil que conozcan de la existencia de un eventual delito de blanqueo de capitales, lo que, probablemente, conduzca a que este delito no sea perseguido.

En nuestra opinión, penar por separado ambos delitos supondría una vulneración del principio *non bis in idem,* como afirma Doctrina cualificada[66]. En este caso, coincidimos con DEMETRIO CRESPO en que se trata de un concurso de normas, en el que la aplicación del art. 305 CP sería preferente en virtud del principio de absorción (art. 8.3 CP)[67]. Esta solución también sería válida para el supuesto en el que

---

Derecho Penal. Parte Especial, V. II, de J. Boix Reig (dir.), Madrid, 2020, pp. 827-828.

65 DEMETRIO CRESPO, E., "Sobre el fraude fiscal como actividad delictiva antecedente del blanqueo de capitales", en *Revista Nuevo Foro Penal,* Vol. 12, n. 87, junio-diciembre, 2016, p. 117.

66 En este sentido, QUINTERO OLIVARES, G., "El delito fiscal y el ámbito material del delito de blanqueo", cit., s/p; BOIX REIG, J., "Delito fiscal vs blanqueo de capitales", cit., pp. 47-50; MANJÓN-CABEZA OLMEDA, A., "Un matrimonio de conveniencia: blanqueo de capitales y delito fiscal", cit., pp. 36-41; DÍAZ Y GARCÍA CONLLEDO, M., "El castigo del autoblanqueo en la reforma penal de 2010. La autoría y la participación en el delito de blanqueo de capitales", cit., pp. 281-299; CASTRO MORENO, A., "Nuevas tendencias sobre el delito de blanqueo: ¿anteblanqueo? Delito fiscal, blanqueo de capitales y regularización tributaria", cit., pp. 139-154; FERRÉ OLIVÉ, J.C., "Una nueva trilogía en Derecho Penal Tributario: fraude, regularización y blanqueo de capitales", cit., pp. 41-82; id., *Tratado de los delitos contra la Hacienda Pública y contra la Seguridad Social,* cit., pp. 357-392 o FERNÁNDEZ BERMEJO, D., "El delito previo al delito de blanqueo de capitales, ¿concurso de delitos o agotamiento del delito antecedente?", cit., pp. 1-27.

67 En este sentido, véase DEMETRIO CRESPO, E., "Sobre el fraude fiscal como actividad delictiva antecedente del blanqueo de capitales", cit., p. 116 y la juris-

se regularizara el delito fiscal, por lo que, la regularización no serviría para descubrir una nueva responsabilidad por el autoblanqueo[68].

4. EL ÁMBITO SUBJETIVO DE APLICACIÓN DEL ART. 305.4 CP

4.1. *Introducción*

El ámbito subjetivo de aplicación de la regularización tributaria viene determinado por el propio art. 305.4 CP, según el cual "[s]e considerará regularizada la situación tributaria cuando se haya procedido por *el obligado tributario* al completo reconocimiento y pago de la deuda tributaria [...]"[69].

Con anterioridad a la LO 7/2012, el art. 305.4 CP omitía qué sujetos podían realizar la regularización tributaria, lo que provocó que, durante mucho tiempo, la Doctrina se cuestionara si solo tendrían acceso a la regularización los autores del delito fiscal o también cabría extender sus efectos a los partícipes[70]. Esta última cuestión, la relativa

prudencia allí citada.

68 En este sentido, QUINTERO OLIVARES, G., "El delito fiscal y el ámbito material del delito de blanqueo", cit., s/p; BOIX REIG, J., "Delito fiscal vs blanqueo de capitales", cit., pp. 47-50; MANJÓN-CABEZA OLMEDA, A., "Un matrimonio de conveniencia: blanqueo de capitales y delito fiscal", cit., pp. 36-41; DÍAZ Y GARCÍA CONLLEDO, M., "El castigo del autoblanqueo en la reforma penal de 2010. La autoría y la participación en el delito de blanqueo de capitales", cit., pp. 281-299; CASTRO MORENO, A., "Nuevas tendencias sobre el delito de blanqueo: ¿anteblanqueo? Delito fiscal, blanqueo de capitales y regularización tributaria", cit., pp. 139-154; FERRÉ OLIVÉ, J.C., "Una nueva trilogía en Derecho Penal Tributario: fraude, regularización y blanqueo de capitales", cit., pp. 41-82; id., *Tratado de los delitos contra la Hacienda Pública y contra la Seguridad Social,* cit., pp. 357-392 o FERNÁNDEZ BERMEJO, D., "El delito previo al delito de blanqueo de capitales, ¿concurso de delitos o agotamiento del delito antecedente?", cit., pp. 1-27.

69 La cursiva es nuestra.

70 Con anterioridad a la reforma del año 2012, el art. 305.4 CP no aludía, como hace ahora, a ningún sujeto en concreto, sino que se limitaba a señalar que "[q]uedará exento de responsabilidad penal *el que* regularice *su* situación tributaria, en relación con las deudas a que se refiere el apartado primero de este artículo [...]". Esta redacción, un tanto indeterminada, hizo que surgieran dificultades

a la aplicación del art. 305.4 CP a los partícipes, ha sido, con diferencia, la cuestión que en mayor medida ha preocupado a la Doctrina a la hora de delimitar el ámbito subjetivo de aplicación de la cláusula. A pesar de los cambios producidos en la redacción del art. 305.4 CP, como veremos a continuación, la referencia al obligado tributario no ha resuelto el problema de los partícipes, sobre todo si se interpreta, tal y como lo hace parte de la Doctrina, que el obligado tributario es el sujeto activo del delito fiscal y, por ello, el que reúne las cualidades típicas para ser autor[71]. Desde esta perspectiva y sin perjuicio de otras

---

para fijar el ámbito subjetivo de aplicación de la cláusula en tanto que, por un lado, esta no parecía dar respuesta a si dicha cláusula podría ser aplicada a los partícipes o si admitía o no que terceros, ajenos al delito fiscal, regularizaran la situación tributaria de los que sí tenían responsabilidad penal por dicho delito. Por otro lado, tampoco quedaba claro si la regularización tributaria practicada por uno de los intervinientes en el delito –como el autor– haría extender la eficacia de la exención a los demás intervinientes –partícipes–; esto es, si la cláusula poseía carácter objetivo o personal.

71 Pueden verse en este sentido, entre otros, QUINTERO OLIVARES, G., "El nuevo delito fiscal", en *Revista de Derecho Financiero y de Hacienda Pública,* Vol. XXVIII, n. 137, septiembre-octubre 1978, pp. 1323-1327; MARTÍNEZ-BUJÁN PÉREZ, C., "Autoría y participación en el delito fiscal", en *El delito fiscal. Aspectos penales y tributarios,* de E. Demetrio Crespo y J.A. Sanz Díaz-Palacios (dirs.), Barcelona, 2019, pp. 109-134; BERDUGO DE LA TORRE, I./ FERRÉ OLIVÉ, J.C., *Todo sobre el fraude tributario,* cit., pp. 38-39; BAJO, M./ BACIGALUPO, S., *Delitos contra la Hacienda pública,* cit., pp. 80-83; SÁNCHEZ-OSTIZ GUTIÉRREZ, P., *La Exención de Responsabilidad Penal por Regularización Tributaria,* cit., p. 122; IGLESIAS RÍO, M.A., "Artículo 305", en *Comentarios prácticos al Código Penal,* T. III, de M. Gómez Tomillo (dir.), 1ª ed., Cizur Menor, 2015, pp. 738-739; CUGAT MAURI, M./ BAÑERES SANTOS, F., "Delitos contra la Hacienda Pública y la Seguridad Social", cit., pp. 804-807; MORALES PRATS, F., "De los delitos contra la Hacienda Pública y contra la Seguridad Social", cit., pp. 551-554; BACIGALUPO ZAPATER, E., "Cuestiones de la autoría y la participación en el delito fiscal", en *Diario La Ley,* n. 8715, 2016, s/p. Disponible en línea: www.diariolaley.es [fecha última consulta: 13/03/2020]; DE LA MATA BARRANCO, N.J., "El delito fiscal del art. 305 CP después de las reformas de 2010, 2012 y 2015: algunas cuestiones, viejas y nuevas, todavía controvertidas", cit., pp. 12 y ss.; id., "Delitos contra la Hacienda Pública y la Seguridad Social", en *Derecho Penal Económico y de la Empresa,* de N.J. de la Mata Barranco, J. Dopico Gómez-Aller, J.A. Lascuraín Sánchez y A. Nieto Martín, Madrid, 2018, p. 539; TORRES CADAVID, N., "El delito de defraudación tributaria: ¿un delito especial o un delito común? Una propuesta (*de lege lata*) de delimitación del círculo de posibles autores del art. 305 CP", en *Revista Electrónica de Ciencia Penal y Criminología,* n. 20, 2018, pp. 1-47; MUÑOZ CONDE, F., *Derecho*

consideraciones, el obligado tributario, en tanto que sujeto activo y autor del delito fiscal, sería el único que puede acceder a la regularización tributaria, no así los partícipes, que no son obligados tributarios.

Con independencia de lo anterior, en la actualidad, la opinión mayoritaria aboga por extender la eficacia de la cláusula a los partícipes, al menos en aquellos casos en los que los partícipes han participado de forma activa o hayan favorecido la regularización tributaria practicada por el autor[72].

Penal. Parte Especial, 22ª ed., Valencia, 2018, p. 944; FERRÉ OLIVÉ, J.C., *Tratado de los delitos contra la Hacienda Pública y contra la Seguridad Social,* cit. pp. 444-454; DE LA CUESTA AGUADO, P.M., "Cuestiones jurisprudenciales de actualidad sobre el delito fiscal. Especial consideración de la responsabilidad del asesor fiscal", en *prensa.*

72 Así, ALONSO GALLO, J., "El delito fiscal tras la Ley Orgánica 7/2012", cit., p. 20; MANJÓN-CABEZA OLMEDA, A., *Las excusas absolutorias en Derecho Español. Doctrina y jurisprudencia,* cit., pp. 204-209; IGLESIAS RÍO, M.A., "Delitos contra la Hacienda Pública y la Seguridad Social: Arts. 305 a 310 *bis* CP", cit., pp. 830-831; id., "Artículo 305", cit., pp. 746-747; MARTÍNEZ-BUJÁN PÉREZ, C., *Derecho Penal Económico y de la Empresa. Parte Especial,* 5ª ed., cit., pp. 634-636; SILVA SÁNCHEZ, J.M., "Prólogo", en *La Exención de Responsabilidad Penal por Regularización Tributaria,* de P. Sánchez-Ostiz Gutiérrez, Cizur Menor, 2002, p. 20; DE LA MATA BARRANCO, N.J., "El delito fiscal del art. 305 CP después de las reformas de 2010, 2012 y 2015: algunas cuestiones, viejas y nuevas, todavía controvertidas", cit., pp. 31-32; id., "Cumplimiento fiscal, regularización tributaria y responsabilidad penal", en *Almacén de Derecho,* 06/09/2016, s/p. Disponible en línea: www.almacéndederecho.org [fecha última consulta: 21/03/2020]; id., "Delitos contra la Hacienda Pública y la Seguridad Social", cit., p. 557; MORALES PRATS, F., "De los delitos contra la Hacienda Pública contra la Seguridad Social", cit., pp. 1073-1077; AYALA GÓMEZ, I., "Delitos contra la Hacienda pública y contra la Seguridad Social", en *Memento práctico. Penal económico y de la empresa,* de I. Ayala Gómez e I. Ortiz de Urbina Gimeno (coords.), Madrid, 2016-2017, p. 740; GALLEGO SOLER, J.I./ DÍAZ MORGADO, C., "Delito fiscal (arts. 305-305 bis)", en *Manual de Derecho Penal Económico y de Empresa. Parte General y Parte Especial,* T. II, de M. Corcoy Bidasolo y V. Gómez Martín (dirs.) y C. Díaz Morgado (coord.), Valencia, 2016, p. 460; FERRÉ OLIVÉ, J.C., *Tratado de los delitos contra la Hacienda Pública y contra la Seguridad Social,* cit., pp. 329-332; LANDERA LURI, M., *Excusas absolutorias basadas en conductas positivas postconsumativas: acciones contratípicas,* Valencia, 2018, pp. 159 y ss.

4.2. El concepto de obligado tributario y su posición dogmática en el delito contra la Hacienda Pública

Según la opinión mayoritaria, el delito contra la Hacienda Pública del art. 305.4 CP es un delito especial porque, a pesar de incluirse en el precepto la expresión "el que" para referirse al sujeto activo –lo que suele ser señal de que el sujeto activo del delito puede ser cualquiera–, solo puede cometerse por un círculo restringido de sujetos: los que incumplan una obligación derivada de la relación jurídico-tributaria con la Administración Tributaria. En este sentido, el delito fiscal, en palabras de MORALES PRATS, "reclama un incumplimiento por parte del autor de un deber jurídico extrapenal, cualificado y acotado por el ordenamiento tributario, de carácter propio, personal e intransferible"[73].

Ahora bien, el consenso parece descender a la hora de determinar, de forma precisa, cuáles son los sujetos que reúnen esa cualidad típica, pues, como veremos, por un lado, la normativa tributaria prevé un extenso catálogo de sujetos a los que se les atribuyen obligaciones tributarias y, por otro, la Doctrina no siempre coincide al respecto. Así, podemos encontrar autores que designan como sujeto activo del delito fiscal, en la modalidad de "eludir el pago de tributos", al deudor tributario[74]. Sin embargo, el concepto de deudor tributario no se encuentra definido por la normativa tributaria, razón por la cual otros autores prefieren utilizar términos tributarios como el de obli-

---

73 MORALES PRATS, F., "De los delitos contra la Hacienda Pública y contra la Seguridad Social", cit., p. 550.

74 En este sentido, véanse SÁNCHEZ-OSTIZ GUTIÉRREZ, P., *La Exención de Responsabilidad Penal por Regularización Tributaria,* cit., p. 122 o DE LA MATA BARRANCO, N.J., "El delito fiscal del art. 305 CP después de las reformas de 2010, 2012 y 2015: algunas cuestiones, viejas y nuevas, todavía controvertidas", cit., p. 12; id., "Delitos contra la Hacienda Pública y la Seguridad Social", cit., p. 539.

gado tributario[75], contribuyente[76], sujeto pasivo de la obligación tributaria[77] o una combinación variada de estos sujetos[78]. MARTÍNEZ-BUJÁN PÉREZ, por su parte, considera sujeto activo de la modalidad consistente en "eludir el pago de tributos" a quien "esté obligado al pago según las normas de Derecho tributario"; lo que, según el propio autor, no es "una posición idéntica a la del deudor tributario obligado en nombre propio"[79].

En el caso de la modalidad de "eludir el pago de tributos", la utilización de uno u otro término de los referidos anteriormente tiene serias consecuencias en la delimitación de los posibles sujetos activos del delito fiscal, ya que puede contribuir a una interpretación más o menos restrictiva de la posición dogmática del sujeto activo, lo que parece no ser tenido en cuenta por toda la Doctrina. Así, algunos

---

75 Así, MORENO CÁNOVES, A./ RUIZ MARCO, F., *Delitos socioeconómicos. Comentarios a los arts. 262, 270 a 310 del nuevo Código penal (concordados y con jurisprudencia)*, Zaragoza, 1996, pp. 424-425; BAJO, M./ BACIGALUPO, S., *Delitos contra la Hacienda pública,* cit., p. 80; RODRÍGUEZ LÓPEZ, P., *Delitos contra la Hacienda Pública y contra la Seguridad Social*, cit., p. 68; IGLESIAS RÍO, M.A., "Artículo 305", cit., p. 738; FERRÉ OLIVÉ, J.C., *Tratado de los delitos contra la Hacienda Pública y contra la Seguridad Social,* cit. pp. 444-454 o BERTRÁN GIRÓN, F., *Regularización y delito contra la Hacienda Pública: cuestiones prácticas,* cit., p. 200.

76 En este sentido, DE LA MATA BARRANCO, N.J., "El delito fiscal del art. 305 CP después de las reformas de 2010, 2012 y 2015: algunas cuestiones, viejas y nuevas, todavía controvertidas", cit., p. 12; id., "Delitos contra la Hacienda Pública y la Seguridad Social", cit., p. 539.

77 Véanse, en este sentido, BERDUGO DE LA TORRE, I./ FERRÉ OLIVÉ, J.C., *Todo sobre el fraude tributario,* cit., p. 39; BLANCO CORDERO, I., "Delitos contra la Hacienda Pública y la Seguridad Social", en *Eguzkilore: Cuaderno del Instituto Vasco de Criminología*, n. 14, 2000, p. 9. Disponible en https://www.ehu.eus/documents/1736829/2174322/02+Blanco%2C%20Isidoro.pdf [fecha última consulta: 03/03/2020] o MORALES PRATS, F., "De los delitos contra la Hacienda Pública y contra la Seguridad Social", cit., p. 1534.

78 Por ejemplo, AYALA GÓMEZ, I., *El delito de defraudación tributaria: artículo 349 del Código Penal,* Madrid, 1988, p. 249 o IGLESIAS RÍO, M.A., "Artículo 305", cit., pp. 738-739.

79 En este sentido, MARTÍNEZ-BUJÁN PÉREZ, C., *Derecho Penal Económico y de la Empresa. Parte Especial,* 2ª ed., Valencia, 2015, p. 561; id., *Derecho Penal Económico y de la Empresa. Parte Especial,* 5ª ed., p. 618. Sin embargo, en publicaciones posteriores el autor parece modular su posición en el sentido de considerar sujeto activo del delito fiscal al obligado tributario (así, MARTÍNEZ-BUJÁN PÉREZ, C., "Autoría y participación en el delito fiscal", cit., p. 110).

autores[80], como advierte TORRES CADAVID[81], utilizan los términos "obligado tributario", "sujeto pasivo de la obligación tributaria" o "contribuyente" como sinónimos, cuando, según la Ley General Tributaria, no son equivalentes.

Serán obligados tributarios, según el art. 35.1 LGT, "las personas físicas o jurídicas y las entidades a las que la normativa tributaria impone el cumplimiento de obligaciones tributarias". Entre otros, serán obligados tributarios, los contribuyentes; los sustitutos del contribuyente; los obligados a realizar pagos fraccionados; los retenedores, los obligados a practicar ingresos a cuenta; los obligados a repercutir; los obligados a soportar la repercusión; los obligados a soportar la retención; los obligados a soportar los ingresos a cuenta, los sucesores y, por último, los beneficiarios de supuestos de exención, devolución o bonificaciones tributarias, cuando no tengan la condición de sujetos pasivos[82].

Al margen de lo anterior, el art. 37 LGT define otras clases de obligados tributarios que guardan cierta similitud entre sí: los obligados a realizar pagos fraccionados, el retenedor y el obligado a realizar ingresos a cuenta. El art. 38 LGT, por su parte, define a los obligados a repercutir y a soportar la repercusión, los obligados a soportar la retención y los ingresos a cuenta. Junto a estos, también serán obligados tributarios los sucesores de personas físicas (art. 39 LGT), los suceso-

---

80 Así, por ejemplo, MORALES PRATS, quien parece utilizar como sinónimos "obligado tributario" y "sujeto pasivo de la obligación tributaria" (MORALES PRATS, F., "De los delitos contra la Hacienda Pública y contra la Seguridad Social", cit., p. 1534).

81 TORRES CADAVID, N., "El delito de defraudación tributaria: ¿un delito especial o un delito común? Una propuesta (*de lege lata*) de delimitación del círculo de posibles autores del art. 305 CP", cit., p. 17.

82 Junto a los mencionados, el art. 35.3 LGT también señala como obligados tributarios a los sujetos a los que la normativa tributaria imponga el cumplimiento de obligaciones formales. Asimismo, tendrán dicha condición las herencias yacentes, comunidades de bienes y demás entidades que, carentes de personalidad jurídica, constituyan una unidad económica o un patrimonio separado susceptibles de imposición, cuando así lo determinen las leyes (art. 35.4 LGT), sin olvidarse de los responsables (art. 35.5 LGT) y los sujetos a los que se pueda imponer obligaciones tributarias conforme a la normativa sobre asistencia mutua (art. 35.6 LGT).

res de personas jurídicas (art. 40 LGT) y los responsables tributarios (arts. 41 a 43 LGT)[83].

El concepto de obligado tributario que proporciona el art. 35.1 LGT define, según PÉREZ ROYO/ CARRASCO GONZÁLEZ, "a los titulares de posiciones pasivas en relación con la Administración Tributaria", lo que convierte al obligado tributario en "el centro de imputación de una situación de deber o de una obligación"[84]. Se trata, según algunos autores, de un concepto "tautológico"[85] que hace referencia a obligaciones tributarias de distinta naturaleza que pueden darse respecto de tributos propios o incluso de terceros[86]. En consecuencia, el concepto de obligado tributario es tan amplio que, según MENÉNDEZ MORENO, "es muy difícil no ser obligado tributario"[87].

Si partimos de este concepto tan amplio de obligado tributario, como sujeto al que se impone cualquier tipo de obligaciones de naturaleza tributaria, cabría preguntarse, con DE LA CUESTA AGUADO, si esta

---

83 Los responsables tributarios son obligados tributarios, aunque con un particular régimen jurídico, que hace que se diferencien de todos los demás obligados tributarios. El responsable tributario es, según PÉREZ ROYO/ CARRASCO GONZÁLEZ, "una persona que, en virtud de la realización del presupuesto definido en la ley, queda sujeto al pago de la deuda tributaria en función de garantía, para el caso de la falta de pago del deudor principal" (PÉREZ ROYO, F./ CARRASCO GONZÁLEZ, F.M., *Derecho Financiero y Tributario. Parte general,* 29ª ed., cit., p. 188).

84 PÉREZ ROYO, F./ CARRASCO GONZÁLEZ, F.M., *Derecho Financiero y Tributario. Parte general,* 29ª ed., Cizur Menor, 2019, p. 172.

85 En este sentido apuntan, entre otros, MARTÍN QUERALT, J./ LOZANO SERRANO, C./ TEJERIZO LÓPEZ, J.M., *Derecho Tributario,* 22ª ed., Cizur Menor, 2017, p. 160; MARTÍN QUERALT, J./ LOZANO SERRANO, C./ TEJERIZO LÓPEZ, J.M./ CASADO OLLERO, G., *Curso de Derecho Financiero y Tributario,* 30ª ed., Madrid, 2019, p. 282; PÉREZ ROYO, F./ CARRASCO GONZÁLEZ, F.M., *Derecho Financiero y Tributario. Parte general,* 29ª ed., cit., p. 172.

86 MARTÍN QUERALT, J./ LOZANO SERRANO, C./ TEJERIZO LÓPEZ, J.M./ CASADO OLLERO, G., *Curso de Derecho Financiero y Tributario,* 30ª ed., cit., p. 282.

87 MENÉNDEZ MORENO, A., "Repasando la noción de obligado tributario y sus diferentes modalidades", en *Quincena Fiscal,* n. 1-2, enero 2017, s/p. Disponible en línea: www.aranzadidigital.es [fecha última consulta: 14/03/2020]. Según este autor, "para que nuestro ordenamiento jurídico otorgue la calificación de obligado tributario puede bastar cualquier origen (realizar o no el hecho imponible), cualquier contenido de la obligación (material y/o formal), o cualquier relación (directa o indirecta) con la Hacienda Pública".

noción realmente delimita o restringe el sujeto activo del delito fiscal, pues, según advierte la citada autora, "para poder «eludir el pago de tributos» es necesario que el sujeto activo tenga la obligación de pago de tributos, lo que no ocurre con todos los obligados tributarios"[88]. Luego, el art. 305.1 CP demanda un concepto más restringido de sujeto activo: un sujeto que tenga atribuida la concreta obligación de pago del tributo, que, en el caso de la modalidad de elusión de pagos de tributos, podría ser el de sujeto pasivo de la obligación tributaria. Excede, con mucho, el objeto de este trabajo profundizar en el concepto de sujeto pasivo de la obligación tributaria[89]. Basta recordar que el art. 36.1 LGT reconoce dos sujetos pasivos de la obligación tributaria: el contribuyente y el sustituto del contribuyente[90].

Las restantes modalidades típicas, por su parte, plantean menos problemas en cuanto a la determinación de los sujetos activos, aunque también pueden encontrarse posiciones divergentes. En la modalidad de eludir el pago de cantidades retenidas o que se hubieran debido retener, la Doctrina mayoritaria considera que sujeto activo es el retenedor, que es obligado tributario en virtud del art. 35.2 LGT[91]. La determinación del sujeto activo en las otras dos modalidades –obtención de devoluciones de forma indebida y disfrute, también indebido, de

---

88 DE LA CUESTA AGUADO, P.M., "Cuestiones jurisprudenciales de actualidad sobre el delito fiscal. Especial consideración de la responsabilidad del asesor fiscal", en *prensa.*

89 Sobre el concepto de sujeto pasivo de la obligación tributaria, pueden verse CALVO ORTEGA, R., "Obligados tributarios", en *Comentarios a la Ley General Tributaria,* 2ª ed., de R. Calvo Ortega (dir.) y J.M. Tejerizo López (coord.), Cizur Menor, 2009, pp. 140 y ss.; CAZORLA PRIETO, L.M., *Derecho Financiero y Tributario. Parte General,* 19ª ed., Cizur Menor, 2019, pp. 264 y ss.; PÉREZ ROYO, F./ CARRASCO GONZÁLEZ, F.M., *Derecho Financiero y Tributario. Parte general,* 29ª ed., cit., pp. 176-178; MARTÍN QUERALT, J./ LOZANO SERRANO, C./ TEJERIZO LÓPEZ, J.M./ CASADO OLLERO, G., *Curso de Derecho Financiero y Tributario,* 30ª ed., cit., pp. 282 y ss.; CALVO ORTEGA, R./ CALVO VÉRGEZ, J., *Curso de Derecho Financiero,* 23ª ed., Cizur Menor, 2019, pp. 132 y ss.

90 Es de esta opinión TORRES CADAVID, N., "El delito de defraudación tributaria: ¿un delito especial o un delito común? Una propuesta (*de lege lata*) de delimitación del círculo de posibles autores del art. 305 CP", cit., p. 34.

91 Véase al respecto TORRES CADAVID, N., "El delito de defraudación tributaria: ¿un delito especial o un delito común? Una propuesta (*de lege lata*) de delimitación del círculo de posibles autores del art. 305 CP", cit., p. 27.

beneficios fiscales– dependerá de su configuración típica. Así, siguiendo a DE LA CUESTA AGUADO, consideramos que mientras que la modalidad comisiva de "obtención indebida de devoluciones" podría ser un delito común porque el tipo no exige, en todo caso, una vinculación jurídica previa del sujeto con la Administración Tributaria, la modalidad de "disfrutar indebidamente de beneficios fiscales" exigiría al sujeto activo del delito que sea "la persona que declara indebidamente la autoliquidación"[92].

4.3. La extensión de los efectos del art. 305.4 CP a los partícipes

El análisis relativo a la aplicación del art. 305.4 CP a los partícipes debe comenzar, tal y como señaló la Fiscalía General del Estado en su Consulta 4/1997, de 19 de febrero *sobre la extensión a terceros partícipes de los efectos de la regularización fiscal*, distinguiendo entre varios supuestos. Así, cuando concurre más de un sujeto al que se le exige responsabilidad penal en virtud del art. 305.1 CP y uno de ellos es partícipe, podemos encontrarnos con las siguientes situaciones:

1. que el autor sea el único que regulariza, mientras que el partícipe permanece indiferente;
2. que el autor regularice, pero que el partícipe intente obstaculizarlo;
3. que el partícipe regularice, pero que el autor se oponga o trate de impedirlo;
4. que tanto el autor como el partícipe regularicen.

4.3.1. Sobre la extensión de los efectos del art. 305.4 CP a los partícipes cuando solo regulariza el autor

El supuesto más frecuente de regularización tributaria es aquel en el que el autor del delito tributario reconoce y paga su deuda tributaria. En estos casos, la responsabilidad penal del partícipe depende, según la Doctrina, de dos factores: primero, depende de la naturaleza

92 DE LA CUESTA AGUADO, P.M., "Cuestiones jurisprudenciales de actualidad sobre el delito fiscal. Especial consideración de la responsabilidad del asesor fiscal", en *prensa*.

jurídica que se atribuya a la regularización tributaria[93] y, segundo, del comportamiento postdelictivo que adopte el partícipe[94].

4.3.1.1. Si la aplicación del art. 305.4 CP al partícipe dependiera de la naturaleza jurídica de la regularización tributaria

La naturaleza jurídica de la cláusula contenida en el art. 305.4 CP no es una cuestión pacífica en la Doctrina, sobre todo a raíz de la reforma llevada a cabo por la LO 7/2012. De este modo, en la actualidad, pueden encontrarse principalmente las siguientes posturas doctrinales: por un lado, un grupo extenso de autores defienden que la regularización es una excusa absolutoria o una causa de levantamiento de la pena[95]; por otro lado, otros autores postulan que se trata de una

---

93 Así, MUÑOZ CONDE, F., *Derecho Penal. Parte Especial,* 20ª ed., cit., p. 910; QUERALT JIMÉNEZ, J.J., "La regularización como comportamiento postdelictivo en el delito fiscal", cit., pp. 54-55; BERDUGO GÓMEZ DE LA TORRE, I., "Consideraciones sobre el delito fiscal en el Código Español", cit., p. 77; APARICIO PÉREZ, A., *La regulación de los delitos contra la Hacienda Pública y la Seguridad Social en el nuevo Código Penal,* Valladolid, 1997, pp. 57-58; OCTAVIO DE TOLEDO Y UBIETO, E., "Consideración penal de las cláusulas de regularización tributaria", cit., pp. 1472-1478; BLANCO CORDERO, I., "Delitos contra la Hacienda Pública y la Seguridad Social", cit., p. 28.

94 MARTÍNEZ-BUJÁN PÉREZ, C., *Los delitos contra la Hacienda Pública y la Seguridad Social*, cit., p. 166; id., *Derecho Penal Económico y de la Empresa. Parte Especial*, 5ª ed., cit., p. 575; SÁNCHEZ-OSTIZ GUTIÉRREZ, P., *La Exención de Responsabilidad Penal por Regularización Tributaria*, cit., p. 124; IGLESIAS RÍO, M.A., *La regularización fiscal en el delito de defraudación tributaria (un análisis de la «autodenuncia». Art. 305-4 CP)*, cit., p. 175; OCTAVIO DE TOLEDO Y UBIETO, E., "Consideración penal de las cláusulas de regularización tributaria", cit., pp. 1472-1478.

95 Entre otros, pueden verse, BOIX REIG, J., "Reflexiones sobre la reforma del delito fiscal", cit., p. 368; BOIX REIG, J./ GRIMA LIZANDRA, V., "Delitos contra la Hacienda Pública y contra la Seguridad Social", en *Derecho Penal. Parte Especial*, Vol. III, de J. Boix Reig (dir.), Madrid, 2012, p. 30; MANJÓN-CABEZA OLMEDA, A., "Regularización fiscal y responsabilidad penal. La propuesta de modificación del delito fiscal", cit., pp. 211-229; id., "Un matrimonio de conveniencia: blanqueo de capitales y delito fiscal", cit., pp. 9-41; id., "Delitos contra la Hacienda Pública y Seguridad Social: art. 305, apartados 1, 4 y 5", cit., pp. 833-842; id., *Las excusas absolutorias en Derecho Español. Doctrina y jurisprudencia,* cit., pp. 161-162; SÁNCHEZ-DÍAZ PALACIOS, J.A., "Regularización tributaria y delito fiscal (art. 305.4 del Código Penal)", en *Diario La Ley*, n. 7420, 2014, s/p. Disponible en línea: www.laleydigital.es [fecha última

causa de exclusión de la tipicidad o de la antijuridicidad[96]. Además de estas posturas, se encuentran otras minoritarias como la que defiende GÓMEZ LANZ, según el cual la regularización es una causa de extinción de la responsabilidad penal específicamente prevista para el delito fiscal[97]. Pues bien, en función de cuál sea la naturaleza jurídica que se atribuya a la regularización tributaria, los efectos de la misma sobre la responsabilidad penal del partícipe podrían ser distintos.

A. Excusa absolutoria o causa de levantamiento de la pena

En primer lugar, la regularización tributaria entendida como excusa absolutoria o causa de levantamiento de la pena que, según Doctrina mayoritaria, presupone la existencia de un delito previo[98]

---

consulta: 30/06/2020].; FERRÉ OLIVÉ, J.C., "Una nueva trilogía en Derecho Penal Tributario: fraude, regularización y blanqueo de capitales", cit., pp. 74-75; id., *Tratado de los delitos contra la Hacienda Pública y contra la Seguridad Social,* cit., p. 55; FARALDO CABANA, P., *Las causas de levantamiento de la pena,* Valencia, 2000, p. 43 o MARTÍNEZ-BUJÁN PÉREZ, C., *Los delitos contra la Hacienda Pública y la Seguridad Social,* cit., pp. 130 y ss.; id., "El delito de defraudación tributaria", en *Revista Penal,* n. 1, 1997, pp. 55-66; id., *Derecho Penal Económico y de la Empresa. Parte Especial,* 2ª ed., cit., p. 575.

96 Véase por todos, MUÑOZ CONDE, F., *Derecho Penal. Parte Especial,* 23ª ed., Valencia, 2021, p. 994 o ALONSO GALLO, J., "El delito fiscal tras la Ley Orgánica 7/2012", en *Actualidad jurídica Uría Menéndez,* n. 34, 2013, p. 19. Disponible en línea: www.dialnet.es [fecha última consulta: 10/03/2020].

97 GÓMEZ LANZ, J., "Delitos contra la Hacienda Pública: Art. 305.4 CP", en Estudio crítico sobre el anteproyecto de reforma penal de 2012, de F.J. Álvarez García (dir.) y J. Dopico Gómez-Aller (coord.), Valencia, 2013, p. 850; id., "Dos cuestiones recientes en torno a la regularización tributaria: la declaración tributaria especial de marzo de 2012 y la reforma del artículo 305 del Código Penal mediante la Ley Orgánica 7/2012", en *Revista de Derecho Penal y Criminología,* n. 1 (extraordinario), 2013, p. 73. También, en este sentido, GÓMEZ LANZ, J./ OBREGÓN GARCÍA, A., *Derecho Penal. Parte General. Elementos básicos de la teoría del delito,* 2ª ed., Madrid, 2015, p. 192.

98 En este sentido, respecto de las excusas absolutorias, son partidarios de que son ajenas al delito, entre otros, JIMÉNEZ DE ASÚA, L., *Tratado de Derecho Penal. Volumen VII. El delito y su exteriorización,* 3ª ed., Buenos Aires, 1970, p. 145; CEREZO MIR, J., *Derecho Penal. Parte General – Lecciones,* 2ª ed., Madrid, 2000, pp. 239-241; BERDUGO GÓMEZ DE LA TORRE, I./ ARROYO ZAPATERO, L./ GARCÍA RIVAS, N./ FERRÉ OLIVÉ, J.C./ SERRANO PIEDECASAS, J.R., *Lecciones de Derecho Penal. Parte General,* 2ª ed., Barcelona, 1999, pp. 268-269; DEMETRIO CRESPO, E., "La punibilidad", en *Lecciones y materiales para el estudio del Derecho Penal,* de I. Berdugo Gómez de la Torre (coord.),

Vol. 2, Madrid, 2010, p. 362; QUINTERO OLIVARES, G., *Parte General del Derecho Penal,* 2ª ed., cit., pp. 444-446; MUÑOZ CONDE, F./ GARCÍA ARÁN, M., *Derecho Penal. Parte General,* 9ª ed., cit., pp. 429-430; BUSTOS RAMÍREZ, J., *Manual de Derecho Penal. Parte General,* 4ª ed., aumentada, corregida y puesta al día por H. Hormazábal Malarée, Barcelona, 1994, pp. 389-391; SUÁREZ-MIRA RODRÍGUEZ, C./ JUDEL PRIETO, Á./ PIÑOL RODRÍGUEZ, J.R., *Manual de Derecho Penal. Parte General,* Cizur Menor, 2002, pp. 244-245; MORENO-TORRES HERRERA, M.R., "La punibilidad", en *Derecho Penal. Parte General,* de J.M. Zugaldía Espinar (dir.) y E.J. Pérez Alonso (coord.), Valencia, 2002, pp. 867-869; LUZÓN CUESTA, J.M., *Compendio de Derecho Penal. Parte General,* 14ª ed., Madrid, 2003, pp. 146-148; CUELLO CONTRERAS, J./ MAPELLI CAFFARENA, B., *Curso de Derecho Penal. Parte General,* 2ª ed., Madrid, 2014, p. 132; ORTS BERENGUER, E./ GONZÁLEZ CUSSAC, J.L., *Compendio de Derecho Penal. Parte General,* 6ª ed., Valencia, 2016, p. 443; NUÑEZ CASTAÑO, E., "La penalidad", en *Nociones Fundamentales del Derecho Penal. Parte General,* 3ª ed., de M.C. Gómez Rivero (dir.), Madrid, 2015, p. 320. También véanse BACIGALUPO ZAPATER, E., *Delito y punibilidad,* cit., p. 38; HIGUERA GUIMERA, J.F., *Las excusas absolutorias,* cit., p. 19; MAPELLI CAFFARENA, B., *Estudio jurídico-dogmático sobre las llamadas condiciones objetivas de punibilidad,* Madrid, 1990, p. 102; MANJÓN-CABEZA OLMEDA, A., *Las excusas absolutorias en Derecho Español. Doctrina y jurisprudencia,* cit., pp. 17-23; BUSTOS RUBIO, M., "Más allá del injusto culpable: los presupuestos de la punibilidad", en *Estudios penales y criminológicos,* n. 35, 2015, p. 216; MENDES DE CARVALHO, É., *Punibilidad y delito,* Madrid, 2007, p. 65. En el mismo sentido señala el Tribunal Supremo en su Sentencia de 26 de diciembre de 1986 [ponente: Sr. Moyna Ménguez], Fundamento Jurídico Primero, quien considera que "bajo este nombre se vienen comprendiendo un conjunto de circunstancias de dudosa y controvertida naturaleza jurídica que, colocadas junto al delito al que afectan, son de difícil clasificación, pero prescindiendo de hacer un ensayo clasificatorio, la «propia» excusa absolutoria debe su origen a razones de política criminal que aconsejan dejar sin punición determinados hechos delictivos no obstante estar presentes en ellos las notas de antijuridicidad, tipicidad y culpabilidad".

Sobre las características dogmáticas de las causas de levantamiento de la pena, véanse JESCHECK, H-H., *Tratado de Derecho Penal. Parte General,* Vol. II, traducción de la 3ª ed. alemana y adiciones de Derecho español realizada por S. Mir Puig y F. Muñoz Conde, Barcelona, 1981, p. 758; VON LISZT, F., *Tratado de Derecho Penal,* T. II, 3ª ed., traducido de la 20ª edición alemana por L. Jiménez de Asúa y adicionado con el Derecho penal español por Q. Saldaña, Madrid, 1929, pp. 455-456; WELZEL, H., *Derecho Penal alemán. Parte General,* 4ª ed. española, traducción de la 11ª ed. alemana realizada por los profesores J. Bustos Ramírez y S. Yáñez Pérez, Chile, 1993, p. 70; FARALDO CABANA, P., *Las causas de levantamiento de la pena,* cit., p. 60; LUZÓN PEÑA, D.M., "La punibilidad", cit., p. 843; FERRÉ OLIVÉ, J.C., "Punibilidad y proceso penal", en *Revista General de Derecho Penal,* n. 10, 2008, p. 14; BUSTOS RUBIO, M.,

–conducta típica y antijurídica con un autor culpable–. En virtud del principio de accesoriedad de la participación, según el cual la responsabilidad penal depende de la conducta del autor[99] y con independencia del grado de accesoriedad[100] que se defienda, la regularización tributaria eximiría de pena al autor del delito, no así al partícipe[101].

Sin embargo, no todos los autores que defienden esta naturaleza jurídica asumen esta consecuencia. Así, una parte de la Doctrina, encabezada por MARTÍNEZ-BUJÁN PÉREZ, considera que, por una razón de coherencia, no se puede restringir de este modo el ámbito

---

"Más allá del injusto culpable: los presupuestos de la punibilidad", cit., p. 217; SÁNCHEZ-OSTIZ GUTIÉRREZ, P., "Una aportación al estudio de la punibilidad a propósito de la autodenuncia tras el fraude fiscal", en *Revista de Derecho Penal,* n. 28, 2009, p. 20; MARTÍNEZ-BUJÁN PÉREZ, C., *Derecho Penal Económico y de la Empresa. Parte General,* 5ª ed., Valencia, 2016, p. 671; SUÁREZ-MIRA RODRÍGUEZ, C., *Manual de Derecho Penal. Parte General,* 7ª ed., cit., p. 252.

99 Entre otros, véanse MUÑOZ CONDE, F./ GARCÍA ARÁN, M., *Derecho Penal. Parte General,* 9ª ed., cit., p. 468; QUINTERO OLIVARES, G., *Parte General del Derecho Penal,* 2ª ed., Cizur Menor, 2007, p. 625; MIR PUIG, S., *Derecho Penal. Parte General,* 10ª ed., cit., p. 412; DE LA CUESTA AGUADO, P.M., "Autoría y participación en los delitos contra la Administración Pública", en *Tratado de Derecho Penal Español. Parte Especial,* T. III, de F. J. Álvarez García (dir.), A. Manjón-Cabeza Olmeda y A. Ventura Püschel (coords.), Valencia, 2013, p. 96.

100 Sobre estos conceptos, véase QUINTERO OLIVARES, G., *Parte General del Derecho Penal,* 2ª ed., cit., p. 625.

101 Así lo afirma MUÑOZ CONDE quien mantuvo, durante muchos años, que no era posible aplicar el art. 305.4 CP a los partícipes (MUÑOZ CONDE, F., *Derecho Penal. Parte Especial,* 17ª ed., Valencia, 2009, p. 973). No obstante, tras la reforma del año 2012, el autor ha matizado su postura y condiciona la aplicabilidad de la cláusula a los partícipes a su naturaleza jurídica. De esta forma, según este autor, si se tratara de una excusa absolutoria solo podría beneficiarse de la cláusula el autor, mientras que, si estuviéramos ante una causa de exclusión de la tipicidad, los partícipes quedarían exentos de responsabilidad penal en virtud del principio de accesoriedad de la participación (MUÑOZ CONDE, F., *Derecho Penal. Parte Especial,* 20ª ed., cit., p. 910).
Véanse, asimismo, APARICIO PÉREZ, A., *La regulación de los delitos contra la Hacienda Pública y la Seguridad Social en el nuevo Código Penal,* cit., pp. 57-58; OCTAVIO DE TOLEDO Y UBIETO, E., "Consideración penal de las cláusulas de regularización tributaria", cit., pp. 1472-1478; BLANCO CORDERO, I., "Delitos contra la Hacienda Pública y la Seguridad Social", cit., p. 28; MAGALDI PATERNOSTRO, M.J., "De los delitos contra la Hacienda Pública y contra la Seguridad Social", cit., pp. 1204-1205; RODRÍGUEZ LÓPEZ, P., *Delitos contra la Hacienda Pública y contra la Seguridad Social,* cit., p. 150.

de aplicación del art. 305.4 CP, toda vez que, según el citado autor, "los mismos fines que conducen a reconocer la liberación de la pena en la autodenuncia del autor concurren también en la conducta del partícipe que, tras la ejecución de la defraudación tributaria espontáneamente decide autodelatarse"[102]. Por esta razón, el autor propone la aplicación analógica del art. 305.4 CP a los partícipes[103].

En este mismo sentido, MORALES PRATS considera que *a fortiori* sería ilógico mantener la impunidad para el autor (que realiza lo más) y no para el partícipe que se limita a contribuir de forma accesoria al delito (y realiza lo menos)[104]. Para evitar esta indeseable situación, MORALES PRATS propone extender interpretativamente el ámbito de aplicación de la regularización tributaria a los partícipes a través de la aplicación analógica *in bonam partem* del art. 65 CP que regula la comunicabilidad de las circunstancias atenuantes a los partícipes[105].

---

102 MARTÍNEZ-BUJÁN PÉREZ, C., *Los delitos contra la Hacienda Pública y la Seguridad Social,* cit., p. 148. En el mismo sentido, véase SÁNCHEZ-OSTIZ GUTIÉRREZ, P., "La «regularización» tributaria en el conjunto de los medios para combatir el fraude fiscal en España", en *Estudios financieros. Revista de contabilidad y tributación*, n. 201, 1999, p. 121 y 123.

103 MARTÍNEZ-BUJÁN PÉREZ, C., *Derecho Penal Económico y de la Empresa. Parte Especial,* 5ª ed., cit., pp. 634-636. También en este sentido MORALES PRATS, F., "De los delitos contra la Hacienda Pública contra la Seguridad Social", cit., pp. 1073-1077 y FERRÉ OLIVÉ, J.C., *Tratado de los delitos contra la Hacienda Pública y contra la Seguridad Social,* cit., pp. 329-332.

104 MORALES PRATS, F., "De los delitos contra la Hacienda Pública y contra la Seguridad Social", cit., p. 510.

105 MORALES PRATS, F., "De los delitos contra la Hacienda Pública y contra la Seguridad Social", cit., p. 510. La solución propuesta por este autor ha sido duramente criticada por OCTAVIO DE TOLEDO Y UBIETO por los motivos que siguen: 1) Si la regularización tributaria del art. 305.4 CP es una excusa absolutoria, que se caracteriza por ser una causa de exclusión de la pena de carácter personal, no se podría extender la regularización tributaria a los partícipes porque el art. 65.1 CP prevé que las circunstancias que consistan en causa personal permitirán modificar la responsabilidad penal de aquellos en quienes concurran. 2) La analogía solo estaría permitida, vía art. 21.7 CP –atenuante analógica– para disminuir la responsabilidad penal, pero no para excluirla. 3) A juicio del autor el art. 4.1 CP prohíbe tanto la analogía favorable por el reo como la desfavorable. Véase OCTAVIO DE TOLEDO Y UBIETO, E., "Consideración penal de las cláusulas de regularización tributaria", cit., pp. 1472-1478.

A la misma conclusión llega, también, IGLESIAS RÍO, para quien, a pesar de que la regularización tributaria es una causa de levantamiento de la pena de carácter personal –que se deriva del comportamiento postdelictivo realizado por el sujeto[106] y, además, del "carácter personalísimo e intransferible del cumplimiento de las obligaciones tributarias"[107] –, se podrían extender los efectos de la regularización tributaria a los partícipes del delito, ya que ello contribuiría, siempre según este autor, al cumplimiento de los fines que se asignan a la regularización tributaria, pues la voluntad de regularizar del partícipe constituiría un estímulo para que el autor del delito fiscal regularizara su situación tributaria. Véase, sin embargo, que esta consecuencia parece contradecir la premisa de la que parte, según la cual la cláusula del art. 305.4 CP tiene naturaleza personal.

En segundo lugar, si se defiende, como lo hace la Doctrina mayoritaria[108], que las excusas absolutorias o causas de levantamiento de la pena tienen naturaleza personal, la extensión de sus efectos a los partícipes dependería, en nuestra opinión, de si el carácter personal de la cláusula se deriva de una determinada circunstancia personal del sujeto –como pudiera ser la de obligado tributario– o del comportamiento realizado por el sujeto. En este sentido, si la naturaleza personal se deduce de la naturaleza personalísima de los deberes tributarios –cuyos titulares son los obligados tributarios– la regularización

---

106 IGLESIAS RÍO, M.A., *La regularización fiscal en el delito de defraudación tributaria (un análisis de la «autodenuncia». Art. 305-4 CP)*, cit., p. 168.

107 IGLESIAS RÍO, M.A., *La regularización fiscal en el delito de defraudación tributaria (un análisis de la «autodenuncia». Art. 305-4 CP)*, cit., p. 169.

108 Sobre la naturaleza personal de las excusas absolutorias, véanse, entre otros, BACIGALUPO ZAPATER, E., *Delito y punibilidad*, Madrid, 1983, p. 41; MARTÍNEZ PÉREZ, C., *Las condiciones objetivas de punibilidad*, Madrid, 1989, pp. 91 y ss.; MAPELLI CAFFARENA, B., *Estudio jurídico-dogmático sobre las llamadas condiciones objetivas de punibilidad*, cit., pp. 102-103; GARCÍA PÉREZ, O., *La Punibilidad en el Derecho Penal*, Pamplona, 1997, p .89; MUÑOZ CONDE, F./ GARCÍA ARÁN, M., *Derecho Penal. Parte General*, 9ª ed., cit., p. 430; QUINTERO OLIVARES, G., *Parte General del Derecho Penal*, 2ª ed., cit., p. 444; MIR PUIG, S., *Derecho Penal. Parte General*, 10ª ed., cit., p. 154; MANJÓN-CABEZA OLMEDA, A., *Las excusas absolutorias en el Derecho Español. Doctrina y jurisprudencia*, cit., p. 33. En contra de la naturaleza personal de las excusas absolutorias, véase HIGUERA GUIMERA, J.F., *Las excusas absolutorias*, Madrid, 1993, pp. 122-124.

tributaria podría practicarse únicamente por el autor del delito y los efectos que produciría este comportamiento no se podrían extender a los partícipes. Por el contrario, si fundamentáramos la naturaleza personal de la regularización tributaria en el comportamiento realizado por el sujeto, quizá sí pudiéramos extender la eficacia de la regularización practicada por el autor a los partícipes, siempre y cuando, los partícipes realizaran un comportamiento postdelictivo dirigido a regularizar la situación tributaria.

En este sentido, la Doctrina mayoritaria fundamenta la naturaleza personal de la cláusula del art. 305.4 CP en el comportamiento realizado por el sujeto, de tal forma que se concederían los efectos de la regularización tributaria a todo sujeto –sea autor o partícipe– que adopte el comportamiento postdelictivo indicado en dicho art. 305.4 CP, esto es, que regularice la deuda tributaria. De este modo, la exención de pena a los partícipes no vendría por *extensión* –porque el autor ha regularizado–, sino porque *el partícipe ha regularizado*[109]. Es decir, cuando solo regularizara el autor, la Doctrina parece no pronunciarse, aunque, como hemos visto, se tiende a interpretar –no siempre de forma sistemáticamente correcta– que la exención de pena también podría aplicarse al partícipe, pero siempre que participara de algún modo –no especificado– también en la regularización. Luego, nos atrevemos a decir que, según esta Doctrina mayoritaria, si el partícipe del delito que no participa –valga la redundancia– en la regularización no debería poder acogerse a sus beneficios.

---

109 Así, MARTÍNEZ-BUJÁN PÉREZ, C., *Los delitos contra la Hacienda Pública y la Seguridad Social*, cit., p. 166; id., *Derecho Penal Económico y de la Empresa. Parte Especial*, 2ª ed., cit., p. 575; SÁNCHEZ-OSTIZ GUTIÉRREZ, P., *La Exención de Responsabilidad Penal por Regularización Tributaria*, cit., p. 124; IGLESIAS RÍO, M.A., *La regularización fiscal en el delito de defraudación tributaria (un análisis de la «autodenuncia». Art. 305-4) CP*, cit., p. 175; OCTAVIO DE TOLEDO Y UBIETO, E., "Consideración penal de las cláusulas de regularización tributaria", cit., pp. 1472-1478. MANJÓN-CABEZA OLMEDA, A., *Las excusas absolutorias en Derecho Español. Doctrina y jurisprudencia*, cit., pp. 204-209. Sin embargo, reconoce esta última autora que la referencia al obligado tributario parece admitir dos interpretaciones: por una parte, entender que el art. 305.4 CP no puede alcanzar a los partícipes pues estos no son obligados tributarios o, por otra parte, sostener que la referencia a los partícipes no era necesaria porque el Legislador ha dado por hecho que también se beneficiarían de la exención de pena si colabora en la regularización (pp. 208-209).

B. Causa de exclusión de la tipicidad o de la antijuridicidad

Si, por el contrario, se considera, como hace una parte minoritaria de nuestra Doctrina, que la regularización tributaria es una causa de atipicidad o una causa de justificación, cuando el autor del delito fiscal regularice según lo previsto en el art. 305.4 CP, el principio de accesoriedad limitada permitirá eximir de pena a los partícipes del mencionado delito[110]. En este sentido, como advierte DE LA MATA BARRANCO, "el principio de accesoriedad limitada en la participación impide, por inexistencia de hecho injusto, exigir responsabilidad alguna a quien interviene en la defraudación"[111].

4.3.1.2. Si la aplicación del art. 305.4 CP al partícipe dependiera del comportamiento postdelictivo adoptado por el partícipe

Hemos adelantado que una parte importante de la Doctrina admite la extensión de los efectos del art. 305.4 CP a los partícipes si estos adoptan, al igual que el autor, un comportamiento postdelictivo dirigido a regularizar la deuda tributaria. En palabras de MARTÍNEZ-BUJÁN PÉREZ, "cada interviniente en el hecho tiene que ganarse por sí mismo la liberación de pena"[112]. Ahora bien, surgen dificultades para determinar en qué ha de consistir dicho comportamiento ya que, en principio, el art. 305.4 CP parece estar orientado hacia los requisitos que debe cumplir el obligado tributario –y autor del delito– sin tener en cuenta que otros sujetos –ajenos a la deuda tributaria, pero con responsabilidad penal por el delito fiscal– también quieran beneficiarse de la exención de pena.

---

110 Así, DE LA MATA BARRANCO, N.J., "El delito fiscal del art. 305 CP después de las reformas de 2010, 2012 y 2015: algunas cuestiones, viejas y nuevas, todavía controvertidas", cit., pp. 31-32; id., "Cumplimiento fiscal, regularización tributaria y responsabilidad penal", cit., s/p; id., "Delitos contra la Hacienda Pública y la Seguridad Social", cit., p. 557; ALONSO GALLO, J., "El delito fiscal tras la Ley Orgánica 7/2012", cit., p. 20.

111 DE LA MATA BARRANCO, N.J., "El delito fiscal del art. 305 CP después de las reformas de 2010, 2012 y 2015: algunas cuestiones, viejas y nuevas, todavía controvertidas", cit., p. 33.

112 MARTÍNEZ-BUJÁN PÉREZ, C., *Derecho Penal Económico y de la Empresa. Parte Especial*, 2ª ed., cit., p. 575.

Entonces ¿qué se exigiría a los partícipes del delito fiscal para regularizar? ¿Los requisitos serían similares a los de los obligados tributarios? Si la respuesta es positiva ¿eso no significaría exigirles el pago de una deuda que no es suya? Y si, por el contrario, la respuesta fuere negativa ¿acaso podríamos exigirles otro tipo de comportamiento? Y en ese caso ¿qué otro comportamiento y con qué fundamento?

La Doctrina parece ser flexible a la hora de responder a estas cuestiones y admite que el partícipe se adhiera a la conducta realizada por el autor o regularizador[113], que comunique a la Administración Tributaria su "aportación causal a la comisión de los hechos" y la voluntad "de asumir los efectos de la autodenuncia"[114], que presente una "declaración de rectificación"[115] o que los partícipes conozcan la regularización del autor y coadyuven "activamente a ella"[116].

Por su parte, la Fiscalía del Estado entiende en su Consulta 4/1997, de 19 de febrero, que los partícipes se verían favorecidos igualmente por la exención de responsabilidad cuando se pudiera comprobar su cooperación en la regularización, bastando con que el partícipe "haya desplegado alguna conducta que permita o favorezca la regularización del deudor tributario", como, por ejemplo, la inducción y el "auxilio espiritual"[117].

4.3.1.3. Si la regularización tributaria poseyera naturaleza objetiva

Si en los dos apartados anteriores analizábamos aquellas posturas que atribuían a la regularización tributaria naturaleza personal –con fundamento en las circunstancias personales del sujeto o la conducta adoptada por este tras cometer el delito–, procede ahora exponer las posiciones de algunos autores, como BOIX/MIRA BENAVENT, que defienden que el art. 305.4 CP contiene una cláusula de naturaleza

---

113 SÁNCHEZ-OSTIZ GUTIÉRREZ, P., *La Exención de Responsabilidad Penal por Regularización Tributaria*, cit., p. 124.

114 IGLESIAS RÍO, M.A., *La regularización fiscal en el delito de defraudación tributaria (un análisis de la «autodenuncia». Art. 305-4 CP)*, cit., p. 175.

115 MARTÍNEZ-BUJÁN PÉREZ, C., *Los delitos contra la Hacienda Pública y la Seguridad Social*, cit., p. 166.

116 OCTAVIO DE TOLEDO Y UBIETO, E., "Consideración penal de las cláusulas de regularización tributaria", cit., pp. 1472-1478.

117 Consulta 4/1997, de 19 de febrero, de la Fiscalía General del Estado.

objetiva. Desde esta perspectiva, estos autores consideran que "los partícipes se benefician directamente por la regularización llevada a cabo por el autor principal"[118] por varias razones: primero, porque la regularización tributaria tiene *naturaleza objetiva;* segundo, porque esta cláusula persigue un fundamento objetivo que consiste en el interés de protección del Erario; y, finalmente, porque la hipótesis en la que la regularización del autor impide extender la exención de la pena al partícipe es "absurda".

A todo ello habría que añadir que, por su carácter objetivo, no es necesario que el partícipe realice ningún tipo de comportamiento postdelictivo, toda vez que, entienden estos autores, dicha exigencia sería excesiva "no ya solo porque la regularización compete al obligado tributario, sino porque de lo contrario se haría depender de la conducta del tercero, y no del interés protegido, la eficacia de la excusa absolutoria"[119].

4.3.2. Sobre la extensión de los efectos del art. 305.4 CP a los partícipes cuando el autor no regulariza su situación tributaria

Para el caso en el que el autor no regulariza, pero sí lo hace el partícipe, hay opiniones divergentes:

---

118 BOIX REIG, J./ MIRA BENAVENT, J., *Delitos contra la Hacienda Pública y contra la Seguridad Social*, cit., pp. 97-98. También defienden la naturaleza objetiva de la cláusula BAJO FERNÁNDEZ/ BACIGALUPO, aunque luego exigen que el partícipe "aporte alguna forma de reparación del mal causado" (BAJO FERNÁNDEZ, M./ BACIGALUPO, S., *Delitos contra la Hacienda pública*, cit., pp. 109-110).

119 BOIX REIG, J./ MIRA BENAVENT, J., *Delitos contra la Hacienda Pública y contra la Seguridad Social*, cit., p. 98. En el mismo sentido, véase AYALA GÓMEZ, I., "Delitos contra la Hacienda pública y contra la Seguridad Social", cit., p. 740. Según este autor la regularización tributaria tiene naturaleza objetiva porque "no exige una actitud interna del sujeto responsable". Esta cuestión, sin embargo, no atañe a la naturaleza objetiva de la cláusula desde la perspectiva de los sujetos que deben regularizar, sino que hace referencia al análisis de los requisitos de voluntariedad y espontaneidad que exige el art. 305.4 CP que son conceptos objetivos o normativizados.

4.3.2.1. *Postura que niega que se pueda regularizar la deuda únicamente por el partícipe*

Una parte minoritaria de la Doctrina[120], entre los que podemos citar a BERDUGO GÓMEZ DE LA TORRE y FERRÉ OLIVÉ, mantiene que los partícipes del delito no pueden regularizar en los términos previstos en el art. 305.4 CP.

---

120 BERDUGO GÓMEZ DE LA TORRE, I., "Consideraciones sobre el delito fiscal en el Código Español", cit., p. 77; APARICIO PÉREZ, A., *La regulación de los delitos contra la Hacienda Pública y la Seguridad Social en el nuevo Código Penal,* cit., pp. 57-58; OCTAVIO DE TOLEDO Y UBIETO, E., "Consideración penal de las cláusulas de regularización tributaria", cit., pp. 1472-1478; BLANCO CORDERO, I., "Delitos contra la Hacienda Pública y la Seguridad Social", cit., p. 28; MAGALDI PATERNOSTRO, M.J., "De los delitos contra la Hacienda Pública y contra la Seguridad Social", cit., pp. 1204-1205; RODRÍGUEZ LÓPEZ, P., *Delitos contra la Hacienda Pública y contra la Seguridad Social,* cit., p. 150; FERRÉ OLIVÉ, J.C., *Tratado de los delitos contra la Hacienda Pública y contra la Seguridad Social,* cit., pp. 329-332.
Junto a estos podrían mencionarse otros autores que inicialmente defendieron esta posición doctrinal y con el tiempo pasaron a defender lo contrario. Así, BOIX REIG, J./ MIRA BENAVENT, J., "De los delitos contra la Hacienda Pública y contra la Seguridad Social", en *Comentarios al Código Penal de 1995,* Vol. II, de T.S. Vives Antón (coord.), Ed. Tirant lo Blanch, Valencia, 1996, p. 1521, aunque, con posterioridad, cambiaron su postura en BOIX REIG, J./ MIRA BENAVENT, J., *De los delitos contra la Hacienda Pública y contra la Seguridad Social,* cit., pp. 93 y ss. También han cambiado de opinión SERRANO GONZÁLEZ DE MURILLO y MERINO JARA. Inicialmente, en SERRANO GONZÁLEZ DE MURILLO, J.L./ MERINO JARA, I., "La regularización tributaria en la reforma de los delitos contra la Hacienda Pública", cit., p. 360, mantenían que solo se admite la regularización para los autores del delito fiscal. Más tarde, en MERINO JARA, I./ SERRANO GONZÁLEZ DE MURILLO, J.L., *El delito fiscal,* 2ª ed., cit., p. 137, rectifican en sentido contrario para defender la aplicación analógica de la regla contenida para el desistimiento de la tentativa para excluir la pena a todos los partícipes que contribuyan a la regularización tributaria.
Por otro lado, MUÑOZ CONDE mantuvo, durante muchos años, que no era posible aplicar el art. 305.4 CP a los partícipes (véase, por ejemplo, MUÑOZ CONDE, F., *Derecho Penal. Parte Especial,* 17ª ed., cit., p. 973). No obstante, tras la reforma del año 2012, el autor ha matizado su postura y condiciona la aplicabilidad de la cláusula a los partícipes a su naturaleza jurídica. De esta forma, si se tratara de una excusa absolutoria solo podría beneficiarse de la cláusula el autor, mientras que, si estuviéramos ante una causa de exclusión de la tipicidad, los partícipes quedarían exentos de responsabilidad penal en virtud del principio de accesoriedad de la participación (así, MUÑOZ CONDE, F., *Derecho Penal. Parte Especial,* 20ª ed., cit., p. 910).

Argumentan, en primer lugar, que la Exposición de Motivos de la LO 6/1995, de 29 de junio[121], tras exponer el fundamento de la regularización, afirma que "por lo que respecta a cuantas otras personas puedan resultar responsables de los delitos se aplicarán las normas generales del Código Penal, conforme al Título II del Libro Primero de este Código"[122]. De ello deducen que, mientras que los autores se podrían beneficiar de la exención de pena por regularizar su situación tributaria, la responsabilidad penal de los partícipes –que son las "otras personas" que podrían resultar responsables por los delitos, además de los autores– vendría determinada por las reglas generales de la participación, pero no por lo dispuesto en el art. 305.4 CP.

En segundo lugar, los partidarios de esta tesis estiman que el art. 305.4 CP previo a la reforma de 2012 restringía, de forma implícita, el ámbito subjetivo de la cláusula cuando indicaba que se eximía de pena a "*el que* regularice *su situación tributaria*", lo que significaba que solo podía regularizar el sujeto que ha defraudado respecto de su propia situación tributaria[123]. A ello habría que añadir que el delito fiscal, en tanto que se configura como un delito especial, según la mayoría de la Doctrina[124], solo puede regularizar el que ha de pagar lo que ha defraudado, esto es, el autor[125].

---

121 Recuérdese que esta es la Ley que ha introducido la regularización tributaria en el Código Penal.

122 Utiliza este argumento, entre otros, BLANCO CORDERO, I., "Delitos contra la Hacienda Pública y la Seguridad Social", cit., pp. 28 y ss.

123 Así, BOIX REIG, J./ MIRA BENAVENT, J., "De los delitos contra la Hacienda Pública y contra la Seguridad Social", cit., p. 1521 y APARICIO PÉREZ, A., *La regulación de los delitos contra la Hacienda Pública y la Seguridad Social en el nuevo Código Penal,* cit., pp. 57-58.

124 Según una postura muy extendida en la Doctrina y la Jurisprudencia. Véanse, en este sentido, MARTÍNEZ-BUJÁN PÉREZ, C., *Los delitos contra la Hacienda Pública y la Seguridad Social,* cit., pp. 37-39; id., *Derecho Penal Económico y de la Empresa. Parte Especial,* 5ª ed., cit., pp. 636-638; MORALES PRATS, F., "De los delitos contra la Hacienda Pública y contra la Seguridad Social", cit., pp. 551-554 y las Sentencias de la Sala 2ª del Tribunal Supremo 374/2017, de 24 de mayo [ponente: Sr. Varela Castro] (Tol 6.110.618) o 751/2017, de 23 de noviembre [ponente: Sr. Martínez Arrieta] (Tol 6.441.722).

125 Así, SERRANO GONZÁLEZ DE MURILLO, J.L./ MERINO JARA, I., "La regularización tributaria en la reforma de los delitos contra la Hacienda Pública", cit., p. 361, quienes consideran que "la regularización excluye la responsabilidad penal únicamente de quien regulariza (*intraneus*), no de los partícipes que no

En tercer lugar, se llega a la misma conclusión si se tiene en cuenta que la regularización tributaria es una excusa absolutoria[126]; es decir, una circunstancia de carácter personal que se aplica exclusivamente a los sujetos en los que concurren[127].

En cuarto y último lugar, autores, como MARTÍNEZ LUCAS, han señalado que los requisitos temporales que establece el art. 305.4 CP hacen referencia al obligado tributario –y, por ello, autor– en la medida en que están vinculados al conocimiento que este podría tener del inicio de actuaciones de comprobación de la deuda tributaria, de lo que se desprende que, si se aceptara la aplicación de la regularización tributaria a los partícipes, sería difícil determinar los plazos preclusivos a los que estos tendrían que someterse[128]. Sobre esta idea incide, asimismo, MORALES PRATS, quien entiende que el partícipe solo podría beneficiarse de la regularización tributaria "cuando actúa de consuno por el autor en el acto regularizador", pero no "existe un espacio autónomo para la proyección de la causa absolutoria «ex post» solo sobre el partícipe, por cuanto en el marco de las cláusulas legales se contemplan solo actos de regularización tributaria protagonizables, en principio por el autor del delito"[129].

---

contribuyen a dicha regularización (*extranei*), que responderán penalmente de todos modos". En consecuencia, añaden los autores, "solo merece la recompensa de la exclusión de responsabilidad el que con el mérito de remediar la lesión ya producida del bien jurídico ha compensado el demérito de haberla causado".

126 MUÑOZ CONDE, F., *Derecho Penal. Parte Especial,* 17ª ed., cit., p. 973 y BLANCO CORDERO, I., "Delitos contra la Hacienda Pública y la Seguridad Social", cit., p. 28.

127 Véase lo dicho sobre este tema en el apartado 2.2.1.1.

128 MARTÍNEZ LUCAS, J.A., *El delito de defraudación a la Seguridad Social,* Valencia, 2002, p. 209, respecto de la regularización tributaria en el delito contra la Seguridad Social del art. 307.3 CP.

129 MORALES PRATS, F., "De los delitos contra la Hacienda Pública y contra la Seguridad Social", cit., p. 1565. Debemos advertir que la postura de MORALES PRATS podría ser interpretada también en sentido contrario debido, tal vez, a que en la página 1076 del libro de *Comentarios a la Parte Especial del Derecho Penal,* 10ª ed., llega a postular que "el partícipe solo podría quedar beneficiado por la causa de levantamiento de pena, cuando actúa de consuno con el autor en el acto regularizador: no parece existir pues un espacio autónomo para la proyección de la excusa absolutoria «ex post» solo sobre el partícipe, por cuanto en el marco de las cláusulas legales se contemplan solo actos de regularización tributaria protagonizables, en principio por el autor del delito". Posteriormente,

De la misma opinión parece ser la Fiscalía General del Estado quien, si bien, como hemos visto, admite que los partícipes se puedan beneficiar de la regularización tributaria realizada por el autor, no considera aplicable el art. 305.4 CP al partícipe cuando este regulariza sin contar con el apoyo del autor o, incluso, con su oposición[130].

En cualquier caso, aunque la regularización del partícipe no pueda ser valorada a efectos del art. 305.4 CP para eximirle de pena, FERRÉ OLIVÉ opina que su comportamiento podría dar lugar a una atenuante de colaboración del art. 305.6 CP o a alguna de las atenuantes genéricas previstas en el art. 21 CP[131].

4.3.2.2. Postura que admite la regularización de los partícipes con independencia de la conducta adoptada por el autor del delito

De distinta opinión son, entre otros, MARTÍNEZ-BUJÁN PÉREZ o QUERALT JIMÉNEZ[132], quienes consideran que hay razones para

---

en la página 1077 se muestra favorable a una interpretación teleológica del art. 305.4 CP para aplicar la exención también a los partícipes cuando el autor de la defraudación fiscal haya decidido no regularizar (MORALES PRATS, F., "De los delitos contra la Hacienda Pública contra la Seguridad Social", cit., pp. 1073-1077).

130 Consulta 4/1997, de 19 de febrero, de la Fiscalía General del Estado.

131 FERRÉ OLIVÉ, J.C., *Tratado de los delitos contra la Hacienda Pública y contra la Seguridad Social,* cit., pp. 329-332. También en este sentido MORALES PRATS, F., "De los delitos contra la Hacienda Pública contra la Seguridad Social", cit., pp. 1073-1077.

132 MARTÍNEZ-BUJÁN PÉREZ, C., *Los delitos contra la Hacienda Pública y la Seguridad Social,* cit., pp. 147 y ss.; QUERALT JIMÉNEZ, J.J., "La regularización como comportamiento postdelictivo en el delito fiscal", cit., p. 54. También en este sentido, RANCAÑO MARTÍN, M.A., *El delito de defraudación tributaria,* cit., p. 123; BAJO FERNÁNDEZ, M./ BACIGALUPO, S., *Delitos contra la Hacienda pública,* cit., pp. 109-110; id., *Derecho Penal Económico,* cit., p. 264; IGLESIAS RÍO, M.A., *La regularización fiscal en el delito de defraudación tributaria (un análisis de la «autodenuncia». Art. 305-4 CP),* cit., pp. 171-180; id., "Aproximación crítica a la cláusula de exención de la pena por regularización en el delito de defraudación tributaria", cit., pp. 71-72; SÁNCHEZ-OSTIZ GUTIÉRREZ, P., "La «regularización» tributaria en el conjunto de los medios para combatir el fraude fiscal en España", cit., pp. 41-42; id., *La Exención de Responsabilidad Penal por Regularización Tributaria,* cit., pp. 118-123; DE LA MATA BARRANCO, N., "La cláusula de regularización tributaria en el delito

permitir que el partícipe se pueda beneficiar de la exención de pena del art. 305.4 CP aun cuando el autor no regulariza.

En este sentido, MARTÍNEZ-BUJÁN PÉREZ opina que la limitación del ámbito de aplicación del art. 305.4 CP a los autores del delito fiscal "carece de sentido", toda vez que "los mismos fines que conducen a reconocer la liberación de la pena en la autodenuncia del autor concurren también en la conducta del partícipe que, tras la ejecución de la defraudación tributaria, espontáneamente decide autodelatarse"[133]. Por ello, este autor propone aplicar la exención del art. 305.4 CP a los partícipes, siempre que hayan reconocido voluntariamente los hechos[134].

De forma similar, QUERALT JIMÉNEZ considera, por un lado, que el art. 305.4 CP, al menos en su versión anterior a la LO 7/2012, permite aplicar la cláusula a los partícipes porque entiende que "los argumentos literales, tales como expresiones «el que regularice», «a dicho sujeto» o «el mismo»"[135] no impiden que se tenga en cuenta la conducta de los partícipes. Por otro lado, este autor señala que el Código Penal no rechaza expresamente la posibilidad de que se aplique la regularización a los partícipes, en parte, porque ello carecería de coherencia. Así, pudiera parecer ilógico castigar a los partícipes que, en ocasiones, ni siquiera tienen relación jurídica alguna con la obligación tributaria incumplida, pero no al autor y titular de dicha obligación.

---

de defraudación fiscal del artículo 305 del Código Penal", cit., p. 311; SUÁREZ GONZÁLEZ, C.J., "Delitos contra la Hacienda Pública y contra la Seguridad Social", cit., pp. 126-127; BRANDARIZ GARCÍA, J.A., *El delito de defraudación a la Seguridad Social,* Valencia, 2000, pp. 714-721; id., *La exención de responsabilidad penal por regularización en el delito de defraudación a la Seguridad Social,* cit., pp. 143-163.

133 MARTÍNEZ-BUJÁN PÉREZ, C., *Los delitos contra la Hacienda Pública y la Seguridad Social,* cit., p. 148. En el mismo sentido, véase SÁNCHEZ-OSTIZ GUTIÉRREZ, P., "La «regularización» tributaria en el conjunto de los medios para combatir el fraude fiscal en España", cit., p. 121 y 123.

134 MARTÍNEZ-BUJÁN PÉREZ, C., *Derecho Penal Económico y de la Empresa. Parte Especial,* 5ª ed., cit., pp. 634-636.

135 QUERALT JIMÉNEZ, J.J., "La regularización como comportamiento postdelictivo en el delito fiscal", cit., p. 54.

Respecto de este problema, que también se plantea en sede del delito contra la Seguridad Social del art. 307 CP, BRANDARIZ GARCÍA[136] estima que lo relevante de la configuración de la regularización es que el precepto –en este caso, el art. 307.3 CP que, sin embargo, es muy similar al art. 305.4 CP– no incluye una previsión expresa que impida a los partícipes acceder a ella, como sí lo hace el art. 268.2 CP[137] que rechaza la aplicación de la excusa absolutoria de parentesco en los delitos contenidos en el Título XIII del CP sobre los "Delitos contra el patrimonio y contra el orden socioeconómico". De este modo, parece indicar este autor que, si el Legislador hubiese querido vetar el acceso a los partícipes del delito a la regularización tributaria, lo habría hecho, tal y como lo ha dispuesto en el art. 268.2 CP, pero no ha sido así y, por ello, hay que permitir que los partícipes puedan acceder a la exención de pena del art. 305.4 CP sin importar lo más mínimo la conducta del autor.

4.3.3. Sobre la aplicación del art. 305.4 CP cuando alguno de los intervinientes se opone u obstaculiza la regularización tributaria

Distinto supuesto es aquel en el que alguno de los intervinientes se opone o, incluso, obstaculiza la regularización tributaria practicada por otro. Así, podría ocurrir, por un lado, que, ante la regularización practicada por el autor, el partícipe se oponga y, por otro lado, que, en la regularización del partícipe, sea el autor el que se manifieste en contra o intente obstaculizarla.

---

136 BRANDARIZ GARCÍA, J.A., *La exención de responsabilidad penal por regularización en el delito de defraudación a la Seguridad Social*, cit., pp. 151-155.

137 El artículo 268 CP dispone lo siguiente: "1. Están exentos de responsabilidad criminal y sujetos únicamente a la civil los cónyuges que no estuvieren separados legalmente o de hecho o en proceso judicial de separación, divorcio o nulidad de su matrimonio y los ascendientes, descendientes y hermanos por naturaleza o por adopción, así como los afines en primer grado si viviesen juntos, por los delitos patrimoniales que se causaren entre sí, siempre que no concurra violencia o intimidación, o abuso de la vulnerabilidad de la víctima, ya sea por razón de edad, o por tratarse de una persona con discapacidad. 2. Esta disposición no es aplicable a los extraños que participaren en el delito."

En casos como estos, sostienen, entre otros, SÁNCHEZ-OSTIZ GUTIÉRREZ, que habría que negar la aplicación del art. 305.4 CP a los intervinientes que no solo no regularizan, sino que, además, obstaculizan la regularización practicada por otros[138]. Por su parte, la Fiscalía es de la opinión de que, si bien la existencia de actos por parte de los partícipes dirigidos a "conseguir que no regularice el deudor tributario" conducirá a la inaplicación de la cláusula respecto de los partícipes, no ocurre lo mismo cuando se dé el supuesto contrario. Así, cuando el tercero quiera regularizar, pero no sea posible por el obstáculo interpuesto por el autor, no será posible eximir de pena a ninguno de los dos, ya que, según la Fiscalía, "la regularización no se ha producido"[139]. En estos casos, añade la Fiscalía, el comportamiento postdelictivo del partícipe podría servir para obtener una notable disminución de la pena a través de la atenuante analógica muy cualificada del art. 21.7 CP en relación con el art. 21.4 o 5 CP, pero no la exención total de la pena[140].

4.3.4. La aplicación del art. 305.4 CP a la regularización conjunta

Los supuestos de regularización conjunta plantean, a su vez, problemas propios. Así, cabría preguntarse, por ejemplo, qué ocurriría en aquellos supuestos en los que, habiendo más de un sujeto con responsabilidad penal por un delito fiscal, uno de ellos se adelanta a los demás y regulariza la deuda tributaria sin el conocimiento del resto. Algunos autores, como MARTÍNEZ-BUJÁN PÉREZ, MORALES PRATS o MARTÍNEZ LUCAS, opinan que, una vez iniciada la investigación por parte de la Administración Tributaria como consecuen-

---

138 Así, por ejemplo, SÁNCHEZ-OSTIZ GUTIÉRREZ, P., *La Exención de Responsabilidad Penal por Regularización Tributaria*, cit., p. 126, que sostiene lo siguiente: "[q]uien intenta evitar la regularización llevaría a cabo así una conducta de mantenimiento o prolongación del estado antijurídico creado por el delito, y no debería entonces quedar amparado por la exención de responsabilidad".

139 Véase la Consulta 4/1997, de 19 de febrero, de la Fiscalía General del Estado.

140 Téngase en cuenta que la Fiscalía del Estado se ha pronunciado sobre el tema en el año 1997. Tras la LO 7/2012 el art. 305.6 CP contiene una disposición que permite atenuar la pena a los partícipes que colaboren en la investigación y que, probablemente, sería lo aplicable en el referido caso, en vez de una atenuante analógica tal y como estima la Fiscalía.

cia de la autodenuncia de uno de los intervinientes, la posibilidad de los demás responsables de regularizar se vería bloqueada[141]. En caso de que existiera acuerdo entre los distintos sujetos responsables del delito fiscal, habría dificultades para establecer a quién corresponde la obligación de reconocer y pagar la deuda tributaria.

4.4. *La regularización tributaria realizada por un tercero ajeno al delito*

Según la Doctrina más extendida, cuando se trata de analizar la eficacia de la regularización hecha por un tercero hay que distinguir los supuestos en los que ese sujeto regulariza en nombre y por cuenta del obligado tributario –los casos de representación–, de otros supuestos en los que dicho sujeto regulariza con oposición del responsable penal o sin su conocimiento[142]. En este último caso, BRANDARIZ GARCÍA[143] niega eficacia a la regularización, toda vez que considera, con razón, que ello resultaría incompatible con el tenor literal del art. 305.4 CP, según el cual, la situación tributaria se tendrá por regularizada "cuando se haya procedido *por* el obligado tributario al completo reconocimiento y pago de la deuda tributaria [...]"[144]. En este sentido, la preposición "por" indicaría el agente de la oración.

Ahora bien, que un tercero no pueda regularizar en los términos anteriormente vistos no significa, según otros autores, que, a efectos del art. 305.4 CP, sea necesario que el obligado tributario actúe personalmente. Así, entiende la Doctrina que la regularización tributaria sí podrá practicarse por representación, esto es, por un tercero en nombre y representación del obligado tributario, primero, porque la

---

141 MARTÍNEZ-BUJÁN PÉREZ, C., *Los delitos contra la Hacienda Pública y la Seguridad Social,* cit., p. 148; MORALES PRATS, F., "De los delitos contra la Hacienda Pública y contra la Seguridad Social", cit., p. 510; MARTÍNEZ LUCAS, J.A., *El delito de defraudación a la Seguridad Social,* cit., p. 209.

142 En este sentido, BRANDARIZ GARCÍA, J.A., *La exención de responsabilidad penal por regularización en el delito de defraudación a la Seguridad Social*, cit., p. 71.

143 Así, BRANDARIZ GARCÍA, J.A., *La exención de responsabilidad penal por regularización en el delito de defraudación a la Seguridad Social*, cit., p. 71. También en este sentido RANCAÑO MARTÍN, M.A., *El delito de defraudación tributaria,* cit., p. 123.

144 La cursiva es nuestra.

regularización no es un "acto de propia mano"[145] y, segundo, porque la normativa tributaria permite el pago de las deudas tributarias realizadas por terceros sin vinculación legal con la misma[146].

En cuanto a los requisitos para que surta efectos la regularización tributaria hecha por tercero, se exige, en primer lugar, que sea eficaz[147] y, además, que se realice por un intermediario autorizado[148] "en virtud de un mandato expreso otorgado después de la comisión del hecho"[149] o por un tercero con la conformidad o ratificación del obligado[150].

4.5. La regularización tributaria practicada por el administrador de las personas jurídicas

Hasta ahora hemos analizado el ámbito subjetivo de la regularización tributaria cuando los responsables por el delito contra la Hacienda Pública del art. 305.1 CP fueran personas físicas. Sin embargo, no podemos olvidar que también puede atribuirse responsabilidad penal por este delito a las personas jurídicas *ex* art. 310 *bis* CP. Cuando así ocurra y a pesar de que este supuesto no está expresamente previsto en el art. 305.4 CP, la regularización tributaria podrá ser realizada por los administradores de la persona jurídica[151].

---

145 BRANDARIZ GARCÍA, J.A., *La exención de responsabilidad penal por regularización en el delito de defraudación a la Seguridad Social*, cit., p. 70.

146 IGLESIAS RÍO, M.A., *La regularización fiscal en el delito de defraudación tributaria (un análisis de la «autodenuncia». Art. 305-4 CP)*, cit., p. 342.

147 SÁNCHEZ-OSTIZ GUTIÉRREZ, P., *La Exención de Responsabilidad Penal por Regularización Tributaria*, cit., p. 117.

148 IGLESIAS RÍO, M.A., *La regularización fiscal en el delito de defraudación tributaria (un análisis de la «autodenuncia». Art. 305-4 CP)*, cit., p. 342.

149 MARTÍNEZ-BUJÁN PÉREZ, C., *Los delitos contra la Hacienda Pública y la Seguridad Social*, cit., p. 166.

150 SÁNCHEZ-OSTIZ GUTIÉRREZ, P., "La «regularización» tributaria en el conjunto de los medios para combatir el fraude fiscal en España", cit., p. 41; id., *La Exención de Responsabilidad Penal por Regularización Tributaria*, cit., p. 115.

151 BOIX REIG, J./ MIRA BENAVENT, J., *Los delitos contra la Hacienda Pública y contra la Seguridad Social,* cit., p. 96. También en este sentido SÁNCHEZ-OSTIZ GUTIÉRREZ, P., *La Exención de Responsabilidad Penal por Regularización tributaria,* cit., pp. 116-117.

Cuando, además de a la persona jurídica, se exigiera responsabilidad penal por el delito contra la Hacienda Pública del art. 305.1 CP al administrador o administradores, socio o socios de la sociedad, los efectos de la regularización tributaria se extenderán también sobre estos. En este sentido, BOIX REIG/ MIRA BENAVENT entienden que la conducta regularizadora se tiene que llevar a cabo, necesariamente, por personas físicas, es decir, los administradores, de lo que se infiere que la iniciativa pertenece a dichas personas físicas, motivo por el cual merecen ser incluidas en el ámbito de aplicación del art. 305.4 CP[152].

4.6. Posición personal

En nuestra opinión, la LO 7/2012 no ha contribuido a solucionar todos los problemas interpretativos que se plantean sobre el ámbito subjetivo de aplicación del art. 305.4 CP, algo que puede suponer un importante obstáculo en la aplicación de la cláusula. Ello se debe, fundamentalmente, a una desafortunada técnica legislativa. En este sentido, el art. 305.4 CP nada dice sobre los partícipes, ni siquiera sobre los autores, sino que hace referencia al obligado tributario; un concepto de origen tributario y desconocido para el Derecho Penal que no se adecúa a las instituciones dogmáticas propias de nuestra disciplina[153]. Esta carencia de taxatividad contrasta con la que se muestra en el art. 305.6 CP –introducido *ex novo* por la LO 7/2012– en el que se diferencia entre obligados tributarios o autores, por un lado, y partícipes.

Dicho esto, para determinar si la cláusula del art. 305.4 CP es aplicable a los partícipes del delito es necesario averiguar qué posición dogmática ocupa el obligado tributario, esto es, su título de imputación. Así, sin perjuicio de que este tema exigiría mayor desarrollo y

---

152 BOIX REIG, J./ MIRA BENAVENT, J., *Los delitos contra la Hacienda Pública y contra la Seguridad Social,* cit., p. 96. También en este sentido SÁNCHEZ-OSTIZ GUTIÉRREZ, P., *La Exención de Responsabilidad Penal por Regularización tributaria,* cit., pp. 116-117.

153 Esto ya lo puso de manifiesto en su día MORALES PRATS que advertía que la regularización tributaria presentaba una "excesiva carga tributaria" pues no tenía en cuenta que en Derecho Penal la participación es punible (MORALES PRATS, F., "De los delitos contra la Hacienda Pública y contra la Seguridad Social", cit., p. 1564).

partiendo de la concepción dominante que entiende que el delito fiscal del art. 305.1 CP es un delito especial, consideramos que el obligado tributario no es, sin más, el sujeto activo de dicho delito. Esta posición, la de sujeto activo, la ocupa, según creemos, un obligado tributario, pero no cualquier obligado tributario.

La determinación del sujeto activo del delito fiscal se ha de realizar, en nuestra opinión y siguiendo a TORRES CADAVID[154], de forma individualizada y distinguiendo entre las modalidades típicas previstas en el art. 305.1 CP. En este sentido, el sujeto activo de cada modalidad típica será el titular de la obligación tributaria descrita en el tipo, es decir, el titular de una concreta obligación tributaria –eludir el pago de tributos, eludir el pago de cantidades retenidas o que se hubieran debido retener o ingresos a cuenta, obtener devoluciones de forma indebida o disfrutar indebidamente de beneficios fiscales–[155]. Por consiguiente, el sujeto activo del delito fiscal en la modalidad de elusión del pago de tributos será el titular de la obligación de pago, esto es, el contribuyente y el sustituto del contribuyente; el sujeto activo del

---

154 TORRES CADAVID, N., "El delito de defraudación tributaria: ¿un delito especial o un delito común? Una propuesta (*de lege lata*) de delimitación del círculo de posibles autores del art. 305 CP", cit., pp. 29-30. Según esta autora, "hay que diferenciar e indagar por el fundamento (en cuanto criterio justificador) de las distintas obligaciones jurídico-tributarias de los diferentes sujetos que pueden resultar interviniendo en la comisión de un delito de defraudación tributaria para poder definir el círculo de posibles autores" para después "relacionarlo con la delimitación del deber jurídico extrapenal concreto, con la configuración de la obligación-tributaria material, que es el sustrato del objeto material". También en este sentido DE LA CUESTA AGUADO, P.M., "Cuestiones jurisprudenciales de actualidad sobre el delito fiscal. Especial consideración de la responsabilidad del asesor fiscal", en *prensa.*

155 En este sentido, DE LA CUESTA AGUADO considera que un concepto tan amplio de obligado tributario, como el que ofrece la LGT, no contribuye a restringir o delimitar adecuadamente el círculo de posibles sujetos activos del delito fiscal. Así, por ejemplo, en la modalidad típica que consiste en la elusión del pago de tributos la citada autora precisa que "para poder «eludir el pago de tributos» es necesario que el Sujeto activo tenga la obligación de pago de tributos, lo que no ocurre con todos los obligados tributarios". De ello se deduce que las concretas modalidades típicas demandan un concepto más restringido de sujeto activo; un sujeto activo que tenga atribuida una concreta obligación tributaria. Véase DE LA CUESTA AGUADO, P.M., "Cuestiones jurisprudenciales de actualidad sobre el delito fiscal. Especial consideración de la responsabilidad del asesor fiscal", en *prensa.*

delito fiscal en la modalidad de eludir el pago de cantidades retenidas o que se hubieran debido retener será aquel que tenga la concreta obligación de practicar retenciones, es decir, el retenedor, etc.[156]. En definitiva, cada modalidad comisiva del art. 305.1 CP tendrá como sujeto activo a algún obligado tributario, pero no a todos los previstos en el art. 35 LGT.

En la medida en que la limitación de la esfera de los sujetos activos en los delitos especiales restringe la autoría de estos delitos a aquellos sujetos que reúnen las condiciones exigidas en el tipo –*intraneus*–[157], solo podrán ser autores del delito fiscal aquellos obligados tributarios que sean, a su vez, sujetos activos de la modalidad típica correspondiente. En cuanto a los partícipes, en nuestra opinión, las conductas de participación pueden cometerse tanto por algunos sujetos que tienen la consideración de obligados tributarios según la LGT como por otros que son ajenos a la obligación tributaria defraudada. Así podría suceder, por ejemplo, en algunos casos con el responsable tributario que, según el art. 35 LGT, es obligado tributario[158] o con el asesor

---

156 Así, TORRES CADAVID, N., "El delito de defraudación tributaria: ¿un delito especial o un delito común? Una propuesta (*de lege lata*) de delimitación del círculo de posibles autores del art. 305 CP", cit., p. 27 y DE LA CUESTA AGUADO, P.M., "Cuestiones jurisprudenciales de actualidad sobre el delito fiscal. Especial consideración de la responsabilidad del asesor fiscal", en *prensa*.

157 QUINTERO OLIVARES, G., *Parte General del Derecho Penal,* 2ª ed., cit., p. 637. En el mismo sentido, TORRES CADAVID, N., "El delito de defraudación tributaria: ¿un delito especial o un delito común? Una propuesta (*de lege lata*) de delimitación del círculo de posibles autores del art. 305 CP", cit., p. 17.

158 Uno de los supuestos en los que se le exige responsabilidad –tributaria– al responsable tributario surge, según el art. 42.1 a) LGT, cuando un sujeto colabora en la comisión de una infracción administrativa del deudor principal. Si trasladamos este supuesto al ámbito penal, el sujeto que colabora en la infracción podría ser considerado, dada su conducta, partícipe del delito fiscal, lo que daría lugar a tener por partícipe a un obligado tributario. Sobre el régimen jurídico del responsable tributario, véanse, entre otros, PÉREZ ROYO, F./ CARRASCO GONZÁLEZ, F.M., *Derecho Financiero y Tributario. Parte general,* 29ª ed., cit., pp. 188-189; CAZORLA PRIETO, L.M., *Derecho Financiero y Tributario. Parte General,* 19ª ed., cit., pp. 277-278; MARTÍN QUERALT, J./ LOZANO SERRANO, C./ TEJERIZO LÓPEZ, J.M./ CASADO OLLERO, G., *Curso de Derecho Financiero y Tributario,* 30ª ed., cit., pp. 290-291; CALVO ORTEGA, R./ CALVO VÉRGEZ, J., *Curso de Derecho Financiero,* 23ª ed., cit., pp. 139-140.

fiscal que no es obligado tributario, pero podría tener responsabilidad penal en el delito fiscal.

En suma y para concluir el breve análisis que hemos realizado sobre los títulos de imputación que podrían corresponder al obligado tributario, consideramos que hay obligados tributarios que pueden ser autores y otros que pueden ser partícipes. Junto a estos puede haber partícipes que no sean obligados tributarios. Si esto es así ¿cómo incide sobre el ámbito subjetivo de aplicación del art. 305.4 CP? Según nuestro modo de ver, la situación sería la siguiente:

1. Todos los autores son obligados tributarios, de modo que todos los autores tendrán acceso a la exención de pena contemplada en el art. 305.4 CP.
2. Los partícipes que son obligados tributarios, según el art. 35 LGT –como, en algunos casos, el responsable tributario–, se podrán beneficiar de la exención de pena siguiendo el tenor gramatical del art. 305.4 CP. Estos partícipes podrán regularizar en el sentido que exige el art. 305.4 CP, es decir, pueden reconocer y pagar la deuda tributaria, con independencia del comportamiento que adopte el autor del delito fiscal.
3. Los partícipes que no sean obligados tributarios –como, en algunos supuestos, el asesor fiscal– no podrán quedar incluidos en el ámbito de aplicación de la regularización tributaria, salvo que utilicemos algunos de los argumentos esgrimidos por la Doctrina para extender los efectos de la cláusula a los partícipes cuando el autor ha regularizado su situación tributaria. Lo que no podrán hacer, según nuestro modo de ver, es acceder a la exención de pena por sus propios medios, esto es, sin contar con el reconocimiento y pago de la deuda tributaria por parte del autor del delito, entre otras razones porque el que no es obligado tributario no puede ni debe pagar la deuda tributaria.

Somos conscientes que esta interpretación conduce a situaciones aparentemente discriminatorias al permitir que unos partícipes se puedan beneficiar de la exención de pena del art. 305.4 CP y otros no. Sin embargo, esta solución es coherente y refleja de forma fiel la *voluntas legislatoris*. Así pues, la distinción entre partícipes que son obligados tributarios y partícipes que no lo son también se realiza por el

Legislador en el art. 305.6 CP, según el cual, puede haber, por un lado, obligados tributarios y autores y, por otro lado, "otros partícipes en el delito distintos del obligado tributario". Luego, los "otros partícipes en el delito que no son obligados tributarios" no podrán acogerse a la exención de pena porque no son obligados tributarios, pero sí ver atenuada su pena hasta dos grados si colaboran en la investigación.

Por último ¿se necesita un acto personal de reconocimiento y pago de la deuda tributaria por parte de los obligados tributarios? Recientemente, LINARES ha sostenido la eficacia de la cláusula en los supuestos en los que un tercero realiza la regularización tributaria en nombre del obligado tributario porque, según la autora, de este modo se conseguiría "agilidad en la recaudación"[159]. Su posición coincide con la mantenida por la Doctrina mayoritaria durante largo tiempo que admitía que se regularizara la situación tributaria a través de un mandatario; una interpretación que nos parece razonable y a la que nos unimos. No nos parece aceptable, por el contrario, la posibilidad de que la regularización se haga por un tercero sin el conocimiento del obligado tributario y así lo ha entendido también la Jurisprudencia menor[160].

En definitiva, muchos son los problemas que todavía plantea el ámbito subjetivo de aplicación de la regularización tributaria, razón por la cual, compartimos la propuesta de *lege ferenda* realizada por

---

159 LINARES, M.B., *El delito de defraudación tributaria. Análisis dogmático de los artículos 305 y 305 bis del Código Penal español*, Barcelona, 2020, p. 307.

160 Así, por ejemplo, puede verse la Sentencia de la Audiencia Provincial de Cuenca, sección 1ª, 97/2017, de 12 de julio, (Tol 6.314.565) que no aplica el art. 305.4 CP al acusado que era el administrador de la sociedad X ya que la regularización tributaria se practicó por la administración concursal de la mercantil y no por su administrador (Fundamento Jurídico Primero). También puede verse la Sentencia de la Audiencia Provincial de Barcelona, sección 10ª, 888/2015, de 9 de noviembre, (Tol 5.610.663) quien considera que no cabe atenuar la responsabilidad penal (en virtud del art. 21 CP) de un delito fiscal a los cooperadores necesarios porque "la atenuante contempla una conducta personal del culpable". Asimismo, considera esta Audiencia, basándose en el Auto de la Sala 2ª del Tribunal Supremo 1991/2009, de 7 de septiembre, que la mencionada atenuante de reparación no cabe cuando se hacen cargo de la reparación las compañías aseguradoras en virtud del seguro obligatorio, cuando la reparación se realiza en supuestos de constitución de fianza exigida por el Juzgado o de una conducta impuesta por la Administración (Fundamento Jurídico Segundo).

IGLESIAS RÍO en el sentido de "incluir la posibilidad de beneficiar a los partícipes, siempre que contribuyan de un modo relevante al descubrimiento de situaciones hasta ahora sumergidas o pongan en conocimiento de las autoridades datos esenciales que faciliten una definitiva transparencia del origen de las irregularidades"[161].

---

161 IGLESIAS RÍO, M.A., "Artículo 305", cit., p. 747; id., "Delitos contra la Hacienda Pública y la Seguridad Social: Arts. 305 a 310 *bis* CP", cit., pp. 830-831.

Capítulo II

El objeto y los requisitos objetivos de la regularización tributaria: completo reconocimiento y pago de la deuda tributaria

1. INTRODUCCIÓN

Tras analizar el ámbito de aplicación de la regularización tributaria, que suscitan varios interrogantes, vamos a centrarnos ahora en el estudio de los requisitos o presupuestos que exige el art. 305.4 CP[1]. En este sentido, tal y como ya hemos podido adelantar en ocasiones

---

1 El orden de análisis o clasificación de los requisitos se debe, en este caso, a una ordenación lógica atendiendo la propia estructura del art. 305.4 CP y pretende evitar repeticiones superfluas, por otro lado, difíciles de sortear en la medida en que todos ellos –los requisitos– se hallan estrechamente relacionados. Dicho esto, la clasificación no afecta en modo alguno a la configuración de su régimen jurídico. En el mismo sentido, véanse BRANDARIZ GARCÍA, J.A., *La exención de responsabilidad penal por regularización en el delito de defraudación a la Seguridad Social,* cit., pp. 39-164; IGLESIAS RÍO, M.A., *La regularización fiscal en el delito de defraudación tributaria (un análisis de la «autodenuncia». Art. 305-4 CP)*, cit., pp. 263-397; id., "Aproximación crítica a la cláusula legal de exención de la pena por regularización en el delito de defraudación tributaria", en *Revista de Derecho Penal,* n. 13, 2004, pp. 65-86; BUSTOS RUBIO, M., *La regularización en el delito de defraudación a la Seguridad Social,* cit., pp. 269-394; LANDERA LURI, M., *Excusas absolutorias basadas en conductas positivas postconsumativas: acciones contratípicas,* cit., pp. 87-188; FERRÉ OLIVÉ, J.C., *Tratado de los delitos contra la Hacienda Pública y contra la Seguridad Social,* cit., pp. 290-323.

También, puede verse MARTÍNEZ-BUJÁN PÉREZ, C., *Los delitos contra la Hacienda Pública y la Seguridad Social,* cit., pp. 141-184, quien distingue entre "ámbito objetivo" para señalar qué delitos son susceptibles de ser regularizados, "ámbito personal" para determinar los sujetos a los que se les aplica, "ámbito general propio de eficacia" para señalar el momento a partir del cual se puede iniciar la regularización y, por último, los propios requisitos de la regularización donde diferencia entre "presupuestos positivos" relativos a la exigencia de rectificación de la situación tributaria y pago y "presupuestos negativos" que se identifican con los límites temporales.

precedentes, el citado precepto requiere que la deuda tributaria sea satisfecha en los términos que siguen:

1. Exige, en primer lugar, que el obligado tributario *reconozca* y *pague* de forma completa la deuda tributaria (requisitos objetivos).
2. En segundo lugar, el artículo señala que el completo reconocimiento y el pago de la deuda tributaria por parte del obligado tributario deberá realizarse *antes de que se inicien actos tendentes o dirigidos a descubrir la existencia de la deuda tributaria por parte de diferentes órganos judiciales o administrativos con competencia para ello* (requisito temporal, límite cronológico o causa de bloqueo). En particular, el art. 305.4 CP determina tres límites temporales, de modo que ya no será posible eximir de pena después de que se hayan practicado alguna de las siguientes actuaciones:

   a) Que la Administración Tributaria haya notificado al obligado tributario "el inicio de actuaciones de comprobación o investigación tendentes a la determinación de las deudas tributarias objeto de la regularización".
   b) En caso de no ser de aplicación el supuesto anterior, que "el Ministerio Fiscal, el Abogado del Estado o el representante procesal de la Administración autonómica, foral o local de que se trate, interponga querella o denuncia" contra el obligado tributario.
   c) Finalmente, si no concurrieren los supuestos anteriores, que el Ministerio Fiscal o el Juez de Instrucción comunique al obligado tributario la iniciación de diligencias en su contra.

Entre los requisitos expuestos, interesa estudiar en este capítulo la exigencia de completo reconocimiento y pago de la deuda tributaria. Los límites temporales, por el contrario, serán tratados en el capítulo siguiente. Para la definición y, en su caso, interpretación del significado del reconocimiento y pago de la deuda tributaria –al igual que sucede con otros requisitos de la cláusula como, por ejemplo, con el concepto de obligado tributario–, no cabe acudir al lenguaje común, ya que este no delimita su contenido con la misma precisión con la que lo hacen las normas tributarias. Por este motivo resulta imprescindible delimitar su significado –tal como señala IGLESIAS RÍO– utilizando fuentes normativas[2]. Estas fuentes tienen que ser, como resulta lógico por la materia en la que nos estamos moviendo, de naturaleza tributaria por dos razones: primero, porque las leyes penales no definen estos conceptos y, segundo, porque así lo exige el *Principio de coherencia y no contradicción del Ordenamiento Jurídico*[3]. En consecuencia, el significado de los términos que trataremos a continuación vendrá determinado por la normativa tributaria, sin perjuicio de que, en alguna ocasión, pueda variar para adaptarse, en palabras de IGLESIAS RÍO, a las "singularidades que presenta el Derecho penal"[4].

No obstante, antes de llevar a cabo el análisis de la exigencia de completo reconocimiento y pago de la deuda tributaria conviene recordar brevemente que la reforma del año 2012 ha introducido modificaciones sustanciales en la configuración de los requisitos de la regularización tributaria, lo que ha favorecido que se superen antiguos debates doctrinales[5] y jurisprudenciales, surgidos como consecuencia de una redacción más ambigua o, incluso, insuficiente del precepto. Entre las mejoras técnicas introducidas por la reforma 2012 destaca la delimitación del contenido de la regularización, que consistirá, en todo caso, –tal y como ya había venido interpretando la mayoría de

---

2 IGLESIAS RÍO, M.A., *La regularización fiscal en el delito de defraudación tributaria (un análisis de la «autodenuncia». Art. 305-4 CP)*, cit., p. 263.

3 Sobre este principio, véase DE LA CUESTA AGUADO, P.M., "El fundamento de la justificación", en *Represión penal y Estado de Derecho. Homenaje al Profesor Gonzalo Quintero Olivares*, de F. Morales Prats, J.M. Tamarit Sumalla y R. García Albero, Cizur Menor, 2018, pp. 327-328.

4 IGLESIAS RÍO, M.A., *La regularización fiscal en el delito de defraudación tributaria (un análisis de la «autodenuncia». Art. 305-4 CP)*, cit., p. 263. Con anterioridad MARTÍNEZ-BUJÁN PÉREZ ya había advertido que los conceptos tributarios no pueden ser trasladados de forma automática al ámbito penal, sino que parece más prudente utilizarlos "para orientar la hermenéutica penal" (MARTÍNEZ-BUJÁN PÉREZ, C., *Los delitos contra la Hacienda Pública y la Seguridad Social,* cit., p. 160).

5 En este sentido apunta IGLESIAS RÍO, quien señala, respecto de la redacción anterior a la reforma del año 2012, que la configuración típica tanto del delito fiscal como de la regularización tributaria "no ha podido ser más imprecisa e incompleta" por carecer "de la deseable precisión legislativa" (IGLESIAS RÍO, M.A., *La regularización fiscal en el delito de defraudación tributaria (un análisis de la «autodenuncia». Art. 305-4 CP)*, cit., p. 263).

la Doctrina y la Jurisprudencia[6]– en reconocer y pagar, por completo, la deuda tributaria; una cuestión que, hasta la reforma de 2012, era omitida por el Legislador penal al señalar, únicamente, que la regularización de la situación tributaria eximía de responsabilidad penal, sin más exigencias que aquellas que se refieren a los límites temporales ya indicados[7]. Asimismo, también quedó claro, tras la reforma de 2012, que la regularización tributaria solo eximirá de pena si el pago de la deuda tributaria es completo; un extremo que la regulación anterior omitía y que dio lugar a un encendido debate doctrinal y jurisprudencial que, con los años, terminó por inclinarse a favor de quienes defendían que era preciso abonar la totalidad de la deuda tributaria –cuestión sobre la que incidiremos más adelante al analizar el requisito relativo al pago de la deuda tributaria–.

2. EL OBJETO DE LA REGULARIZACIÓN: LA DEUDA TRIBUTARIA

2.1. Concepto de deuda tributaria

La primera cuestión que interesa examinar es el objeto del reconocimiento y pago y, por tanto, también de la regularización tributaria. Para ello, hemos de acudir, en primer lugar, al art. 305.4 CP que establece que

---

6 Sobre este aspecto, se pueden consultar las siguientes obras, sin perjuicio de las que citaremos en su momento cuando analicemos con más detenimiento la exigencia del pago de la deuda a efectos de la regularización tributaria: MARTÍNEZ-BUJÁN PÉREZ, C., *Los delitos contra la Hacienda Pública y la Seguridad Social,* cit., pp. 166 y ss.; SÁNCHEZ-OSTIZ GUTIÉRREZ, P., *La Exención de Responsabilidad Penal por Regularización Tributaria,* cit., pp. 93-113; BRANDARIZ GARCÍA, J.A., *La exención de responsabilidad penal por regularización en el delito de defraudación a la Seguridad Social,* cit., pp. 39-164; IGLESIAS RÍO, M.A., *La regularización fiscal en el delito de defraudación tributaria (un análisis de la «autodenuncia». Art. 305-4 CP)*, cit., pp. 317-351; id., "Aproximación crítica a la cláusula legal de exención de la pena por regularización en el delito de defraudación tributaria", cit., pp. 65-86.

7 Concretamente, el art. 305.4 CP en la redacción anterior a la reforma de 2012 decía: "[q]uedará exento de responsabilidad penal el que regularice su situación tributaria, en relación con las deudas a que se refiere el apartado primero de este artículo, antes de que se le haya notificado [...]".

el obligado tributario deberá reconocer la existencia de la deuda tributaria y proceder a su pago antes de los plazos allí indicados[8]. El objeto de la regularización, por tanto, deberá ser la deuda tributaria. Ahora bien, el precepto no aclara qué conceptos integran la deuda tributaria. Como punto de partida para determinar qué es y qué elementos integran la deuda tributaria, hemos de acudir al art. 305.1 CP que establece que el objeto de la defraudación será la "cuota defraudada", de donde se puede colegir que la deuda tributaria es algo diferente (o algo más) que la mera cuota defraudada. Por su parte, la LGT sí que ofrece una noción detallada de deuda tributaria; concepto que ha sido acogido recientemente por algún pronunciamiento judicial[9] y también por la Doctrina[10], aunque no

---

8 El precepto también habla de deuda tributaria al establecer uno de los límites temporales que impide apreciar la regularización –la notificación por la Administración tributaria de la iniciación de actuaciones de comprobación tendentes a la determinación de las deudas tributarias objeto de la regularización–, por no olvidar, también, la referencia a la deuda tributaria que se hace en el apartado relativo a la extensión de los efectos de la cláusula a las irregularidades contables en los términos que siguen: "[l]a regularización por el obligado tributario de su situación tributaria impedirá que se le persiga por las posibles irregularidades contables u otras falsedades instrumentales que, exclusivamente en relación a la deuda tributaria objeto de regularización [...]".

9 En este sentido se ha pronunciado la Audiencia Provincial de Barcelona, sección 7ª, en su Auto 750/2017, de 9 de noviembre, que acude al concepto de deuda tributaria del art. 58 LGT para concretar el objeto de la regularización tributaria del art. 305.4 CP. En base a este concepto, la Audiencia revoca un auto de sobreseimiento por regularización tributaria de un Juzgado al detectar que en el caso planteado el obligado tributario no había abonado los intereses de demora, un elemento que forma parte de la deuda tributaria, según el art. 58 LGT.

10 Conviene recordar que el problema de la determinación del objeto de la regularización tributaria ya era una cuestión controvertida antes de la reforma del año 2012 cuando el art. 305.4 CP no hacía expresa referencia a la deuda tributaria. En su anterior redacción, el art. 305.4 CP se limitaba a eximir de responsabilidad a quien regularizara su situación tributaria "en relación con las *deudas a que se refiere el apartado primero de este artículo*"; es decir, en relación con las cantidades defraudadas a través de cualquiera de las modalidades típicas previstas –impago de tributos, cantidades retenidas o que se hubieran debido retener, ingresos a cuenta de retribuciones en especie, de la obtención indebida de devoluciones o aquellas cantidades procedentes de beneficios fiscales obtenidos o disfrutados de forma indebida–. Esa redacción generaba confusión porque no quedaba claro si lo que se exigía era regularizar la deuda tributaria o la cuota tributaria. La diferencia entre exigir la regularización de la cuota tributaria o de la deuda tributaria podía ser importante y había argumentos para defender ambas posiciones. Afor-

sin críticas[11]. Así, según el art. 58 LGT, la deuda tributaria estará formada por los siguientes elementos:

1) Cuota o cantidad a ingresar que resulte de la obligación tributaria principal o de las obligaciones de realizar pagos a cuenta.
2) Cuando procedan, los intereses de demora.
3) Los recargos por declaración extemporánea, los del periodo ejecutivo y los que sean exigibles legalmente sobre las bases o las cuotas a favor del Tesoro o de otros entes públicos.

No formarán parte, sin embargo, de la deuda tributaria las sanciones tributarias por hallarse expresamente excluidas por el propio art. 58 LGT, en su apartado tercero[12].

---

tunadamente, este debate quedó superado con la nueva redacción del precepto, aunque, lo cierto es que el hecho de que el mismo art. 305.4 CP contuviera, por aquel entonces, otras referencias a la deuda tributaria –en uno de sus requisitos temporales y también en el apartado relativo a la extensión de los efectos de la regularización a posibles irregularidades contables– terminó por inclinar la balanza a favor de la exigencia para regularizar de la deuda tributaria y no meramente de la cuota tributaria. Sobre este tema, véanse, con su bibliografía, IGLESIAS RÍO, M.A., *La regularización fiscal en el delito de defraudación tributaria (un análisis de la «autodenuncia». Art. 305-4 CP)*, cit., pp. 340-341; MORENO CÁNOVES, A./ RUIZ MARCO, F., *Delitos socioeconómicos. Comentarios a los arts. 262, 270 a 310 del nuevo Código penal (concordados y con jurisprudencia)*, cit., p. 458; BERTRÁN GIRÓN, F., "El proyecto de ley de reforma del art. 305 del Código Penal: principales novedades", en *Carta Tributaria*, n. 20, noviembre 2012, s/p. Disponible en línea: www.laleydigital.es [fecha última consulta: 17/01/2020] y, también, FERRÉ OLIVÉ, J.C., *Tratado de los delitos contra la Hacienda Pública y contra la Seguridad Social,* cit., p. 506.

11 Así, BOIX REIG advierte que "[n]o es satisfactoria la constante referencia contenida en la reforma que se comenta a «deuda tributaria» en lugar de «cuota tributaria». Esta última en su caso, integra o debe integrar la responsabilidad civil, por más que siempre se haya discutido que lo sea (dado que es una deuda preexistente del obligado tributario y no consecuencia del delito). Incluir en la regularización penal, en la atenuación de la pena, etc... el concepto de deuda tributaria es del todo un exceso incomprensible. Cabe recordar que los intereses de demora tienen naturaleza punitiva, y que el delito fiscal contempla además de la pena privativa de libertad una pena de multa. Una vez más el principio non bis in idem queda en entredicho". Véase BOIX REIG, J., "Reflexiones sobre la reforma del delito fiscal", cit., p. 370.

12 Sin embargo, MUÑOZ CUESTA sostiene que la deuda tributaria estaría formada también por "multas por impago en el tiempo establecido de la cuota o por

Cada uno de los componentes de la deuda tributaria se halla definido, con carácter general, en la misma Ley y, además, se encuentra identificado y delimitado en las leyes reguladoras de los distintos tributos.

2.1.1. Cuota o cantidad a ingresar que resulte de la obligación tributaria principal o de las obligaciones de realizar pagos a cuenta

La relación jurídico-tributaria es "el conjunto de obligaciones y deberes, derechos y potestades originados por la aplicación de los tributos" (art. 17.1 LGT). De ella pueden derivarse obligaciones materiales y formales tanto para el obligado tributario como para la Administración y, en caso de incumplimiento, la imposición de sanciones tributarias (art. 17.2 LGT). Las obligaciones de naturaleza material[13] para el obligado tributario son, según el art. 17.3 LGT, las obligaciones de carácter principal, las obligaciones de realizar pagos a cuenta y las obligaciones accesorias. Por su parte, las obligaciones formales serán, según el art. 29.1 LGT, aquellas que se imponen por la normativa tributaria o aduanera que no tienen carácter pecuniario y "cuyo cumplimiento está relacionado con el desarrollo de actuaciones o procedimientos tributarios o aduaneros"[14].

En consecuencia, tanto la obligación tributaria principal como la obligación de realizar pagos a cuenta son obligaciones materiales derivadas de la existencia de una relación jurídico-tributaria. Pues bien,

---

la realización de las conductas previstas en el tipo" (MUÑOZ CUESTA, F.J., "La reforma del delito fiscal operada por LO 7/2012, de 27 de diciembre", en *Revista Aranzadi Doctrinal*, n. 11, 2013, s/p. Disponible en línea: www.aranzadi.es [fecha última consulta: 17/01/2020]).

13 Las obligaciones de la Administración Tributaria se encuentran establecidas en los arts. 30 y siguientes de la LGT.

14 Además de la definición expuesta, el art. 29 LGT enumera un extenso abanico de obligaciones de naturaleza formal. Entre ellas cabría destacar: a) la obligación de solicitar y utilizar el número de identificación fiscal en sus relaciones de naturaleza o con trascendencia tributaria; b) la obligación de presentar declaraciones, autoliquidaciones y comunicaciones; c) la obligación de llevar y conservar libros de contabilidad y registros; d) la obligación de expedir, entregar y conservar facturas o documentos sustitutivos que tengan relación con las obligaciones tributarias; e) la obligación de facilitar la práctica de inspecciones y comprobaciones administrativas, etc.

según el art. 19 LGT, "la obligación tributaria principal tiene por objeto el pago de la deuda tributaria", en tanto que, según el art. 23 LGT, la obligación tributaria de realizar pagos a cuenta consiste en una obligación autónoma y diferente de la principal cuya finalidad es "satisfacer un importe a la Administración tributaria por el obligado a realizar pagos fraccionados, por el retenedor o por el obligado a realizar ingresos a cuenta". Ambas obligaciones vendrán determinadas, según el art. 49 LGT, por las bases tributarias, los tipos de gravamen, así como por otros elementos previstos en el Capítulo III del Título II de la Ley General Tributaria o en la ley reguladora de cada tributo.

2.1.1.1. Determinación de la cuota tributaria

Si la obligación tributaria principal consiste en el pago de la cuota tributaria, el siguiente paso será averiguar el contenido de esta última. La LGT no define formalmente lo que es la cuota tributaria, sino que, tan solo, se limita a ofrecer criterios para su determinación[15]. La Doctrina tributaria ha advertido, en este sentido, que la obligación tributaria principal no debe confundirse con el pago del tributo o de la deuda tributaria, que, según ya hemos señalado, son conceptos más amplios y diferentes de la cuota, y tampoco concuerda, o no siempre, con la cuantía que finalmente se ingresa[16].

Los criterios para calcular la cuota tributaria vienen establecidos en el art. 56 LGT. Así, en función del contenido de la cuota tributaria, esta podrá ser: cuota íntegra, cuota líquida y cuota diferencial. La cuota íntegra se determina "aplicando el tipo de gravamen a la base liquidable", salvo en aquellos casos, como los tributos no variables[17],

---

15 Así, MARTÍN QUERALT, J./ LOZANO SERRANO, C./ TEJERIZO LÓPEZ, J.M./ CASADO OLLERO, G., *Curso de Derecho Financiero y Tributario. Parte General,* 28ª ed., Madrid, 2017, p. 275.

16 En este sentido, MARTÍN QUERALT, J./ LOZANO SERRANO, C./ TEJERIZO LÓPEZ, J.M./ CASADO OLLERO, G., *Curso de Derecho Financiero y Tributario. Parte General,* 28ª ed., cit., p. 259; MERINO JARA, I./ LUCAS DURÁN, M., *Derecho Financiero y Tributario. Parte General,* 6ª ed., Madrid, 2017, p. 289.

17 Que son aquellos tributos en los que "el hecho imponible no es susceptible de realizarse con distinto grado o intensidad" motivo por el cual la norma tributaria no establece un tipo de gravamen, sino que determina directamente la obligación tributaria principal. Así ocurre, por ejemplo, con el Impuesto Municipal sobre

en los que la norma la contempla directamente (art. 56.1 LGT). El importe de la cuota íntegra todavía podría ser modificado aplicándole "las reducciones o límites que la ley de cada tributo establezca en cada caso" (art. 56.4 LGT). No obstante, la cuota íntegra no siempre se corresponde con la cantidad a ingresar, ya que la norma tributaria puede contemplar para determinados casos aumentos o reducciones de dicha cuota[18]. Si así fuera, se deberán practicar sobre la cuota íntegra todas las deducciones, bonificaciones, adiciones o coeficientes previstos en la ley de cada tributo, tal y como se contempla en el art. 56.5 LGT, dando lugar a la cuota líquida. Por último, si en el caso concreto resultaran de aplicación deducciones, pagos fraccionados, retenciones o ingresos a cuenta y cuotas, la cantidad resultante de estas operaciones daría lugar a lo que se denomina cuota diferencial (art. 56.6 LGT).

2.1.1.2. Determinación de las obligaciones de realizar pagos a cuenta

El contenido de la cuota tributaria varía de un tributo a otro, al igual que las obligaciones de realizar pagos a cuenta. En cuanto a estas últimas, como hemos visto, son obligaciones del obligado tributario, de naturaleza material y autónomas respecto de la obligación tributaria principal, cuya función es, según CAZORLA PRIETO, "complementaria respecto a la [obligación] tributaria principal y está subordinada funcionalmente a ella" debido a que los pagos a cuenta facilitan el pago de la deuda tributaria principal y proporcionan a la Administración Tributaria información sobre la capacidad económica del obligado tributario[19]. Los pagos a cuenta se pueden realizar a

---

Vehículos de Tracción Mecánica para el que la Ley establece de forma expresa la cuota tributaria en función de las características del vehículo. Véase al respecto MARTÍN QUERALT, J./ LOZANO SERRANO, C./ TEJERIZO LÓPEZ, J.M./ CASADO OLLERO, G., *Curso de Derecho Financiero y Tributario. Parte General,* 28ª ed., cit., p. 267.

18 MARTÍN QUERALT, J./ LOZANO SERRANO, C./ TEJERIZO LÓPEZ, J.M./ CASADO OLLERO, G., *Curso de Derecho Financiero y Tributario. Parte General,* cit., p. 275.

19 CAZORLA PRIETO, L.M., *Derecho Financiero y Tributario. Parte General,* 18ª ed., Cizur Menor, 2018, p. 232. También, en este sentido, MERINO JARA, I./

través de tres mecanismos: pagos fraccionados, la retención y los ingresos a cuenta (art. 23 LGT) y todas ellas podrán formar, en su caso, parte de la deuda tributaria.

2.1.1.3. La determinación de la cuota tributaria a efectos penales

Si bien la normativa tributaria es esencial para la determinación y el cálculo de la cuota tributaria, a efectos penales y, más concretamente, a efectos del delito contra la Hacienda Pública, el art. 305.2 CP establece reglas concretas para cuantificar la cuota tributaria defraudada. En este sentido, el art. 305.2 CP prevé unas sencillas reglas que determinan el momento en el que se entienden superados los 120.000 euros necesarios para que la defraudación tributaria tenga relevancia penal; unas reglas que varían en función de la naturaleza periódica o no del tributo en cuestión[20]. Si bien pudiera pensarse que este precepto establece un concepto penal de cuota tributaria, esta idea debe quedar descartada en la medida en que, para su cálculo, sigue siendo necesario acudir a la normativa tributaria anteriormente expuesta, así como a las normas que regulen cada tributo[21].

LUCAS DURÁN, M., *Derecho Financiero y Tributario. Parte General,* 6ª ed., cit., p. 299; MARTÍN QUERALT, J./ LOZANO SERRANO, C./ TEJERIZO LÓPEZ, J.M., *Derecho Tributario,* 22ª ed., cit., pp. 155-159 o VARONA ALABERN, J.E., "Concepto de tributo y principio de capacidad económica", en *Civitas. Revista española de Derecho Financiero,* n. 135, 2007, pp. 541-592.

20 Art. 305.2 CP: "2. A los efectos de determinar la cuantía mencionada en el apartado anterior: a) Si se trata de tributos, retenciones, ingresos a cuenta o devoluciones, periódicos o de declaración periódica, se estará a lo defraudado en cada período impositivo o de declaración, y si éstos son inferiores a doce meses, el importe de lo defraudado se referirá al año natural. No obstante, lo anterior, en los casos en los que la defraudación se lleve a cabo en el seno de una organización o grupo criminal, o por personas o entidades que actúen bajo la apariencia de una actividad económica real sin desarrollarla de forma efectiva, el delito será perseguible desde el mismo momento en que se alcance la cantidad fijada en el apartado 1. b) En los demás supuestos, la cuantía se entenderá referida a cada uno de los distintos conceptos por los que un hecho imponible sea susceptible de liquidación."

21 En este sentido apuntan, entre otros, BOIX REIG, J./ MIRA BENAVENT, J., *Delitos contra la Hacienda Pública y contra la Seguridad Social,* cit., p. 72; BAJO FERNÁNDEZ, M./ BACIGALUPO, S., *Delitos contra la Hacienda pública,* cit., pp. 58-64; MAGALDI PATERNOSTRO, M.J., "De los delitos contra la Hacienda Pública y contra la Seguridad Social", cit., pp. 1193-1194; CUGAT MAURI,

2.1.2. Los intereses de demora

Además de la cuota tributaria o la cantidad derivada de la obligación de realizar pagos a cuenta, la deuda tributaria está integrada por los intereses de demora[22]. Según el art. 26.1 LGT, los intereses de demora son una prestación accesoria[23] que se exigirá a los obligados tributarios y a los sujetos infractores en tres supuestos: 1) pago fuera de plazo; 2) presentación de una autoliquidación o declaración de la que resulte una cantidad a ingresar fuera de plazo y 3) cobro de una devolución improcedente. La normativa tributaria podrá prever otros casos en los que exigir intereses de demora. Para que se puedan exigir intereses de demora, el art. 26.4 LGT establece que el retraso debe ser imputable al propio obligado tributario de lo que resulta que este no será exigible cuando dicho retraso se pueda atribuir a la Administración Tributaria.

M./ BAÑERES SANTOS, F., "Delitos contra la Hacienda Pública y la Seguridad Social", cit., p. 812; MARTÍNEZ-BUJÁN PÉREZ, C., *Derecho Penal Económico y de la Empresa. Parte Especial,* 5ª ed., cit., p. 634; id., "Delitos contra la Hacienda Pública y contra la Seguridad Social", cit., p. 516; AYALA GÓMEZ, I., "Delitos contra la Hacienda pública y contra la Seguridad Social", cit., p. 736; SUÁREZ-MIRA RODRÍGUEZ, C., *Manual de Derecho Penal Parte Especial,* 7ª ed., Cizur Menor, 2018, p. 468.

En el mismo sentido parece apuntar MORALES PRATS, aunque hace referencia a la "deuda tributaria efectiva" que no ha de confundirse con el concepto de "deuda tributaria «lato sensu»" que incluiría, además, los intereses de demora, los recargos por aplazamiento, prórroga o apremio y las sanciones tributarias (MORALES PRATS, F., "De los delitos contra la Hacienda Pública y contra la Seguridad Social", cit., p. 485).

22 La exigencia de intereses de demora también forma parte de la cuantía que el condenado debe abonar en concepto de responsabilidad civil derivada de delito. Así ha quedado regulado en el art. 305.7 CP tras la LO 7/2012, aunque lo cierto es que, con anterioridad a esta Ley, la Ley General Tributaria del año 2003 ya lo había contemplado en su Disposición Adicional Décima.

23 Las prestaciones accesorias son, según el art. 25 LGT, aquellas obligaciones tributarias "que consisten en prestaciones pecuniarias que se deben satisfacer a la Administración tributaria y cuya exigencia se impone en relación con otra obligación tributaria". En este sentido, aclara el propio precepto que tienen esta naturaleza los intereses de demora, los recargos por declaración extemporánea y los recargos del periodo ejecutivo. Por el contrario, no tendrán esta consideración las sanciones tributarias.

El interés de demora tributario ascenderá al interés legal del dinero[24] vigente a lo largo del periodo en el que aquél resulte exigible, incrementado en un 25 %, salvo en aquellos casos en los que los Presupuestos Generales del Estado establezcan otro incremento diferente[25]. Ese porcentaje se calculará, tal y como prevé el art. 26.3 LGT, sobre el importe no ingresado en plazo o sobre la cuantía de la devolución cobrada improcedentemente.

El interés de demora tributario tiene carácter automático y objetivo[26], en la medida en que el propio art. 26.1 LGT establece que la exigencia de dicho interés "no requiere la previa intimación de la Administración ni la concurrencia de un retraso culpable en el obligado". La finalidad que persiguen los intereses de demora es, según el Tribunal Constitucional, doble: por un lado, "disuadir a los contribuyentes de su morosidad en el pago de las deudas tributarias" y, por otro lado, "compensar al erario público por el perjuicio que a éste supone la no disposición tempestiva de todos los fondos necesarios para atender a los gastos públicos"[27]. Por esta razón, añade el Tribunal, "los intereses de demora no tienen naturaleza sancionadora, sino exclusivamente compensatoria o reparadora del perjuicio causado por el retraso en el pago de la deuda tributaria", es decir; "más que una penalización en sentido estricto, son una especie de compensación específica, con arreglo a un módulo objetivo, del coste financiero que para que la Ad-

---

24 Según el art. 1 de la Ley 24/1984, de 29 de junio, *sobre modificación del tipo de interés legal del dinero,* el interés legal del dinero se fija en la Ley de Presupuestos del Estado.

25 Así, la Disposición Adicional Quincuagésima Sexta de la Ley 22/2021, de 28 de diciembre, de *Presupuestos Generales del Estado para el año 2022,* establece el interés legal del dinero en un 3 % hasta el 31 de diciembre de 2022 y, además, fija que el interés de demora al que se refiere el art. 26.6 LGT será de un 3,75 %.

26 GARCÍA NOVOA, C., "Elementos de cuantificación de la obligación tributaria", en *Comentarios a la Ley General Tributaria,* 2ª ed., de R. Calvo Ortega (dir.) y J.M. Tejerizo López, Cizur Menor, 2009, pp. 287-295.

27 Sentencia del Tribunal Constitucional 76/1990, de 26 de abril, Fundamento Jurídico Noveno, (Tol 80.368) que resuelve el recurso de inconstitucionalidad de algunos de los preceptos de la Ley 10/1985, de 26 de abril, *de modificación parcial de la Ley General Tributaria.*

ministración tributaria supone dejar de disponer a tiempo cantidades dinerarias que le son legalmente debidas"[28].

2.1.3. Los recargos por declaración extemporánea, los recargos del periodo ejecutivo y otros recargos exigibles legalmente

Junto a la cuota tributaria y los intereses de demora, formarán parte de la deuda tributaria, en virtud del art. 58 LGT, distintos tipos de recargos tributarios: los recargos por declaración extemporánea, los recargos del periodo ejecutivo y, por último, aquellos recargos exigibles legalmente sobre las bases o las cuotas a favor del Tesoro o de otros entes públicos[29].

2.1.3.1. Recargos por declaración extemporánea

Los recargos por declaración extemporánea consisten, según el art. 27 LGT, en prestaciones accesorias que deben satisfacer los obligados tributarios cuando se den los siguientes presupuestos: primero, presentación de una declaración o autoliquidación fuera de plazo; segundo, identificación expresa del periodo impositivo de liquidación al que se refieren y, tercero, presentación antes de que la Administración

---

28 Sentencia del Tribunal Constitucional 76/1990, de 26 de abril, Fundamento Jurídico Noveno (Tol 80.368). La Doctrina tributaria ha acogido las consideraciones del Tribunal Constitucional al respecto. En este sentido, véanse, entre otros, VARONA ALABERN, J.E., "Concepto de tributo y principio de capacidad económica", cit., pp. 541-592; VEGA HERRERO, M./ MUÑOZ DEL CASTILLO, J.L., "Tributos y obligaciones tributarias", en *Comentarios a la Ley General Tributaria,* de R. Calvo Ortega (dir.) y J.M. Tejerizo López, 2ª ed., Cizur Menor, 2009, p. 120; CAZORLA PRIETO, L.M., *Derecho Financiero y Tributario. Parte General,* 18ª ed., cit., p. 234; MENÉNDEZ MORENO, A., *Derecho Financiero y Tributario. Parte General,* 18ª ed., Cizur Menor, 2017, p. 306 y MARTÍN QUERALT, J./ LOZANO SERRANO, C./ TEJERIZO LÓPEZ, J.M./ CASADO OLLERO, G., *Curso de Derecho Financiero y Tributario,* 29ª ed., Madrid, 2018, p. 551.

29 Al igual que los intereses de demora, los recargos tributarios son obligaciones tributarias accesorias que "consisten en prestaciones pecuniarias que se deben satisfacer a la Administración tributaria y cuya exigencia se impone en relación con otra obligación tributaria" (art. 25.1 LGT).

Tributaria haya realizado un requerimiento previo[30]. De esta definición legal se desprende una característica esencial: los recargos por declaración extemporánea se aplican cuando el obligado tributario cumple, de forma espontánea, sus obligaciones de declarar una vez transcurridos los plazos de declaración voluntaria. No obstante, aclaran algunos autores que estos recargos solo podrían aplicarse cuando la declaración o autoliquidación presentada suponga una cuantía a ingresar o, lo que es lo mismo, siempre y cuando la ausencia de declaración o autoliquidación en el plazo legalmente previsto haya dado lugar a un impago de la cuota tributaria por parte del obligado tributario[31]. La cuantía a la que podrán ascender los recargos viene condicionada por el tiempo transcurrido entre el momento en el que finalizó el plazo ordinario para la declaración o autoliquidación y el momento de su efectiva presentación.

2.1.3.2. Los recargos del periodo ejecutivo

Por su parte, los recargos del periodo ejecutivo son "figuras controvertidas"[32] que consisten en aquellas prestaciones accesorias que se exigen al obligado tributario que paga la cuota tributaria una vez iniciado el periodo ejecutivo (art. 28 LGT). Dentro de esta categoría se podrían distinguir hasta tres tipos de recargos: ejecutivo, de apremio reducido y de apremio ordinario. Cada uno de ellos cuenta con sus propios presupuestos de aplicación de los cuales se derivan sus respectivas cuotas que se calcularán sobre la deuda dejada de ingresar en periodo voluntario de pago.

Si bien el art. 58 LGT prevé que la deuda tributaria esté formada por los conceptos antes aludidos, lo cierto es que la misma LGT

---

30 El art. 27 LGT incluye un concepto de requerimiento previo que será "cualquier actuación administrativa realizada con conocimiento formal del obligado tributario conducente al reconocimiento, regularización, comprobación, inspección aseguramiento o liquidación de la deuda tributaria".

31 Así, entre otros, MENÉNDEZ MORENO, A., *Derecho Financiero y Tributario. Parte General,* 18ª ed., cit., p. 310 y MARTÍN QUERALT, J./ LOZANO SERRANO, C./ TEJERIZO LÓPEZ, J.M./ CASADO OLLERO, G., *Curso de Derecho Financiero y Tributario,* 29ª ed., cit., p. 556.

32 Así, VARONA ALABERN, J.E., "Concepto de tributo y principio de capacidad económica", cit., pp. 541-592.

establece algunos supuestos en los que los intereses de demora son incompatibles con los recargos. Así, por ejemplo, respecto de los recargos por declaración extemporánea, el art. 27 LGT dispone, entre otros supuestos, que en aquellos casos en los que sea susceptible de aplicar un recargo de entre 5 y 15 % no se exigirán los intereses de demora devengados hasta la presentación de la mencionada declaración o autoliquidación.

2.1.3.3. Otros recargos

Por último, los recargos exigibles legalmente sobre las bases o las cuotas a favor del Tesoro o de otros entes públicos son aquellas cuotas que se pueden exigir, *ex lege*, como forma de financiación autonómica y local[33]. Se trata, en definitiva, en palabras de CALVO ORTEGA y CALVO VÉRGEZ, de una forma de financiación, cada vez menos utilizada en el ámbito de las comunidades autónomas, de aquellos "entes territoriales pequeños cuya capacidad para administrar sus recursos es limitada por razones organizativas"[34].

2.1.3.4. Fundamento y naturaleza jurídica de los recargos tributarios

El fundamento de los recargos tributarios, al igual que su naturaleza jurídica, ha sido una cuestión ampliamente debatida por la Doctrina y Jurisprudencia y, a día de hoy, sigue siendo un tema aún controvertido[35]. Según la Doctrina mayoritaria, los recargos, tanto los exigibles por declaración extemporánea como los del periodo ejecutivo, persiguen fomentar el cumplimiento voluntario de las obligaciones tributarias principales, en la medida en que las cuantías exigidas por esta vía son inferiores a las que habría que hacer frente por la

33 VELARDE ARAMAYO, M.A., "Naturaleza jurídica de los recargos por declaración extemporánea", en *Tratado sobre la Ley General Tributaria,* T. I, de J. Arrieta Martínez de Pisón, M.A. Collado Yurrita y J. Zornoza Pérez (dirs.), Cizur Menor, 2010, pp. 667-668.

34 CALVO ORTEGA, R./ CALVO VÉRGEZ, J., *Curso de Derecho Financiero,* 28ª ed., Cizur Menor, 2018, p. 170.

35 En este sentido, VARONA ALABERN, J.E., "Concepto de tributo y principio de capacidad económica", cit., pp. 541-592.

sanción tributaria derivada del incumplimiento de la obligación tributaria principal[36].

En cuanto a su naturaleza jurídica, las posturas doctrinales y jurisprudenciales giran sobre dos planteamientos: los que sostienen que los recargos tienen naturaleza sancionatoria y los que consideran que

36 Así, CAZORLA PRIETO, L.M., *Derecho Financiero y Tributario. Parte General,* 18ª ed., cit., p. 235; VEGA HERRERO, M./ MUÑOZ DEL CASTILLO, J.L., "Tributos y obligaciones tributarias", cit., p. 123; MARTÍN QUERALT, J./ LOZANO SERRANO, C./ TEJERIZO LÓPEZ, J.M./ CASADO OLLERO, G., *Curso de Derecho Financiero y Tributario,* 29ª ed., cit., p. 556 y VARONA ALABERN, J.E., "Concepto de tributo y principio de capacidad económica", cit., pp. 541-592.
Por su parte, el Tribunal Constitucional ha analizado en distintas ocasiones el régimen jurídico de los recargos en las sentencias 76/1990, de 26 de abril (Tol 80.368), 164/1995, de 14 de diciembre (Tol 82.901), 198/1995, de 21 de diciembre (Tol 82.935), 276/2000, de 16 de noviembre (Tol 81.713), 26/2001, de 29 de enero (Tol 81.403), 93/2001, de 2 de abril (Tol 81.456) y 39/2011, de 31 de marzo (Tol 2.084.809). Sobre esta problemática, el Tribunal Constitucional viene sosteniendo que, al igual que los intereses de demora, los recargos persiguen una doble finalidad: por un lado, pretenden "disuadir a los contribuyentes de su morosidad en el pago de las deudas tributarias" y, por otro, "compensar o resarcir al erario público por el perjuicio que le supone la no disposición tempestiva de los fondos necesarios para atender a los gastos públicos" (STC 76/1990, de 26 de abril, Fundamento Jurídico Tercero).
No obstante, algunos autores, como CALVO ORTEGA, se han mostrado sumamente críticos con los recargos del periodo ejecutivo toda vez que consideran que estos carecen de cualquier fundamento. Según el autor, "cada uno de los conceptos dinerarios que se exigen al deudor tiene su justificación: la cuota, en el hecho imponible; los intereses de demora, en la compensación por retraso en la percepción de la prestación pecuniaria. El recargo por declaración extemporánea, en el retraso en presentarla; la sanción, en la comisión de un ilícito; y las costas, en los gastos originados a la Administración por el procedimiento de ejecución". Sin embargo, considera el autor que "los recargos de ejecución no tienen un fundamento lógico ni una apoyatura jurídico-obligacional", sino que se trata de una "reminiscencia del viejo e implacable ordenamiento recaudatorio que no ha debido incorporarse al Proyecto de Ley". Así, CALVO ORTEGA, R., "El Proyecto de Ley General Tributaria: aportaciones y aspectos críticos", en *Nueva Fiscalidad,* n. 8, 2003, pp. 35-36. En sentido igualmente crítico, véanse FALCÓN Y TELLA, R., "Los ingresos fuera del plazo: ¿cláusulas penales no sancionadoras", en *Revista Quincena Fiscal,* n. 21, 1995, s/p. Disponible en línea: www.aranzadidigital.es [fecha última consulta: 02/01/2020] o VEGA HERRERO, M./ MUÑOZ DEL CASTILLO, J.L., "Tributos y obligaciones tributarias", cit., p. 123.

se trata de una figura de carácter indemnizatorio, aunque también se encuentran posturas mixtas[37]. El Tribunal Constitucional[38] y la mayor parte de la Doctrina[39] consideran que los recargos por declaración extemporánea, que alcanzan el 10 % de la cantidad no pagada, no tienen naturaleza sancionatoria por dos razones: primero, porque una vez aplicados los recargos ya no es posible imponer sanciones por expresa indicación legal y, segundo, porque los recargos carecen de finalidad represiva, retributiva o de castigo en la medida que la cuantía de las sanciones tributarias supera de forma considerable a la que corresponde abonar en concepto de recargos. Por el contrario, advierte el Tribunal Constitucional que sí tendrían naturaleza sancionadora los recargos que establecen una cantidad equivalente al 50 o al 100 % de la cuota no ingresada, motivo por el cual se consideran inconstitucionales[40].

Tras negar el carácter sancionador de los recargos, el Tribunal Constitucional concluye que los mencionados recargos ostentan, por un lado, naturaleza indemnizatoria o resarcitoria y, por otro, una naturaleza disuasoria, todo ello porque esta figura "trata de mitigar el retraso estimulando un pago anterior al requerimiento y para ello aparta las sanciones"[41] y, además, penaliza económicamente el retraso

---

37 Sobre las distintas posturas mantenidas, véase VELARDE ARAMAYO, M.A., "Naturaleza jurídica de los recargos por declaración extemporánea", cit., pp. 669-683.

38 El Tribunal Constitucional se pronunció respecto de los recargos que establecía el art. 61.2 de la Ley 230/1963, de 28 de diciembre, *General Tributaria*, en la redacción derivada de la Ley 18/1991, de 6 de junio, en las Sentencias 76/1990, de 26 de abril (Tol 80.368), 164/1995, de 14 de diciembre (Tol 82.901), 198/1995, de 21 de diciembre (Tol 82.935), 276/2000, de 16 de noviembre (Tol 81.713), 26/2001, de 29 de enero (Tol 81.403), 93/2001, de 2 de abril (Tol 81.456) y 39/2011, de 31 de marzo (Tol 2.084.809), entre otras.

39 VELARDE ARAMAYO, M.A., "Naturaleza jurídica de los recargos por declaración extemporánea", cit., pp. 669-683.

40 Sobre la naturaleza de los recargos del 50 al 100% de la cuota no ingresada, puede verse la Sentencia del Tribunal Constitucional 276/2000, de 16 de noviembre. Sobre los diferentes pronunciamientos del Tribunal Constitucional en la materia, véase FALCÓN Y TELLA, R., "La doctrina constitucional en materia de recargos por ingreso extemporáneo", en *Quincena Fiscal*, n. 8, 2001, pp. 5-8.

41 Sentencia del Tribunal Constitucional 164/1995, de 14 de diciembre, Fundamento Jurídico Quinto (Tol 82.901).

para fomentar el cumplimiento de las obligaciones en el plazo legalmente previsto.

2.2. *¿A quién le corresponde el cálculo de la deuda tributaria?*

Según hemos visto anteriormente, el concepto de deuda tributaria a efectos de la regularización del art. 305.4 CP es idéntico al analizado del art. 58 LGT. Tras detallar los elementos que forman parte de la deuda tributaria, resulta oportuno determinar o identificar el sujeto que debe calcular dicha deuda. El análisis de este aspecto nos permitirá, posteriormente, examinar las posibles consecuencias penales de una cuantificación errónea de la deuda tributaria.

Según la Doctrina y la Jurisprudencia más extendidas, ante el silencio del art. 305.4 CP sobre los requisitos formales del reconocimiento, para que pueda eximirse de pena, el obligado tributario debe reconocer su deuda tributaria –la defraudada– para lo cual basta con poner en conocimiento –a través de una declaración complementaria o cualquier otro modo escrito o incluso oral– de la Administración Tributaria todos los datos necesarios que le permitan calcular dicha deuda[42]. Por tanto, quien debe calcular la deuda tributaria (liquidar) es la Administración Tributaria, en base a una declaración previa del obligado tributario que, según IGLESIAS RÍO, no necesita presentarse

---

42 Véanse, por todos, MARTÍNEZ-BUJÁN PÉREZ, C., *Los delitos contra la Hacienda Pública y la Seguridad Social*, cit., pp. 163-164; id., "El delito de defraudación tributaria", cit., p. 65; SÁNCHEZ-OSTIZ GUTIÉRREZ, P., *La Exención de Responsabilidad Penal por Regularización Tributaria*, cit., pp. 93-96; IGLESIAS RÍO, M.A., *La regularización fiscal en el delito de defraudación tributaria (un análisis de la «autodenuncia». Art. 305-4 CP)*, cit., p. 271; MAGALDI PATERNOSTRO, M.J., "De los delitos contra la Hacienda Pública y contra la Seguridad Social", cit., p. 1207; BAJO FERNÁNDEZ, M./ BACIGALUPO, S., *Delitos contra la Hacienda pública*, cit., pp. 110-111; QUERALT JIMÉNEZ, J.J., "La regularización como comportamiento postdelictivo en el delito fiscal", cit., pp. 37-39; BACIGALUPO ZAPATER, E., "El delito fiscal", cit., pp. 305-306; PÉREZ MARTÍNEZ, D., "La regularización fiscal del artículo 305.4 del Código Penal como causa de exención de responsabilidad criminal", cit., pp. 207-208; RODRÍGUEZ LÓPEZ, P., *Delitos contra la Hacienda Pública y contra la Seguridad Social*, cit., p. 154; CARRERAS MANERO, O., "La cláusula de regularización tributaria como causa de exención de la responsabilidad penal en el delito contra la Hacienda Pública", cit., pp. 1-21.

en "ningún formulario oficial especial como el que es preceptivo utilizar en la originaria declaración incompleta presentada u omitida"[43]. Es más, considera este autor, que, aunque lo más frecuente sea que el obligado tributario presente una declaración complementaria, a efectos del art. 305.4 CP debería admitirse cierta flexibilidad en la forma de presentación del reconocimiento de la deuda tributaria con la condición de que "se realice ante un organismo de la Administración tributaria y el contribuyente aclare o transparente íntegramente su situación fiscal"[44]. Sin embargo, en nuestra opinión, esta postura doctrinal, que todavía se mantiene en la actualidad, debería ser revisada a la luz de la normativa tributaria aprobada en el año 2015, concretamente el nuevo art. 252 LGT que establece, en los términos y a los efectos que enseguida veremos, un procedimiento de regularización tributaria donde se indica que esta obligación de liquidación de la deuda tributaria puede estar en manos tanto del obligado tributario como de la Administración Tributaria[45].

Pero antes de profundizar más en este tema conviene realizar algunas consideraciones sobre el art. 252 LGT para comprender cuál es su verdadero alcance y también las razones por las que consideramos que este debe ser tenido en cuenta para definir los requisitos formales de regularización tributaria.

El art. 252 LGT fue introducido en la Ley General Tributaria por la Ley 34/2014, de 21 de septiembre, *de modificación parcial de la Ley 58/2003, de 17 de diciembre, General Tributaria*. Este precepto entró a formar parte del nuevo Título VI de la LGT, también creado por la mencionada Ley, dedicado a recoger las "Actuaciones y procedimientos de aplicación de los tributos en supuestos de delito contra la Hacienda Pública". Con el nuevo Título se pretendía, según la Exposición de Motivos, establecer en la normativa tributaria los

---

43 IGLESIAS RÍO, M.A., *La regularización fiscal en el delito de defraudación tributaria (un análisis de la «autodenuncia». Art. 305-4 CP)*, cit., pp. 271-272.

44 IGLESIAS RÍO, M.A., *La regularización fiscal en el delito de defraudación tributaria (un análisis de la «autodenuncia». Art. 305-4 CP)*, cit., p. 272.

45 En el mismo sentido, véase BERTRÁN GIRÓN, F., *Regularización y delito contra la Hacienda Pública. Cuestiones prácticas,* Madrid, 2021, pp. 197 y ss.

procedimientos que debe seguir la Administración Tributaria cuando detecte un posible caso de delito fiscal[46].

El art. 252 LGT permite a la Administración Tributaria apreciar la regularización tributaria de naturaleza penal sin tener que pasar el tanto de culpa a la jurisdicción competente[47]. Ahora bien, no se trata de una potestad arbitraria, sino que, para apreciar la regularización, la Administración Tributaria deberá comprobar el cumplimiento de los siguientes extremos:

1) Que el obligado tributario haya regularizado su situación tributaria mediante el completo reconocimiento y pago de la deuda tributaria.
2) Antes de que se produzcan alguna de las siguientes actuaciones:

   a) Notificación del inicio de actuaciones de comprobación o investigación tendentes a la determinación de la deuda tributaria objeto de la regularización.

---

46 Concretamente, la Exposición de Motivos de la Ley 34/2015, de 21 de septiembre, establece que "el nuevo Título VI de la LGT crea un procedimiento administrativo que permite a la Administración tributaria practicar liquidaciones tributarias y realizar el cobro de deudas tributarias provenientes de defraudaciones susceptibles de ser calificadas como delito contra la Hacienda Pública, a pesar del inicio de un proceso penal, algo que ya permite el art. 305.5 CP tras la reforma del año 2012. De lo que se trata, en definitiva, es de establecer una normativa administrativa que ordene las actuaciones administrativas en caso de que la Administración Tributaria detecte un posible delito contra la Hacienda Pública, todo ello con la finalidad, siguiendo la Exposición de Motivos de la citada Ley, de "superar, en la mayoría de los supuestos, la situación hasta ahora existente, según la cual la obligada paralización de las actuaciones administrativas de liquidación de la deuda tributaria provocaba, entre otros efectos, la conversión de la deuda tributaria en una figura de naturaleza distinta, la responsabilidad civil derivada de delito, como fórmula de resarcimiento a la Hacienda Pública del daño generado".

47 Según CALVO VÉRGEZ, "el art. 252 de la LGT incorpora a una norma administrativa positiva el concepto de regularización voluntaria por el contribuyente definido ya en el art. 305.4 del Código Penal" (CALVO VÉRGEZ, J., "El delito contra la Hacienda Pública en la reforma de la LGT", en *Revista Quincena Fiscal*, n. 11, 2016, s/p. Disponible en línea: www.aranzadidigital.es [fecha última consulta: 11/02/2020]).

b) Interposición de querella o denuncia contra el obligado tributario por parte del Ministerio Fiscal, Abogado del Estado o representante procesal de la Administración autonómica, foral o local.
c) Realización de actuaciones por parte del Ministerio Fiscal o del Juez de Instrucción que permitan al obligado tributario tener conocimiento formal de la iniciación de diligencias en su contra.

Como puede observarse, existen evidentes similitudes respecto de lo dispuesto en el art. 305.4 CP, aunque en algunos aspectos el art. 252 LGT va más allá que el art. 305.4 CP e introduce aclaraciones sobre el concepto de deuda tributaria y establece el procedimiento a seguir por el obligado tributario para realizar la regularización tributaria[48], dentro del cual destaca la atribución en algunos supuestos de

---

48 Este precepto no está exento de críticas. En este sentido, se podría señalar que no existen razones que expliquen la diferencia entre un precepto y otro (art. 305.4 CP y 252 LGT) a la vista de que, en apariencia, ambos regulan la misma institución. Por otro lado, desde un punto de vista político-criminal, se ha criticado la decisión de dejar en manos de la Administración Tributaria una potestad que, hasta ahora, siempre ha pertenecido a Jueces y Tribunales, olvidando, con ello, lo dispuesto en el art. 117.3 CE que atribuye la potestad jurisdiccional exclusivamente a los Juzgados y Tribunales. En sentido crítico con la atribución de competencias a la Administración Tributaria, véase el Voto particular emitido por María Concepción Sáez Rodríguez al Informe del Anteproyecto de la Ley de modificación parcial de la Ley 58/2003, de 17 de diciembre, General Tributaria, aprobado por el Pleno del Consejo General del Poder Judicial, en sesión celebrada el 30 de septiembre de 2014. Disponible en línea: file:///C:/Users/Usuario/Downloads/20141008%20Informe%20modificaci%C3%B3n%20LG%20Tributaria%20-%20Voto%20S%C3%A1ez.pdf [fecha última consulta: 11/02/2020].
No se puede olvidar que, detrás de esta decisión legislativa, se encuentran razones próximas a la economía procesal o, dicho en mejores términos "economía de procesos" –sobre este término, véase CHAVES GARCÍA, J.R., "La economía procesal como contrapeso a las tasas judiciales y otras rémoras", en *Revista Actualidad Jurídica Aranzadi,* n. 855, 2013, s/p. Disponible en línea: www.aranzadidigital.es [fecha última consulta: 07/02/2020]–. Esto significa que el art. 305.4 CP dejará de tener operatividad y se aplicará, de forma residual, en aquellos pocos casos en los que la Administración Tributaria considere que la regularización ha sido ineficaz, lo que dará lugar a un descenso de pronunciamientos judiciales en la materia. La regularización pasará, por tanto, de ser reconocida

la obligación de cálculo de la deuda al obligado tributario, tal y como hemos advertido al inicio de este epígrafe. En este sentido, el segundo párrafo del art. 252 LGT[49] señala que, en aquellos supuestos en los que los tributos se exigen mediante autoliquidación, la regularización se entenderá practicada una vez el obligado tributario autoliquide e ingrese, de forma simultánea, la cuota, los intereses y los recargos legalmente devengados hasta la fecha del ingreso (es decir, la deuda tributaria). Por el contrario, si el tributo en cuestión se exige mediante liquidación –practicada por la Administración Tributaria–, el art. 252 LGT señala que la regularización voluntaria se apreciará cuando el obligado tributario presente la declaración correspondiente e ingrese la totalidad de la deuda tributaria liquidada por la Administración en el plazo de pago establecido en la normativa tributaria.

De lo expuesto pueden deducirse dos cuestiones: primero, que ya no puede sostenerse, en todo caso, que el reconocimiento de la deuda puede hacerse de cualquier modo, tal y como defendía IGLESIAS RÍO[50], y, segundo, que, en función del modelo de gestión del tributo, la cuantificación de la deuda tributaria corresponderá o bien al obligado tributario o bien a la Administración Tributaria. En el primer caso, que será el más común o frecuente[51], los obligados tributarios

---

en resoluciones judiciales –que se pronuncian en audiencia pública (art. 120.3 CE)– a ser una cuestión resuelta en un expediente administrativo –de carácter reservado según el art. 53.1. a) de la Ley 39/2015, de 1 de octubre, *del Procedimiento Común de las Administraciones Públicas*–. No obstante, advierte FERRÉ OLIVÉ que la Jurisdicción Penal tendría, en su caso, competencia para revisar dicho acto administrativo (FERRÉ OLIVÉ, J.C., *Tratado de los delitos contra la Hacienda Pública y contra la Seguridad Social,* cit., p. 332).

49 En concreto establece lo siguiente: "La deuda tributaria se entiende integrada por los elementos a los que se refiere el artículo 58 de esta Ley, debiendo proceder el obligado tributario a la autoliquidación e ingreso simultáneo tanto de la cuota como de los intereses de demora y de los recargos legalmente devengados a la fecha del ingreso. No obstante, cuando los tributos regularizados voluntariamente no se exijan por el procedimiento de autoliquidación, el obligado tributario deberá presentar la declaración correspondiente, procediendo al ingreso de la totalidad de la deuda tributaria liquidada por la Administración en el plazo para el pago establecido en la normativa tributaria."

50 IGLESIAS RÍO, M.A., *La regularización fiscal en el delito de defraudación tributaria (un análisis de la «autodenuncia». Art. 305-4 CP)*, cit., p. 272.

51 Los impuestos con mayor protagonismo en el sistema tributario, como el IRPF, el IVA, el Impuesto sobre Sociedades o el Impuesto sobre el Patrimonio, se declaran

deberán presentar una autoliquidación en la cual, conforme el art. 120 LGT, tendrán, por un lado, que poner en conocimiento de la Administración Tributaria la realización del hecho imponible y los datos necesarios para liquidar el tributo y, por otro lado, realizar "por sí mismos las operaciones de calificación y cuantificación necesarias para determinar e ingresar el importe de la deuda tributaria o, en su caso, determinar la cantidad que resulte a devolver o a compensar". En los demás casos, que son escasos[52], en los que la gestión de los tributos aún corresponde a la Administración Tributaria, el obligado tributario únicamente deberá comunicar –a través de una declaración o una declaración complementaria– la realización del hecho imponible para que sea la Administración la que califique y cuantifique la cuota tributaria[53].

En el año 2020, el Ministerio de Hacienda ha dictado la Orden HAC/530/2020[54], de 3 de junio, a través de la cual se aprueban los

---

mediante autoliquidación. Véanse al respecto el art. 97 de la Ley 35/2006, de 28 de noviembre, *del Impuesto sobre la Renta de las Personas Físicas y de modificación parcial de las leyes de los Impuestos sobre Sociedades, sobre la Renta de no Residentes y sobre el Patrimonio,* el art. 167 de la Ley 37/1992, de 28 de diciembre, *del Impuesto sobre el Valor Añadido,* el art. 125 de la Ley 27/2014, de 27 de noviembre, del Impuesto sobre Sociedades y el art. 36 de la Ley 19/1991, de 6 de junio, *del Impuesto sobre el Patrimonio.*

52 Por ejemplo, el Impuesto sobre Sucesiones y Donaciones en algunas comunidades autónomas se gestiona mediante el procedimiento de declaración según el art. 34 de la Ley 29/1987, de 18 de diciembre, *del Impuesto sobre Sucesiones y Donaciones.*

53 Sobre este extremo, véanse PÉREZ ROYO, F., *Derecho Financiero y Tributario,* 27ª ed., Cizur Menor, 2017, pp. 285-288; CALVO ORTEGA, R./ CALVO VÉRGEZ, J., *Curso de Derecho Financiero*, 28ª ed., cit., p. 199; CAZORLA PRIETO, L.M., *Derecho Financiero y Tributario. Parte General,* 18ª ed., cit., pp. 380-381; MARTÍN QUERALT, J./ LOZANO SERRANO, C./ TEJERIZO LÓPEZ, J.M./ CASADO OLLERO, G., *Curso de Derecho Financiero y Tributario,* 30ª ed., cit., pp. 389-398; MERINO JARA, I./ LUCAS DURÁN, M., *Derecho Financiero y Tributario Parte General,* 8ª ed., Madrid, 2019, pp. 469-472.

54 Orden HAC/530/2020, de 3 de junio, *por la que se desarrolla la disposición final décima de la Ley 34/2015, de 21 de septiembre, de modificación parcial de la Ley 58/2003, de 17 de diciembre, General Tributaria, se aprueban los modelos 770, «Autoliquidación de intereses de demora y recargos para la regularización voluntaria prevista en el artículo 252 de la Ley General Tributaria» y 771 «Autoliquidación de cuotas de conceptos y ejercicios sin modelo disponible en la Sede electrónica de la AEAT para la regularización voluntaria prevista en el*

modelos para la regularización voluntaria de la deuda del art. 252 LGT que tengan que practicarse, según este precepto, a través de autoliquidación. Así, por un lado, se aprueba el modelo 770 a través del cual se deberán autoliquidar los intereses de demora y recargos legalmente devengados para la regularización prevista en el art. 252 LGT y, por otro, el modelo 771 donde habrán de autoliquidarse la cuota tributaria derivada del impuesto correspondiente –que únicamente tendrá que ser utilizado siempre y cuando no exista para dicho impuesto un modelo ya aprobado de autoliquidación–.

El art. 252 LGT, que consideramos aplicable también a las regularizaciones tributarias del art. 305.4 CP, traslada, en muchos supuestos, al obligado tributario la difícil tarea de cuantificar su deuda tributaria, lo que abre el debate sobre los problemas que podrían plantearse en torno a la cuantificación errónea de la deuda tributaria[55]; una cuestión que será abordada a continuación.

2.3. El problema del cálculo y los efectos de una cuantificación errónea de la deuda tributaria

2.3.1. Planteamiento de la cuestión

Si, como hemos señalado, los tributos que se gestionan mediante autoliquidación, que son la mayoría, tienen que regularizarse a través de la autoliquidación o la autoliquidación complementaria, el obligado tributario necesita unos conocimientos amplios del sistema tri-

---

artículo 252 de la Ley General Tributaria», y se establecen las condiciones y el procedimiento para su presentación.

Sobre esta resolución, puede verse PALAO TABOADA, C., "Derecho administrativo (tributario) y Derecho penal en materia de regularización voluntaria en caso de delito fiscal (A propósito de la Orden HAC/530/2020, de 3 de junio)", en *Revista de Contabilidad y Tributación,* n. 453, pp. 5-38.

55 Además de estos problemas de cuantificación de la deuda tributaria, esta previsión del art. 252 LGT también suscita dudas referentes a cuestiones de índole competencial. En este sentido, MANJÓN-CABEZA OLMEDA considera que la regularización tributaria del art. 305.4 CP únicamente puede ser considerada por el Juez pues es a él quien corresponde eximir de responsabilidad penal (MANJÓN-CABEZA OLMEDA, A., "Regularización fiscal y responsabilidad penal. La propuesta de modificación del delito fiscal", cit., p. 215).

butario que le permita reflejar correctamente la realización del hecho imponible y, además, calificar y cuantificar de forma correcta no solo la cuota tributaria, sino también los posibles intereses de demora y los recargos correspondientes; es decir, la totalidad de la deuda tributaria. Esta podría considerarse una carga excesiva para el contribuyente si tenemos en cuenta las cuantías que se manejan en el ámbito penal –cuotas superiores a 120.000 euros–, la complejidad del sistema tributario[56] –que se debe principalmente a la abundancia de normas de naturaleza tributaria, así como a su frecuente modificación, que dificulta seriamente su comprensión por parte de sus destinatarios[57]–, lo que es especialmente delicado si de la correcta cuantificación de la deuda tributaria puede depender la imposición o no de una pena[58].

Con independencia de cuáles sean los efectos de la cuantificación errónea en el ámbito estrictamente tributario, lo que nos interesa en este momento es determinar si esta cuantificación errónea de la deuda tributaria excluye o no la regularización tributaria del art. 305.4 con las consecuencias que le son inherentes. De lo que se trata aquí no es tanto de examinar las consecuencias del pago parcial de la deuda tributaria derivado de una correcta liquidación[59], que será objeto de

---

56 Según CAZORLA PRIETO, la "incalificable complejidad del sistema tributario" ha fomentado el incremento de actuaciones de información y asistencia a los obligados tributarios por parte de la Administración (CAZORLA PRIETO, L.M., *Derecho Financiero y Tributario. Parte General,* 18ª ed., cit., p. 339).

57 CAZORLA PRIETO habla de "maraña normativa" (CAZORLA PRIETO, L.M., *Derecho Financiero y Tributario. Parte General,* 18ª ed., cit., p. 340).

58 No obstante, si bien existe dicha carga sobre el obligado tributario, también es cierto que la Administración Tributaria proporciona ayuda y asesoramiento a través de múltiples vías tal y como se deriva del art. 85.1 LGT. Entre las múltiples modalidades de asistencia a disposición del obligado tributario se podrían citar la publicación de textos actualizados de las normas tributarias y doctrina administrativa de mayor trascendencia, las comunicaciones y actuaciones de información, las contestaciones a consultas escritas formuladas por los obligados tributarios, así como las actuaciones previas de valoración y, algo muy importante, la asistencia a los obligados en la realización de sus declaraciones, autoliquidaciones y comunicaciones tributarias (art. 85.2 LGT).

59 Este sería el caso en el que el obligado tributario realiza un cálculo correcto de la deuda tributaria y, por distintas razones, abona una cantidad inferior a la calculada. También se podría distinguir, según SÁNCHEZ-OSTIZ GUTIÉRREZ, entre casos de "regularización parcial" y "regularización incorrecta". El primero hace referencia a aquellos supuestos en los que se la nueva declaración contiene

análisis más adelante, ni tampoco de determinar las consecuencias de una nueva declaración falsa o incompleta, sino de dilucidar qué ocurre cuando el obligado tributario no identifica de forma correcta, por descuido o desconocimiento, algún elemento de la obligación tributaria (error en la calificación)[60] o cuando simplemente existe un error matemático o de cálculo de la deuda tributaria[61]. Desde esta perspectiva, tan solo nos interesa averiguar dicho extremo en aquellos supuestos en los que de la incorrecta cuantificación se derive un perjuicio para la Administración Tributaria; es decir, cuando la deuda tributaria calculada incorrectamente por el obligado tributario sea inferior a la debida[62].

2.3.2. Soluciones propuestas por la Doctrina

La solución dista mucho de ser sencilla, razón por la que, tal vez, la Doctrina ha propuesto distintos criterios para resolver el problema. En este contexto y antes de proceder a exponer las soluciones propuestas, resulta conveniente recordar que los trabajos que han abordado el estudio de la regularización tributaria del art. 305.4 CP, y más concretamente, el problema de la cuantificación errónea de la deuda tributaria, lo han hecho sin tener en cuenta el art. 252 LGT porque en la mayoría de los casos son anteriores a la aprobación de dicho precepto. Así, como hemos tenido ocasión de mencionar, la Doctrina ha sostenido que el obligado tributario no tiene la obligación de cuantificar la deuda, sino que es suficiente que comunique a la Administración

---

datos incompletos que da lugar a un pago parcial de la deuda mientras que en el segundo se proporcionan datos incorrectos que derivan en una incorrecta cuantificación de la deuda. Así, SÁNCHEZ-OSTIZ GUTIÉRREZ, P., *La Exención de Responsabilidad Penal por Regularización Tributaria*, cit., p. 108.

60 Por ejemplo, aplica de forma indebida una reducción, deducción o bonificación.

61 Esta cuestión se ha planteado de forma recurrente por la Doctrina. Entre otros, véanse SÁNCHEZ-OSTIZ GUTIÉRREZ, P., *La Exención de Responsabilidad Penal por Regularización Tributaria*, cit., p. 110 o IGLESIAS RÍO, M.A., *La regularización fiscal en el delito de defraudación tributaria (un análisis de la «autodenuncia». Art. 305-4 CP)*, cit., pp. 281-282.

62 Si, por el contrario, como consecuencia del error, la deuda efectivamente pagada es superior a la debida, es evidente que no se podrá excluir la regularización tributaria y, en su caso, daría lugar a la devolución del exceso abonado de forma indebida.

Tributaria todos los datos relevantes para su correcta cuantificación por parte de esta última. En consecuencia, desde esta perspectiva, no se plantea el problema de la autoliquidación errónea sino, más bien, el problema de la comunicación parcial –o incompleta– de datos y documentos[63] que reflejan una situación tributaria irreal y su alcance en cuanto a la exención de pena prevista en el art. 305.4 CP, ya que los errores que pudiera cometer la Administración en la liquidación del tributo no son trasladables al obligado tributario.

En estos casos, de comunicación parcial o incompleta de datos y documentos a la Administración Tributaria, la Doctrina considera que un primer criterio para solucionar los problemas de error de cálculo es el conocimiento y la voluntad del obligado tributario al realizar la nueva declaración. De este modo, si el obligado tributario suministra, de forma intencionada, nuevamente en su declaración complementaria datos que falsean su verdadera situación tributaria –sea a través de datos falsos o de omisiones– la regularización no produce efecto exonerador alguno[64]. Por el contrario, si la declaración complementaria presentada refleja una situación tributaria incorrecta por error del obligado tributario o por causas ajenas a su voluntad, la Doctrina acude al criterio de la naturaleza de los datos proporcionados, de forma que el efecto eximente dependerá, según los autores, de la naturaleza de los datos aportados, de modo que, no se tendrá por regularizada la situación tributaria cuando la información omitida sea esencial para la liquidación de la deuda tributaria; lo que se valorará en función de que dichos datos puedan ser obtenidos por la Administración Tributaria a través de sus propios medios, o no.

---

63 Esta cuestión será tratada con detenimiento más adelante a raíz del análisis de la exigencia de completo reconocimiento de la deuda tributaria.

64 En este sentido, MARTÍNEZ-BUJÁN PÉREZ, C., *Los delitos contra la Hacienda Pública y la Seguridad Social*, cit., p. 164; SÁNCHEZ-OSTIZ GUTIÉRREZ, P., *La exención de responsabilidad penal por regularización tributaria*, cit., pp. 108-111; IGLESIAS RÍO, M.A., *La regularización fiscal en el delito de defraudación tributaria (un análisis de la «autodenuncia». Art. 305-4 CP)*, cit., p. 283 y 288; QUERALT JIMÉNEZ, J.J., "La regularización como comportamiento postdelictivo en el delito fiscal", cit., p. 38; FERRÉ OLIVÉ, J.C., *Tratado de los delitos contra la Hacienda Pública y contra la Seguridad Social*, cit., p. 307.

2.3.3. Posición personal

La tesis mantenida por la Doctrina sobre la liquidación de la deuda tributaria y sobre los efectos de la comunicación errónea de datos tributarios presenta ventajas evidentes: facilita la posición del obligado tributario al exonerarle de pena a cambio de proporcionar datos ocultados –por falseamiento u omisión– a la Administración Tributaria y amplía la órbita de aplicación de la cláusula del art. 305.4 CP y, con ello, el cumplimiento de los fines que le han sido asignados.

No obstante, en nuestra opinión, esta tesis que se construye al margen del art. 252 LGT se fundamenta en una redacción anterior –y más ambigua– que la que mantiene actualmente el art. 305.4 CP[65]. Si analizamos con detenimiento el art. 305.4 CP, la incorporación de la exigencia de completo reconocimiento y pago de la deuda tributaria coincide conceptualmente con la autoliquidación tributaria que requiere liquidar (declarar el hecho imponible, calificar y calcular la deuda) y pagar. Además, también se podría señalar que la mencionada tesis se basa en un sistema tributario en el que todavía muchos de los impuestos se gestionaban, al menos parcialmente, mediante declaración tributaria[66]. Tampoco existía el art. 252 LGT que es el que hemos tomado como referencia para plantear que, al menos

---

65 Recuérdese que antes de 2012 el art. 305.4 empezaba diciendo "[q]uedará exento de responsabilidad penal el que regularice su situación tributaria, en relación con las deudas a que se refiere el apartado primero de este artículo" y, después, pasó a señalar que "[s]e considerará regularizada la situación tributaria cuando se haya procedido por el obligado tributario al completo reconocimiento y pago de la deuda tributaria".

66 Sobre este tema, véase el punto IV de la Exposición de Motivos de la Ley 58/2003, de 17 de diciembre, *General Tributaria*. También pueden consultarse MARTÍN QUERALT, J./ LOZANO SERRANO, C./ TEJERIZO LÓPEZ, J.M./ CASADO OLLERO, G., *Curso de Derecho Financiero y Tributario,* 29ª ed., cit., p. 317; CAZORLA PRIETO, L.M., *Derecho Financiero y Tributario. Parte General,* 18ª ed., cit., pp. 337 y ss.; PÉREZ ROYO, F./ CARRASCO GONZÁLEZ, F.M., *Derecho Financiero y Tributario. Parte General,* 29ª ed., cit., pp. 285 y ss.; FERREIRO LAPATZA, J.J., "La aplicación de los tributos ¿confrontación o colaboración?", en *Temas para el debate,* n. 131 (octubre), 2005, pp. 39-42; NOCETE CORREA, F.J., "La aplicación de los tributos: de la gestión tributaria a la colaboración social", en *Tratado sobre la Ley General Tributaria,* T. II, de J. Arrieta Martínez de Pisón, M.A. Collado Yurrita y J. Zornoza Pérez (dirs.), Cizur Menor, 2010, pp. 35-37.

las regularizaciones practicadas ante la Administración Tributaria, se deben realizar, mayoritariamente, a través de autoliquidación, y tampoco se regulaban de forma alguna los aspectos formales de la regularización tributaria, lo que ahora se ha hecho a través de la Orden HAC/530/2020. Todo ello nos induce a pensar que, al menos en los casos en los que el tributo se gestione mediante autoliquidación, será el obligado tributario el que tenga la carga de calcular la deuda tributaria.

En contra de la postura que mantenemos se podría argumentar que el art. 305.4 CP no exige de forma expresa la autoliquidación como forma de reconocimiento y pago de la deuda y que ello es una exigencia de la regularización voluntaria del art. 252 LGT. Sin embargo, este argumento, de carácter formal, conduciría a un tratamiento desigual entre aquellas regularizaciones tributarias (penales) reconocidas por la Administración Tributaria y aquellas otras que no lo son, pero que posteriormente, en sede penal, podrían ser apreciadas por los Jueces. Así, una mera puesta en conocimiento de la existencia de la deuda tributaria no podría ser considerada regularización voluntaria por la Administración Tributaria –por evidente incumplimiento de lo expuesto en el art. 252 LGT–, lo que la obligaría a pasar el tanto de culpa a la jurisdicción penal, pero sí si se realizare en sede judicial.

En definitiva, si admitimos que la regularización tributaria del art. 305.4 CP debe practicarse mediante autoliquidación, en todo caso, en aquellos tributos que se gestionen a través de esta vía[67], quedaría por determinar si este aspecto condiciona de algún modo los efectos que una cuantificación errónea de la deuda tributaria pudiera tener en la aplicación de la cláusula penal. Con respecto a esta cuestión, a nuestro modo de ver, la exigencia de autoliquidación "solo" dificulta para el contribuyente la cuantificación de la deuda –pues, aparte de liquidar la cuota tributaria, deberá decidir, en base a la normativa tributaria, si corresponde pagar intereses de demora o, en su caso, recargos de algún tipo–, pero no incide, al menos no de forma directa, en la determinación de los efectos de la cuantificación errónea de la

---

[67] Pero no en aquellos que se gestionan mediante liquidación tributaria. Véase el art. 252 LGT.

deuda tributaria. Por todo ello, se mantienen algunas de las reflexiones vertidas por la Doctrina de donde se infiere lo siguiente:

- Si el obligado tributario practica una autoliquidación previamente omitida o una nueva autoliquidación en la que, de forma intencionada, oculta datos esenciales que dan lugar a un reconocimiento y pago de una deuda tributaria menor de la debida, no será posible eximir de pena por el art. 305.4 CP.
- Si el obligado tributario practica una autoliquidación anteriormente omitida o una nueva autoliquidación que arroja como resultado una deuda superior a la debida, el art. 305.4 CP surtirá plenos efectos.
- Por último, habrá que admitir la eficacia de la eximente del art. 305.4 CP en aquellos casos en los que, en el decurso de la autoliquidación, se realizan "desviaciones insignificantes"[68] en perjuicio de la Hacienda Pública, siempre y cuando, estas se deban a simples errores aritméticos o se deban a una "interpretación razonable de la norma"[69].

---

68 Apuntan en este sentido IGLESIAS RÍO, M.A., *La regularización fiscal en el delito de defraudación tributaria (un análisis de la «autodenuncia». Art. 305-4 CP)*, cit., p. 282 y 287; QUERALT JIMÉNEZ, J.J., "La regularización como comportamiento postdelictivo en el delito fiscal", cit., p. 38 y FERRÉ OLIVÉ, J.C., *Tratado de los delitos contra la Hacienda Pública y contra la Seguridad Social*, cit., p. 309 quien considera que la cláusula podrá aplicarse "cuando se aprecien diferencias de criterio o discrepancias no esenciales entre la Administración y el sujeto responsable, siempre que se refieran a aspectos secundarios y subsanables con facilidad y que no sean achacables al mismo sujeto que regulariza".

69 Este es un supuesto de exclusión de la responsabilidad por infracción tributaria según el art. 179.2 d) LGT que dispone lo siguiente: "2. Las acciones u omisiones tipificadas en las leyes no darán lugar a responsabilidad por infracción tributaria en los siguientes supuestos: d) Cuando se haya puesto la diligencia necesaria en el cumplimiento de las obligaciones tributarias. Entre otros supuestos, se entenderá que se ha puesto la diligencia necesaria cuando el obligado haya actuado amparándose en una interpretación razonable de la norma o cuando el obligado tributario haya ajustado su actuación a los criterios manifestados por la Administración Tributaria competente en las publicaciones y comunicaciones escritas a las que se refieren los artículos 86 y 87 de esta Ley. Tampoco se exigirá esta responsabilidad si el obligado tributario ajusta su actuación a los criterios manifestados por la Administración en la contestación a una consulta formulada por otro obligado, siempre que entre sus circunstancias y las mencionadas en la

3. EL COMPLETO RECONOCIMIENTO DE LA DEUDA TRIBUTARIA

Según el art. 305.4 CP, el reconocimiento completo de la deuda tributaria constituye, junto al pago, uno de los requisitos objetivos de la regularización tributaria[70]. Ambos, tanto el reconocimiento como el pago de la deuda tributaria, tienen carácter esencial, lo que significa que, para que se entienda regularizada la deuda tributaria, no bastará solo con el pago –al igual que no es suficiente el reconocimiento de la deuda tributaria sin que vaya acompañado del pago de la misma[71]–.

---

contestación a la consulta exista una igualdad sustancial que permita entender aplicables dichos criterios y éstos no hayan sido modificados."

70 Así lo ha entendido la Doctrina incluso cuando el art. 305.4 CP no hacía expresa referencia a dicho requisito, que ha sido introducido por la LO 7/2012. Véanse, en este sentido, MARTÍNEZ-BUJÁN PÉREZ, C., *Los delitos contra la Hacienda Pública y la Seguridad Social,* cit., p. 163; id., *Derecho Penal Económico y de la Empresa. Parte Especial,* 6ª ed., cit., p. 701; MAGALDI PATERNOSTRO, M.J., "De los delitos contra la Hacienda Pública y contra la Seguridad Social", cit., p. 1207; FARALDO CABANA, P., *Las causas de levantamiento de la pena,* cit., p. 222; BRANDARIZ GARCÍA, J.A., "Sobre el concepto de regularización en las causas de levantamiento de la pena en los artículos 305 y 307 CP", en *Anuario de la Facultad de Derecho de la Universidad de A Coruña,* n. 2, 1998, p. 22; IGLESIAS RÍO, M.A., *La regularización fiscal en el delito de defraudación tributaria (un análisis de la «autodenuncia». Art. 305-4 CP)*, cit., pp. 263 y 265; SÁNCHEZ-OSTIZ GUTIÉRREZ, P., *La Exención de Responsabilidad Penal por Regularización Tributaria,* cit., p. 94; CUGAT MAURI, M./ BAÑERES SANTOS, F., "Delitos contra la Hacienda Pública y la Seguridad Social", cit., pp. 822-824. También lo ha interpretado de este modo la Fiscalía General del Estado en la Circular 2/2009 *sobre la interpretación del término regularizar en las excusas absolutorias previstas en los apartados 4 del artículo 305 y 3 del artículo 307 del Código Penal.*

71 En este sentido, MARTÍNEZ-BUJÁN PÉREZ afirma que "el simple pago de la suma defraudada no puede ser considerado como un acto concluyente de regularización" (MARTÍNEZ-BUJÁN PÉREZ, C., *Los delitos contra la Hacienda Pública y la Seguridad Social,* cit., p. 163). En el mismo sentido, véanse IGLESIAS RÍO, M.A., *La regularización fiscal en el delito de defraudación tributaria (un análisis de la «autodenuncia». Art. 305-4 CP)*, cit., pp. 263-265, que considera que la rectificación y el pago de la deuda tributaria "constituyen el núcleo esencial de la autodenuncia" o MANJÓN-CABEZA OLMEDA, A., *Las excusas absolutorias en Derecho Español. Doctrina y jurisprudencia,* cit., p. 168; AYALA GÓMEZ, I., "Delitos contra la Hacienda pública y contra la Seguridad Social", cit., p. 740; MESTRE DELGADO, E., "Delitos contra la Hacienda Pública y contra la Seguridad Social", en *Delitos. La Parte Especial del Derecho Penal,* 3ª

El art. 305.4 CP no define el modo en el que ha de realizarse el reconocimiento de la deuda tributaria, aunque sí especifica una de sus características: que tiene que ser completo[72]. Surgen, por tanto, dudas acerca de las condiciones en las que tiene que producirse el reconocimiento de la deuda a efectos de la regularización tributaria, tanto desde una perspectiva formal como de contenido[73].

La Doctrina ha interpretado que el reconocimiento consiste, fundamentalmente, en un acto de comunicación de la deuda tributaria o, en palabras de IGLESIAS RÍO, en un proceso de rectificación que culmina con la liquidación de la deuda defraudada[74]. Este acto de comunicación o de reconocimiento de la deuda tiene por objeto, según MARTÍNEZ-BUJÁN PÉREZ, "rectificar en sentido estricto los datos previamente suministrados (en caso de que fuesen inexactos) o completar los datos que se habían presentado de forma incompleta o,

---

ed., de C. Lamarca Pérez (coord..), Madrid, 2015, p. 509; MORALES PRATS, F., "De los delitos contra la Hacienda Pública contra la Seguridad Social", cit., p. 1082; BOIX REIG, J./ GRIMA LIZANDRA, V., "Delitos contra la Hacienda Pública y contra la Seguridad Social", cit., pp. 826-827. También lo ha interpretado de esta manera la Fiscalía General del Estado en la Circular 2/2009, *sobre la interpretación del término regularizar en las excusas absolutorias previstas en los apartados 4 del artículo 305 y 3 del artículo 307 del Código Penal* y el Tribunal Supremo en su sentencia 426/2018, de 26 de septiembre [ponente: Sr. Martínez Arrieta], Fundamento Jurídico Primero (Tol 6.861.850).

En contra de este posicionamiento, véanse MORENO CÁNOVES, A./ RUIZ MARCO, F., *Delitos socioeconómicos. Comentarios a los arts. 262, 270 a 310 del nuevo Código penal (concordados y con jurisprudencia)*, cit., p. 448. Según estos autores, la regularización tributaria produciría efectos también en caso de que se efectuara el pago, sin un reconocimiento previo.

72 Según IGLESIAS RÍO, el precepto debería especificar el significado de "completo reconocimiento" para exigir, de forma expresa, "un acto voluntario o espontáneo, una rectificación íntegra, completa [...] y veraz, comunicando todos los datos económicos antes silenciados o falseados". Asimismo, entiende este autor que también se debería aclarar si se exige algún formalismo para el reconocimiento, quién tiene que presentarlo y ante qué órgano y si es posible que se pueda realizar mediante representación. Véase IGLESIAS RÍO, M.A., "Delitos contra la Hacienda Pública y la Seguridad Social: Arts. 305 a 310 *bis* CP", cit., p. 831.

73 IGLESIAS RÍO, M.A., *La regularización fiscal en el delito de defraudación tributaria (un análisis de la «autodenuncia». Art. 305-4 CP)*¸ cit., p. 267.

74 IGLESIAS RÍO, M.A., *La regularización fiscal en el delito de defraudación tributaria (un análisis de la «autodenuncia». Art. 305-4 CP)*¸ cit., p. 267.

en fin, comunicar los datos que se habían omitido"[75]. En cuanto a sus características, la Doctrina señala que, además de completo –aspecto sobre el que nos detendremos posteriormente–, el reconocimiento ha de cumplir otras características que se deducen interpretativamente del propio art. 305.4 CP o de la normativa tributaria[76].

---

75 MARTÍNEZ-BUJÁN PÉREZ, C., *Los delitos contra la Hacienda Pública y la Seguridad Social,* cit., p. 163. En el mismo sentido MORENO CÁNOVES, A./ RUIZ MARCO, F., *Delitos socioeconómicos. Comentarios a los arts. 262, 270 a 310 del nuevo Código penal (concordados y con jurisprudencia)*, cit., p. 448; FARALDO CABANA, P., *Las causas de levantamiento de la pena,* cit., p. 223; IGLESIAS RÍO, M.A., *La regularización fiscal en el delito de defraudación tributaria (un análisis de la «autodenuncia». Art. 305-4 CP)*, cit., p. 267; MAGALDI PATERNOSTRO, M.J., "De los delitos contra la Hacienda Pública y contra la Seguridad Social", cit., p. 1207; DE LA MATA BARRANCO, N., "La cláusula de regularización tributaria en el delito de defraudación fiscal del artículo 305 del Código Penal", cit., p. 312; id., "El delito fiscal del art. 305 CP después de las Reformas de 2010, 2012 y 2015: algunas cuestiones, viejas y nuevas, todavía controvertidas", cit., p. 29.
La rectificación de la situación tributaria constituirá, según afirma la Fiscalía General del Estado en la Circular 2/2009, *sobre la interpretación del término regularizar en las excusas absolutorias previstas en los apartados 4 del artículo 305 y 3 del artículo 307 del Código Penal,* "el envés del delito, anulando no solo el desvalor de acción (correcta declaración de la deuda) sino también el desvalor de resultado (ingreso de la deuda defraudada), de forma que tenga lugar un auténtico retorno a la legalidad al que el legislador quiere enlazar la notable consecuencia de renunciar a la imposición de la sanción penal respecto de una infracción previamente consumada, beneficiando a su vez al autor con la exención respecto de las otras infracciones penales instrumentales a que se refiere el precepto (recuérdese la extensión de la excusa absolutoria a las posibles irregularidades contables u otras falsedades instrumentales en relación a la deuda tributaria objeto de regularización y cometidas con carácter previo a la regularización de la situación tributaria)".

76 En este sentido, IGLESIAS RÍO considera que la expresión "completo reconocimiento" que se emplea en el art. 305.4 CP es poco clara, razón por la que demanda al Legislador mayor concreción de tal modo que el precepto precise que para que pueda considerarse regularizada la deuda tributaria es necesario que se presente un acto voluntario, espontáneo, una rectificación íntegra y veraz que ponga de manifiesto todos los datos omitidos o falseados (IGLESIAS RÍO, M.A., "Delitos contra la Hacienda Pública y la Seguridad Social: Arts. 305 a 310 *bis* CP", cit., p. 831).

Así, en primer lugar, desde una perspectiva formal, el reconocimiento debe ser expreso[77] y espontáneo[78]. Del mismo modo, tradicionalmente la Doctrina ha considerado que el reconocimiento no debe revestir una formalidad determinada[79], aunque, en nuestra opinión,

---

77 Así, FERRÉ OLIVÉ, J.C., *Tratado de los delitos contra la Hacienda Pública y contra la Seguridad Social*, cit., p. 309.

78 APARICIO PÉREZ, A., *La regulación de los delitos contra la Hacienda Pública y la Seguridad Social en el nuevo Código Penal*, cit., p. 59; MORENO CÁNOVES, A./ RUIZ MARCO, F., *Delitos socioeconómicos. Comentarios a los arts. 262, 270 a 310 del nuevo Código penal (concordados y con jurisprudencia)*, cit., p. 448; DE JUAN I CASADEVALL, J./ DEL CAMINO GARCÍA LLAMAS, M., "Arts. 305-310: Delitos contra la Hacienda Pública", en *Delitos societarios, de la receptación, y contra la Hacienda Pública*, de VV.AA., Barcelona, 1998, p. 353; QUERALT JIMÉNEZ, J.J., "La regularización como comportamiento postdelictivo en el delito fiscal", cit., p. 37; BACIGALUPO ZAPATER, E., "El delito fiscal", en *Curso de Derecho Penal económico,* 2ª ed., de E. Bacigalupo (dir.), Madrid, 2005, p. 487; MANJÓN-CABEZA OLMEDA, A., *Las excusas absolutorias en Derecho Español. Doctrina y jurisprudencia,* cit., p. 166; MUÑOZ CONDE, F., *Derecho Penal. Parte Especial,* 22ª ed., cit., p. 950; COCA VILA, I., "Protección de las Haciendas Públicas y la Seguridad Social", *en Lecciones de Derecho Penal Económico y de la Empresa. Parte General y Especial*, de J.M. Silva Sánchez (dir.) y R. Robles Planas (coord.), Barcelona, 2020, p. 596.

79 Así, MARTÍNEZ-BUJÁN PÉREZ, C., *Los delitos contra la Hacienda Pública y la Seguridad Social,* cit., pp. 165-166; BRANDARIZ GARCÍA, J.A., "Sobre el concepto de regularización en las causas de levantamiento de la pena en los artículos 305 y 307 CP", cit., p. 197; IGLESIAS RÍO, M.A., *La regularización fiscal en el delito de defraudación tributaria (un análisis de la «autodenuncia». Art. 305-4 CP)*, cit., p. 270; SÁNCHEZ-OSTIZ GUTIÉRREZ, P., *La Exención de Responsabilidad Penal por Regularización Tributaria*, cit., p. 95; MAGALDI PATERNOSTRO, M.J., "De los delitos contra la Hacienda Pública y contra la Seguridad Social", cit., p. 1207; DE LA MATA BARRANCO, N., "La cláusula de regularización tributaria en el delito de defraudación fiscal del artículo 305 del Código Penal", cit., p. 313; QUERALT JIMÉNEZ, J.J., "La regularización como comportamiento postdelictivo en el delito fiscal", cit., p. 39; CARRERAS MANERO, O., "La cláusula de regularización tributaria como causa de exención de la responsabilidad penal en el delito contra la Hacienda Pública", cit., pp. 1-21; GÓMEZ PAVÓN, P., "La regularización en el delito de defraudación a la Seguridad Social", en *Libro homenaje al Prof. Luís Rodríguez Ramos*, de F.J. Álvarez García, M.A. Cobos Gómez de Linares, P. Gómez Pavón, A. Manjón-Cabeza Olmeda, A. Martínez Guerra (coords), Valencia, 2003, p. 587; MANJÓN-CABEZA OLMEDA, A., *Las excusas absolutorias en Derecho Español. Doctrina y jurisprudencia,* cit., p. 169; MESTRE DELGADO, E., "Delitos contra la Hacienda Pública y contra la Seguridad Social", cit., p. 509; FERRÉ OLIVÉ, J.C., *Tratado de los delitos contra la Hacienda Pública y contra la Seguridad So-*

este aspecto podría haber cambiado como consecuencia del art. 252 LGT y la Orden del Ministerio de Hacienda HAC/530/2020, según hemos visto.

En segundo lugar, en cuanto a su contenido, el reconocimiento debe ser, según ya hemos dicho, completo y, además, claro[80] y veraz[81].

---

cial, cit., p. 308; MONTERO, F., "La regularización tributaria como equivalente funcional de la pena retributiva", en *InDret,* n. 2, 2022, p. 338.

80 BRANDARIZ GARCÍA, J.A., "Sobre el concepto de regularización en las causas de levantamiento de la pena en los artículos 305 y 307 CP", cit., p. 197; IGLESIAS RÍO, M.A., *La regularización fiscal en el delito de defraudación tributaria (un análisis de la «autodenuncia». Art. 305-4 CP)*, cit., p. 273; DE LA MATA BARRANCO, N., "La cláusula de regularización tributaria en el delito de defraudación fiscal del artículo 305 del Código Penal", cit., p. 313.

81 Así, MARTÍNEZ-BUJÁN PÉREZ, C., *Los delitos contra la Hacienda Pública y la Seguridad Social,* cit., pp. 162-163; MORENO CÁNOVES, A./ RUIZ MARCO, F., *Delitos socioeconómicos. Comentarios a los arts. 262, 270 a 310 del nuevo Código penal (concordados y con jurisprudencia)*, cit., p. 447; BRANDARIZ GARCÍA, J.A., "Sobre el concepto de regularización en las causas de levantamiento de la pena en los artículos 305 y 307 CP", cit., p. 197; IGLESIAS RÍO, M.A., *La regularización fiscal en el delito de defraudación tributaria (un análisis de la «autodenuncia». Art. 305-4 CP)*, cit., pp. 274 y ss.; MAGALDI PATERNOSTRO, M.J., "De los delitos contra la Hacienda Pública y contra la Seguridad Social", cit., p. 1207; DE LA MATA BARRANCO, N., "La cláusula de regularización tributaria en el delito de defraudación fiscal del artículo 305 del Código Penal", cit., p. 312; QUERALT JIMÉNEZ, J.J., "La regularización como comportamiento postdelictivo en el delito fiscal", cit., p. 39; CARRERAS MANERO, O., "La cláusula de regularización tributaria como causa de exención de la responsabilidad penal en el delito contra la Hacienda Pública", cit., pp. 1-21; ALONSO GALLO, J., "El delito fiscal tras la Ley Orgánica 7/2012", cit., p. 21; MANJÓN-CABEZA OLMEDA, A., *Las excusas absolutorias en Derecho Español. Doctrina y jurisprudencia,* cit., p. 165; FERRÉ OLIVÉ, J.C., *Tratado de los delitos contra la Hacienda Pública y contra la Seguridad Social*, cit., p. 309; COCA VILA, I., "Protección de las Haciendas Públicas y la Seguridad Social", cit., p. 596; FERNÁNDEZ BERMEJO, D., "Análisis normativo de la regularización penal tributaria como excusa absolutoria", en *Anuario de Derecho Penal y Ciencias Penales,* n. 1, 2020, p. 614.

La exigencia de veracidad también se encuentra presente en la regularización de los delitos contra la Seguridad Social. Véanse, en este sentido, MARTÍNEZ LUCAS, J.A., *El delito de defraudación a la Seguridad Social,* cit., pp. 189-190; CHAZARRA QUINTO, M.A., *Delitos contra la Seguridad Social,* Valencia, 2002, pp. 347-348; BRANDARIZ GARCÍA, J.A., *La exención de responsabilidad penal por regularización en el delito de defraudación a la Seguridad Social*, cit., pp. 64 y ss.; BUSTOS RUBIO, M., *La regularización en el delito de defraudación a la Seguridad Social,* cit., pp. 278 y ss.

Por último y en tercer lugar, desde la perspectiva subjetiva, el reconocimiento de la deuda ha de ser voluntario[82], aunque no es necesario que obedezca a una motivación o ánimo especial del sujeto que regulariza[83]. El contenido concreto de tales características lo analizaremos a continuación.

3.1. Aspectos formales del reconocimiento

3.1.1. Reconocimiento espontáneo

La espontaneidad del reconocimiento de la deuda tributaria como requisito de la regularización tributaria se deduce de los límites temporales que impone el art. 305.4 CP[84]. A partir de aquí, el recono-

---

82 MARTÍNEZ-BUJÁN PÉREZ, C., *Los delitos contra la Hacienda Pública y la Seguridad Social,* cit., pp. 181-182; IGLESIAS RÍO, M.A., *La regularización fiscal en el delito de defraudación tributaria (un análisis de la «autodenuncia». Art. 305-4 CP),* cit., pp. 292 y ss.; MORALES PRATS, F., "De los delitos contra la Hacienda Pública contra la Seguridad Social", cit., pp. 1073-1074; APARICIO PÉREZ, A., *La regulación de los delitos contra la Hacienda Pública y la Seguridad Social en el nuevo Código Penal*, cit., p. 59; MAGALDI PATERNOSTRO, M.J., "De los delitos contra la Hacienda Pública y contra la Seguridad Social", cit., p. 1203; DE JUAN I CASADEVALL, J./ DEL CAMINO GARCÍA LLAMAS, M., "Arts. 305-310: Delitos contra la Hacienda Pública", cit., p. 353; GÓMEZ PAVÓN, P., "La regularización en el delito de defraudación a la Seguridad Social", cit., p. 587; MUÑOZ CONDE, F., *Derecho Penal. Parte Especial,* 22ª ed., cit., p. 950; COCA VILA, I., "Protección de las Haciendas Públicas y la Seguridad Social", cit., p. 596. También hacían referencia a la voluntariedad de la regularización la Exposición de Motivos de la Ley Orgánica 6/1995, de 29 de junio, *por la que se modifican determinados preceptos del Código Penal relativos a los delitos contra la Hacienda Pública y contra la Seguridad Social*, que introdujo en nuestro ordenamiento jurídico-penal la regularización tributaria, y el Preámbulo de la Ley Orgánica 7/2012, de 27 de diciembre, *por la que se modifica la Ley Orgánica 10/1995, de 23 de noviembre, del Código Penal en materia de transparencia y lucha contra el fraude fiscal y en la Seguridad Social.*

83 Así, IGLESIAS RÍO, M.A., "Aproximación crítica a la cláusula de exención de la pena por regularización en el delito de defraudación tributaria", en *Revista de Derecho Penal*, n. 13, 2004, p. 78.

84 En este sentido, MORENO CÁNOVES, A./ RUIZ MARCO, F., *Delitos socioeconómicos. Comentarios a los arts. 262, 270 a 310 del nuevo Código penal (concordados y con jurisprudencia)*, cit., p. 448; GARCÍA PÉREZ, O., *La Punibilidad en el Derecho Penal,* cit., pp. 197-200; CHAZARRA QUINTO, M.A.,

cimiento será espontáneo siempre que el sujeto no tenga conocimiento formal del inicio de actuaciones administrativas o judiciales en su contra por las deudas regularizadas[85]. En sentido inverso, el reconocimiento no podrá ser considerado espontáneo cuando el sujeto ya tiene noticia formalmente notificada de que está siendo investigado[86], pues la espontaneidad exige, según BACIGALUPO ZAPATER, "que exista autodenuncia y no simple aceptación de una responsabilidad ya descubierta"[87]. Lo anterior, sin embargo, no significa que una conducta posterior a los límites temporales antes citados sea irrelevante a efectos penales, ya que, aun no respetándolos y, por tanto, no pudiendo ser considerada espontánea, todavía podrá ser tenida en cuenta a

---

Delitos contra la Seguridad Social, cit., p. 350; IGLESIAS RÍO, M.A., "Aproximación crítica a la cláusula de exención de la pena por regularización en el delito de defraudación tributaria", cit., p. 78; PÉREZ MARTÍNEZ, D., "La regularización fiscal del artículo 305.4 del Código Penal como causa de exención de responsabilidad criminal", cit., p. 212; CUGAT MAURI, M./ BAÑERES SANTOS, F., "Delitos contra la Hacienda Pública y la Seguridad Social", cit., p. 822; COCA VILA, I., "Protección de las Haciendas Públicas y la Seguridad Social", cit., pp. 596-597. También puede verse en este sentido la Sentencia de la Sala 2ª del Tribunal Supremo 746/2018, de 13 de febrero [ponente: Sr. Del Moral García], Fundamento Jurídico Tercero (Tol 7.065.071). Según la citada sentencia, el art. 305.4 CP requiere espontaneidad y la ausencia de espontaneidad se determina "a través del establecimiento legislativo de diversas causas de bloqueo".

85 Así, MUÑOZ CONDE, F., *Derecho Penal. Parte Especial,* 22ª ed., cit., p. 950. Según este autor, el comportamiento del obligado tributario se podrá considerar espontáneo cuando "se adelante a la detección del fraude por parte de la autoridad competente". Igualmente, MORENO CÁNOVES, A./ RUIZ MARCO, F., *Delitos socioeconómicos. Comentarios a los arts. 262, 270 a 310 del nuevo Código penal (concordados y con jurisprudencia),* cit., p. 448; CUGAT MAURI, M./ BAÑERES SANTOS, F., "Delitos contra la Hacienda Pública y la Seguridad Social", p. 822.

86 De este modo lo ha venido interpretando el Tribunal Supremo. En este sentido, señala que "[s]i una persona defrauda a la Hacienda Pública eludiendo el pago de un impuesto, su situación tributaria solo queda regularizada cuando, reconociendo la defraudación, satisface el impuesto eludido, no pudiendo decirse que ha regularizado su situación tributaria por el mero hecho de que, años después de realizarla, reconozca la defraudación –a ello equivale la presentación de la declaración complementaria– cuando la misma, por otra parte, ya ha sido puesta de manifiesto por la actividad inspectora de la Administración" (Sentencia de la Sala 2ª del Tribunal Supremo 539/2003, de 30 de abril [ponente Sr. Jiménez Villarejo], Fundamento Jurídico Undécimo (Tol 276.376).

87 BACIGALUPO ZAPATER, E., "El delito fiscal", cit., p. 306.

efectos del art. 305.6 CP para atenuar su pena si fuera acompañada del pago de la deuda tributaria[88].

Ahora bien, MERINO JARA/ SERRANO GONZÁLEZ DE MURILLO advierten de que no existe una regla general expresamente prevista que requiera que el reconocimiento sea espontáneo, algo que habría sido deseable. Por el contrario, lo que se ha previsto, según los autores, es un sistema "casuístico" consistente en enumerar aquellos supuestos en los que el reconocimiento ya no sería espontáneo y, por tanto, ya no cabría acceder a la exención de pena por regularización. El gran inconveniente que presenta este sistema o técnica legislativa es que "quedan supuestos por enumerar entre los que impiden la exclusión de pena que deberían haberlo estado"[89].

No corresponde analizar aquí los concretos supuestos que excluyen la espontaneidad de la regularización, puesto que este tema, dada su amplitud, merece ocupar un espacio autónomo donde se profundice en los distintos problemas que plantea. Por esta razón, incidiremos más en el requisito de la espontaneidad cuando estudiemos, en el próximo capítulo, los diferentes límites temporales que impone el art. 305.4 CP, cuya concurrencia, como decimos, determina que ya no pueda apreciarse la cláusula por ausencia de espontaneidad.

3.1.2. Reconocimiento expreso

Durante el periodo previo a la reforma de 2012, la Doctrina se cuestionó qué efectos habrían de derivarse de los supuestos de "regularización encubierta", es decir, de aquellos en los que el recono-

---

88 COCA VILA, por su parte, entiende que en estos casos se podría aplicar la atenuante de reparación o disminución del daño del art. 21.5 CP (COCA VILA, I., "Protección de las Haciendas Públicas y la Seguridad Social", cit., p. 596).

89 MERINO JARA, I./ SERRANO GONZÁLEZ DE MURILLO, J.L., *El delito fiscal,* 2ª ed., cit., pp. 137-138. Estos autores consideran que tampoco existe espontaneidad cuando, por ejemplo, el obligado tributario tiene conocimiento de la investigación en su contra a través de medios informales o cuando ha recibido notificación de inicio de actuaciones que afectan a otras deudas tributarias que podría hacerle sospechar que afectarán a otras que se encuentran pendientes y que todavía podría regularizar. Por su parte, MARTÍNEZ-BUJÁN PÉREZ opina que este sistema aporta mayor seguridad jurídica (MARTÍNEZ-BUJÁN PÉREZ, C., *Los delitos contra la Hacienda Pública y la Seguridad Social,* cit., p. 182).

cimiento de la situación tributaria no se realizase de forma expresa, sino que hubiera de deducirse de otras actuaciones del obligado tributario como, por ejemplo, el simple abono de la deuda tributaria sin justificación alguna[90]. Esta cuestión traía causa, en nuestra opinión, del propio sistema de gestión de ciertos tributos que distinguía –y lo sigue haciendo ocasionalmente–, entre la declaración tributaria, como forma de comunicación con la Administración Tributaria, y el pago que, con anterioridad a la instauración de los medios telemáticos de pago, se producía con posterioridad.

Con la configuración actual del art. 305.4 CP resulta evidente, según FERRÉ OLIVÉ, que el reconocimiento de la deuda tributaria es un requisito independiente y, por ello, diferente del de pago de la deuda tributaria[91]. De ello se colige que el reconocimiento de la deuda tributaria debe ser expreso, por lo que no será suficiente con el pago de la deuda tributaria sin reconocimiento, así como que tampoco bastará para la regularización –como ha puesto de manifiesto la Audiencia Provincial de Huelva– que el sujeto presente una declara-

---

90 Así, con carácter general, la Doctrina se posicionó en contra de la posibilidad de admitir la regularización tributaria sin una declaración expresa por parte del obligado tributario. Véase, en este sentido IGLESIAS RÍO, M.A., *La regularización fiscal en el delito de defraudación tributaria (un análisis de la «autodenuncia». Art. 305-4 CP)*, cit., pp. 264-265 o FERRÉ OLIVÉ, J.C., *Tratado de los delitos contra la Hacienda Pública y contra la Seguridad Social,* cit., p. 307.

91 FERRÉ OLIVÉ, J.C., *Tratado de los delitos contra la Hacienda Pública y contra la Seguridad Social,* cit., p. 307. Entiende este autor que la redacción dada al art. 305.4 CP por la LO 7/2012 exige al obligado tributario una "explícita declaración o manifestación de voluntad". Esto significa que, en la medida en que la ausencia de reconocimiento expreso de la deuda tributaria impide a la Administración verificar que este es completo, no podrán concederse los efectos del art. 305.4 CP cuando falte dicho reconocimiento explícito. También en este sentido MANJÓN-CABEZA OLMEDA, A., *Las excusas absolutorias en Derecho Español. Doctrina y jurisprudencia,* cit., p. 169.
Antes de la reforma de 2012, no obstante, algunos autores, como MORENO CÁNOVES/ RUIZ MARCO, defendían que a efectos del art. 305.4 CP debía considerarse igualmente válido el mero pago de la deuda tributaria, sin una declaración previa (MORENO CÁNOVES, A./ RUIZ MARCO, F., *Delitos socioeconómicos. Comentarios a los arts. 262, 270 a 310 del nuevo Código penal (concordados y con jurisprudencia)*, cit., p. 448).

ción de concurso de acreedores de una sociedad mercantil[92], pues, en puridad, esta ni se presenta ante la Agencia Tributaria, ni tiene, por sí misma, trascendencia tributaria. Tampoco podrá admitirse, según SÁNCHEZ-OSTIZ GUTIÉRREZ, la "regularización en blanco", esto es, la mera manifestación del deseo de regularizar la situación tributaria, sin proporcionar ningún tipo de información que pueda contribuir a la cuantificación de la deuda[93].

Ahora bien, el hecho de que el reconocimiento y el pago de la deuda tributaria sean requisitos diferentes no quiere decir que, necesariamente, deban realizarse en momentos distintos, sino que, en nuestra opinión, la mayoría de las veces, ambos pasos podrían coincidir en el tiempo. Así sucedería, por ejemplo, con aquellos impuestos que se gestionan mediante autoliquidación y que, según el art. 252 LGT, deben regularizarse de la misma manera. En estos casos y en la medida en que muchos son los impuestos que ya se pueden autoliquidar de forma telemática, el reconocimiento y el pago de la cuota se harían a la vez. Distinta es la cuestión en los supuestos en los que se solicita el fraccionamiento o aplazamiento del pago de la deuda tributaria, cuya relevancia a efectos del art. 305.4 CP estudiaremos cuando tratemos el requisito del pago.

---

92 Véase la Sentencia de la Audiencia Provincial de Huelva, sección 3ª, 96/2015, de 21 de mayo, Fundamento Jurídico Tercero (Tol 5.391.087).

93 SÁNCHEZ-OSTIZ GUTIÉRREZ, P., *La Exención de Responsabilidad Penal por Regularización Tributaria*, cit., p. 96. Tampoco bastará, según IGLESIAS RÍO, con "la simple revelación expresiva de una actitud de arrepentimiento activo, ni una abstracta manifestación de las ilegalidades, ni basta tampoco el reconocimiento del carácter incompleto de la originaria declaración fiscal previamente presentada". Por otro lado, añade este último autor que no tendrá valor a efectos del art. 305.4 CP "la solicitud realizada por el propio sujeto a la Administración, para que sea esta institución la que realice una inspección y, por supuesto, también es insuficiente la asunción o aceptación de los resultados de una inspección o de una auditoría, así como la cesión gustosa de datos contables a la Administración tributaria o la colaboración prestada al inspector" (IGLESIAS RÍO, M.A., *La regularización fiscal en el delito de defraudación tributaria (un análisis de la «autodenuncia». Art. 305-4 CP)*, cit., pp. 270 y 271).

3.1.3. El destinatario del reconocimiento

A diferencia de lo que sucede con la regularización de las cuotas de la Seguridad Social, que, según expresamente indica el art. 307.3 CP, tendrá lugar "frente a la Seguridad Social", el art. 305.4 CP guarda silencio y no se pronuncia sobre los posibles destinatarios de la regularización tributaria en caso de delito fiscal. Sí que hace referencia, en cambio, a los distintos órganos públicos que pueden iniciar actuaciones en contra del obligado tributario, que son: la Administración Tributaria, el Ministerio Fiscal, el Abogado del Estado, el representante procesal de la Administración autonómica, foral o local y, por último, el Juez de Instrucción.

La mayoría de la Doctrina[94] concuerda en que el reconocimiento de la deuda tributaria ha de ser practicado ante la Administración Tributaria por ser, según el art. 5 LGT, el órgano o entidad de Derecho público encargado de exigir tributos e imponer sanciones tributarias, así como de revisar en vía administrativa los actos y sanciones tributarias[95]. No obstante, en la medida en que coexisten en nuestro sistema tributario distintas administraciones públicas –estatal, autonómicas y/o forales y locales–, podrían existir dudas sobre la eficacia de aquellas regularizaciones que fueren realizadas ante una administración tributaria que no fuera la competente en la aplicación, inspección o sanción de los tributos regularizados. Asimismo, y aunque lo más frecuente sea que el reconocimiento tenga lugar ante alguna de las administraciones tributarias, cabría preguntarse por la eficacia del reconocimiento realizado ante el Juzgado o el Ministerio Fiscal.

Estas cuestiones no han recibido un tratamiento detallado por parte de la Doctrina, aunque, algunos autores, como FENELLÓS PUIGCERVER o CARRERAS MANERO, consideran que habría que exi-

---

94 Así, IGLESIAS RÍO, M.A., *La regularización fiscal en el delito de defraudación tributaria (un análisis de la «autodenuncia». Art. 305-4 CP)*, cit., p. 274; SÁNCHEZ-OSTIZ GUTIÉRREZ, P., *La Exención de Responsabilidad Penal por Regularización Tributaria*, cit., p. 112 o CARRERAS MANERO, O., "La cláusula de regularización tributaria como causa de exención de la responsabilidad penal en el delito contra la Hacienda Pública", cit., pp. 1-21.

95 En este sentido, véase MARTÍN QUERALT, J./ LOZANO SERRANO, C./ TEJERIZO LÓPEZ, J.M./ CASADO OLLERO, G., *Curso de Derecho Financiero y Tributario*, 30ª ed., cit., p. 319.

mir de pena *ex* art. 305.4 CP incluso cuando, por razones de urgencia, el reconocimiento se practicara ante el Juzgado o el Ministerio Fiscal o cuando la Administración o sujeto destinatario no tuviera competencia para gestionar el tributo que se regulariza[96].

3.1.4. Forma del reconocimiento

En la actualidad, la Doctrina mayoritaria, siguiendo a MARTÍNEZ-BUJÁN PÉREZ, considera que, al no especificarse en el art. 305.4 CP una forma concreta de regularizar, "la rectificación podrá ser presentada por escrito, pero también habrá que admitir la validez de una autodenuncia comunicada verbalmente a la Administración tributaria, a condición de que esta comunicación oral contenga una declaración material de rectificación en la que se pongan de manifiesto todos los datos correctos necesarios para proceder a una regularización de la situación tributaria"[97].

---

96 Al respecto, FENELLÓS PUIGCERVER considera que el art. 305.4 CP desplegará sus efectos aun cuando el obligado tributario "presente su declaración ante el Ministerio Público, el Juzgado, la Abogacía del Estado o en los Registros Públicos competentes" (FENELLÓS PUIGCERVER, V., "El concepto de regularización tributaria a efectos de la exclusión de la pena por delito del artículo 305 del Código Penal", en *Crónica Tributaria,* n. 84, 1997, p. 56). En el mismo sentido, véase SÁNCHEZ-OSTIZ GUTIÉRREZ, P., *La Exención de Responsabilidad Penal por Regularización Tributaria*, cit., pp. 112 y 113 o CARRERAS MANERO, O., "La cláusula de regularización tributaria como causa de exención de la responsabilidad penal en el delito contra la Hacienda Pública", cit., pp. 1-21.

97 MARTÍNEZ-BUJÁN PÉREZ, C., *Los delitos contra la Hacienda Pública y la Seguridad Social,* cit., pp. 165-166. Según IGLESIAS RÍO, el proceso de rectificación de la situación tributaria "no está condicionado a especiales formalidades, lo cual significa que, de entrada, cualquier conducta del sujeto deudor con intención de ponerse al día con la Hacienda Pública merezca el calificativo de autodenuncia y alcance el beneficio de la impunidad" (IGLESIAS RÍO, M.A., *La regularización fiscal en el delito de defraudación tributaria (un análisis de la «autodenuncia». Art. 305-4 CP)*, cit., p. 270). También en este sentido, PÉREZ MARTÍNEZ considera que "[l]a rectificación de datos o la presentación de declaraciones tributarias *ex novo* no debe venir obstaculizada por la exigencia de rígidos requisitos de carácter formal" (PÉREZ MARTÍNEZ, D., "La regularización fiscal del artículo 305.4 del Código Penal como causa de exención de responsabilidad criminal", cit., p. 207).

Por su parte, FERRÉ OLIVÉ considera que el reconocimiento debe ser presentado por escrito sin que para este autor tengan ningún valor las manifestaciones

En este sentido, IGLESIAS RÍO considera que, si bien lo más habitual será que el obligado tributario presente una declaración o autodeclaración complementaria –cuyo régimen está definido en la LGT–, no hay inconveniente en admitir otras formas de reconocimiento, siempre y cuando, la declaración "se efectúe con *meridiana claridad,* de tal modo que la Administración tributaria pueda comprobar sin largas y complejas investigaciones la veracidad y exactitud objetiva de los nuevos datos aportados"[98]. Por tanto, lo que parece importar más, a juicio del citado autor, no es tanto la forma de comunicar el reconocimiento de la deuda tributaria, sino la naturaleza de los datos proporcionados a la Agencia Tributaria[99].

Por nuestra parte, tal y como ya hemos adelantado[100], consideramos que esta interpretación ya no puede ser defendida en todo caso,

---

orales (FERRÉ OLIVÉ, J.C., *Tratado de los delitos contra la Hacienda Pública y contra la Seguridad Social,* cit., p. 308).

98 IGLESIAS RÍO, M.A., "Aproximación crítica a la cláusula de exención de la pena por regularización en el delito de defraudación tributaria", cit., p. 77 (cursiva en el original). En el mismo sentido, véanse SÁNCHEZ-OSTIZ GUTIÉRREZ, P., *La Exención de Responsabilidad Penal por Regularización Tributaria*, cit., pp. 54 y 94-96; PÉREZ MARTÍNEZ, D., "La regularización fiscal del artículo 305.4 del Código Penal como causa de exención de responsabilidad criminal", cit., pp. 207-208; MAGALDI PATERNOSTRO, M.J., "De los delitos contra la Hacienda Pública y contra la Seguridad Social", cit., p. 1207; QUERALT JIMÉNEZ, J.J., "La regularización como comportamiento postdelictivo en el delito fiscal", cit., p. 39; MANJÓN-CABEZA OLMEDA, A., *Las excusas absolutorias en Derecho Español. Doctrina y jurisprudencia,* cit., p. 169; LANDERA LURI, M., *Excusas absolutorias basadas en conductas positivas postconsumativas: acciones contratípicas*, cit., p. 99.

99 Así, QUERALT JIMÉNEZ, J.J., "La regularización como comportamiento postdelictivo en el delito fiscal", cit., p. 39, quien entiende que el reconocimiento no tiene que llevarse a cabo "en formulario oficial alguno, de modo que la ausencia de formulario fuere causa de no anulación de los efectos extintores de la responsabilidad criminal". En el mismo sentido, FERRÉ OLIVÉ postula que, aunque la forma más idónea de regularizar sería utilizando "la documentación e impresos que *ex profeso* generen las Administraciones públicas", ello no es estrictamente imprescindible, siempre y cuando, el contenido de la regularización tributaria sea veraz y completo (FERRÉ OLIVÉ, J.C., *Tratado de los delitos contra la Hacienda Pública y contra la Seguridad Social,* cit., p. 308).

100 Véase lo apuntado en el epígrafe 2.3 de este capítulo donde hemos analizado los problemas de cuantificación de la deuda tributaria. En contra se muestra BERTRÁN GIRÓN, quien opina que, en cualquier caso, estos modelos aprobados por la Orden HAC/530/2020 deberían ser de uso potestativo (BERTRÁN

sobre todo tras la modificación, en el año 2015, del art. 252 LGT y la posterior aprobación de la Orden HAC/530/2020[101]. Así, para ser más exactos y sin perjuicio de las particularidades que pudieran existir en algunos impuestos gestionados directamente por las Comunidades Autónomas, Diputaciones Forales o Corporaciones Locales, para determinar si se requiere algún requisito formal para regularizar habrá que distinguir entre varios supuestos:

1) Tributos que se gestionan mediante autoliquidación (entre otros, IRPF, IRNR, IS o IVA).

   a) Para que el obligado tributario comunique la cuota tributaria defraudada, tiene a su disposición los modelos de autoliquidación de cada impuesto, cuya presentación suele hacerse vía telemática. En su defecto, esto es, cuando en la Sede Electrónica no estuviera disponible un modelo de presentación para un determinado tributo, la Orden HAC/530/2020 aprueba el modelo 771.
   b) Para comunicar los intereses de demora y recargos legalmente devengados en relación con aquellos tributos que se exigen mediante autoliquidación se acudirá al modelo 770 aprobado por la Orden HAC/530/2020.

2) Tributos que se gestionan mediante sistema de declaración-liquidación, en el que el obligado tributario comunica la realización del hecho imponible a la Agencia Tributaria y es esta la que liquida (calcula) el tributo. En estos casos, el obligado tributario deberá presentar o bien una declaración –cuando la situación tributaria haya sido omitida por completo– o bien una declaración complementaria o sustitutiva –para completar o reemplazar una anterior–. La exigencia de una mínima formalidad no constituye, en nuestra opinión, una carga exce-

GIRÓN, F., *Regularización y delito contra la Hacienda Pública: cuestiones prácticas,* cit., p. 168).

[101] BERTRÁN GIRÓN considera que la utilización de los modelos aprobados por la Orden HAC/530/2020 debe ser facultativa (BERTRÁN GIRÓN, F., *Regularización y delito contra la Hacienda Pública: cuestiones prácticas,* cit., p. 168).

siva para el obligado tributario, toda vez que, según el art. 119 LGT, tendrá la consideración de declaración tributaria "todo documento presentado ante la Administración tributaria donde se reconozca o manifieste la realización de cualquier hecho relevante para la aplicación de los tributos", pudiendo, incluso, admitirse, siempre que así se disponga reglamentariamente, la declaración verbal u otros actos de manifestación de conocimiento[102]. En definitiva, desde una perspectiva meramente formal, los tributos que, según la normativa tributaria, hayan de ser liquidados por la Administración Tributaria podrán ser reconocidos a través de cualquier documento en el que se manifieste la verdadera situación tributaria del obligado tributario. Mayores problemas habrá para determinar el contenido de dicho documento a efectos del art. 305.4 CP y los supuestos que admitirían un reconocimiento oral de la deuda tributaria.

3.2. El contenido del reconocimiento

Junto a los requisitos formales anteriormente citados, la declaración a través de la que se practica el reconocimiento de la deuda tributaria ha de ser, según el art. 305.4 CP, completa, lo que significa que la declaración debe contener, al menos, la identificación del que regulariza[103] y los datos esenciales necesarios para que se pueda realizar la correcta liquidación de la deuda tributaria[104].

---

102 En contra de que se admita una declaración verbal se muestra BERTRÁN GIRÓN, F., *Regularización y delito contra la Hacienda Pública: cuestiones prácticas,* cit., p. 169.

103 IGLESIAS RÍO, M.A., *La regularización fiscal en el delito de defraudación tributaria (un análisis de la «autodenuncia». Art. 305-4 CP)*, cit., p. 271; id., "Aproximación crítica a la cláusula de exención de la pena por regularización en el delito de defraudación tributaria", cit., p. 77. En el mismo sentido, DE LA MATA BARRANCO, N., "La cláusula de regularización tributaria en el delito de defraudación fiscal del artículo 305 del Código Penal", cit., p. 312; BUSTOS RUBIO, M., *La regularización en el delito de defraudación a la Seguridad Social,* cit., p. 293 y FERRÉ OLIVÉ, J.C., *Tratado de los delitos contra la Hacienda Pública y contra la Seguridad Social,* cit., p. 308.

104 DE LA MATA BARRANCO, N., "La cláusula de regularización tributaria en el delito de defraudación fiscal del artículo 305 del Código Penal", cit., p. 313.

En nuestra opinión, el reconocimiento de la deuda tributaria tendrá un contenido diferente en función de las distintas modalidades de declaración tributaria. Así, en aquellos casos en los que, según el art. 252 LGT, se deba regularizar a través de autoliquidación, el obligado tributario tendrá, por un lado, el deber de declarar la realización de un determinado hecho imponible y, por otro, deberá autoliquidar la cuota que correspondería abonar[105]. Junto a la declaración y cálculo de la cuota tributaria, el obligado tributario deberá, además, liquidar, si procediera, los recargos e intereses de demora[106]. Por el contrario, cuando, según el art. 252 LGT, lo procedente fuera regularizar a través de una declaración tributaria, el obligado tributario únicamente estará obligado a comunicar a la Administración Tributaria, de la forma más detallada posible, el hecho imponible realizado. En este último caso, la liquidación de la cuota tributaria, así como de los recargos e intereses de demora corresponde a Administración Tributaria.

En cualquier caso, coincidimos con MARTÍNEZ-BUJÁN PÉREZ en que la declaración de rectificación o reconocimiento de la deuda tributaria ha de ser clara y veraz; esto es, que debe desvelar "los datos inexactos, incompletos u omitidos del modo más claro y preciso posible, de tal suerte que ello comporte una autoliquidación correcta de la deuda tributaria o, en su caso, posibilite a la Administración una liquidación exacta del impuesto sin que ésta se vea obligada a efectuar ulteriores investigaciones"[107]. No será necesario, según IGLESIAS

---

105 Cuando fuera procedente presentar el modelo 771 para autoliquidación de cuotas y ejercicios sin modelo disponible en la Sede electrónica de la AEAT en el contexto de la regularización tributaria, la Orden HAC/530/2020, de 3 de junio, prevé que dicho modelo contenga los siguientes datos: 1) identificación del declarante y su domicilio fiscal; 2) si se actúa a través de representante; 3) el concepto impositivo que se declara y el ejercicio fiscal al que se corresponde, el periodo impositivo y la cuota tributaria resultante.

106 Los recargos e intereses de demora se harán constar, según la Orden HAC/530/2020, de 3 de junio, en el modelo 770 que contendrá, al menos, la identificación del declarante y su domicilio fiscal, si actúa a través de representante y la parte en la que se calcula los intereses y los recargos. Este modelo debe presentarse después de la autoliquidación de la cuota tributaria.

107 MARTÍNEZ-BUJÁN PÉREZ, C., *Los delitos contra la Hacienda Pública y la Seguridad Social,* cit., pp. 162-163; id., *Derecho Penal Económico y de la Empresa. Parte Especial,* 6ª ed., cit., p. 701. En el mismo sentido, IGLESIAS RÍO entiende que a efectos del art. 305.4 CP el obligado tributario deberá presentar "una

RÍO, que el reconocimiento contenga la expresión "autodenuncia", la calificación jurídico-penal de los hechos declarados, así como tampoco será imprescindible delatar a otros sujetos que hayan podido intervenir en el fraude fiscal[108], pero los datos proporcionados deberán permitir que la "Administración tributaria no tenga especiales dificultades y pueda comprobar la veracidad y exactitud de los nuevos datos aportados con tan solo una rápida inspección"[109].

La ocultación de datos de relevancia tributaria en la nueva declaración o la manifestación de una situación tributaria falseada, tendrán como consecuencia la "no liberación de pena"[110], salvo que se tratara de "desviaciones insignificantes"[111] en perjuicio de la Hacienda Públi-

---

declaración de regularización posterior que contenga los mismos datos reales sustantivados que el sujeto debió haber declarado originariamente, sustituyendo con la mayor precisión posible los incorrectos u omitidos y los ocultados o falseados por los verdaderos [...] y de un modo tal que el sujeto pueda autoliquidar la deuda o permitir que la Administración tributaria esté en condiciones de reclamar exactamente la cuantía y percibir lo adeudado, en último extremo por vía de apremio" (IGLESIAS RÍO, M.A., *La regularización fiscal en el delito de defraudación tributaria (un análisis de la «autodenuncia». Art. 305-4 CP)*, cit., p. 277).

108 IGLESIAS RÍO, M.A., *La regularización fiscal en el delito de defraudación tributaria (un análisis de la «autodenuncia». Art. 305-4 CP)*, cit., p. 274. Le sigue DE LA MATA BARRANCO, N., "La cláusula de regularización tributaria en el delito de defraudación fiscal del artículo 305 del Código Penal", cit., p. 313.

109 IGLESIAS RÍO, M.A., *La regularización fiscal en el delito de defraudación tributaria (un análisis de la «autodenuncia». Art. 305-4 CP)*, cit., p. 274. Por su parte, FERRÉ OLIVÉ considera que el reconocimiento de la deuda tributaria debe permitir a la Administración Tributaria conocer de forma exacta la verdadera situación tributaria, de tal forma que ello no genere "a la Administración ninguna tarea que exceda de una sencilla comprobación de la veracidad y exactitud de los datos" (FERRÉ OLIVÉ, J.C., *Tratado de los delitos contra la Hacienda Pública y contra la Seguridad Social*, cit., p. 308). También en este sentido, véase DE LA MATA BARRANCO, N., "La cláusula de regularización tributaria en el delito de defraudación fiscal del artículo 305 del Código Penal", cit., p. 313.

110 MARTÍNEZ-BUJÁN PÉREZ, C., *Los delitos contra la Hacienda Pública y la Seguridad Social*, cit., p. 164. En sentido similar, FERRÉ OLIVÉ considera que no será posible aplicar la exención de pena cuando el obligado tributario proporcione nuevamente "datos mendaces o equívocos que exterioricen una posible manipulación" por su parte (FERRÉ OLIVÉ, J.C., *Tratado de los delitos contra la Hacienda Pública y contra la Seguridad Social*, cit., p. 309).

111 Apuntan en este sentido IGLESIAS RÍO, M.A., *La regularización fiscal en el delito de defraudación tributaria (un análisis de la «autodenuncia». Art. 305-4 CP)*, cit., p. 282 y 287; id., "Aproximación crítica a la cláusula de exención de la

ca o ello se debiera a simples errores aritméticos o a una interpretación razonable de la norma[112]. En definitiva, tal y como afirma IGLESIAS RÍO, será admisible la exención de pena prevista en el art. 305.4 CP en aquellos supuestos en los que la información proporcionada en la nueva declaración del obligado tributario presente algunos errores inesenciales o defectos insignificantes, siempre y cuando ello pueda

---

pena por regularización en el delito de defraudación tributaria", cit., p. 78; QUERALT JIMÉNEZ, J.J., "La regularización como comportamiento postdelictivo en el delito fiscal", cit., p. 38 y FERRÉ OLIVÉ, J.C., *Tratado de los delitos contra la Hacienda Pública y contra la Seguridad Social,* cit., p. 309 quien considera que la cláusula podrá aplicarse "cuando se aprecien diferencias de criterio o discrepancias no esenciales entre la Administración y el sujeto responsable, siempre que se refieran a aspectos secundarios y subsanables con facilidad y que no sean achacables al mismo sujeto que regulariza".

112 Así lo considera, por ejemplo, QUERALT JIMÉNEZ, quien recuerda que las diferencias interpretativas entre el obligado tributario y la Administración Tributaria tampoco son constitutivas de sanción administrativa (QUERALT JIMÉNEZ, J.J., "La regularización como comportamiento postdelictivo en el delito fiscal", cit., p. 38). En el mismo sentido LANDERA LURI, M., *Excusas absolutorias basadas en conductas positivas postconsumativas: acciones contratípicas*, cit., pp. 96-97.

Al respecto, CHOCLÁN MONTALVO señala que no puede ser exigible al sujeto que regulariza que "acierte" totalmente en su declaración o autoliquidación, debiendo admitirse la exención de pena por el art. 305.4 CP cuando exista una discrepancia interpretativa razonable entre lo declarado y lo que estime la Administración Tributaria. Por tanto, el reconocimiento será completo, según este autor, "cuando se paga íntegramente la cantidad que resulta de la autoliquidación voluntaria y extemporánea y que se ha realizado mediante una interpretación razonable de la norma, por mucho que no sea la interpretación que finalmente imponga la administración tributaria". Por el contrario, añade, el reconocimiento no podrá ser considerado completo cuando "la interpretación es fraudulenta y se aparta voluntariamente del sentido correcto de la norma, o resulta errónea como consecuencia del incumplimiento de su deber de comprobación (error fácilmente evitable)". A tales efectos, se valorará si el obligado tributario tiene conocimientos tributarios o cuenta con asistencia jurídica, aunque ello no debería llevar a excluir de forma automática la aplicación del art. 305.4 CP cuando exista una discrepancia entre lo presentado por el obligado tributario y lo calculado por la Administración, sino que habrá que comprobar, también en estos casos, si dicha discrepancia se debe a una interpretación razonable de la norma tributaria. Véase, CHOCLÁN MONTALVO, J.A., "Un delito fiscal conceptual. La interpretación razonable de la norma en la regularización voluntaria", en *La Ley,* n. 9166, 2018, s/p. Disponible en: www.diariolaley.es [fecha última consulta: 24/09/2020]. Le sigue COCA VILA, I., "Protección de las Haciendas Públicas y la Seguridad Social", cit., p. 596.

ser aclarado "en un plazo razonable por medio de entrevistas, examen de libros contables o con la ayuda de anteriores declaraciones"[113].

3.3. Voluntad y motivación en el reconocimiento de la deuda tributaria

Según hemos indicado con anterioridad, la Doctrina interpreta que el art. 305.4 CP exige que el reconocimiento sea voluntario, de modo que, sin ese componente de voluntariedad, no es posible apreciar la regularización tributaria[114]. Este requisito no se encuentra previsto de forma expresa en el precepto[115], sino que se deduce interpretativamente de los límites temporales –o causas de bloqueo– para regularizar[116]. De ello se colige que, a pesar de las connotaciones psicológicas

---

113 IGLESIAS RÍO, M.A., *La regularización fiscal en el delito de defraudación tributaria (un análisis de la «autodenuncia». Art. 305-4 CP)*¸ cit., p. 273. Este autor añade que "si se trata de una *autodenuncia parcial maquinada consciente o dolosamente* por un sujeto que no ha aportado todos los datos, con la intención de despistar, engañar u ocultar su verdadera situación tributaria ante las autoridades" no podrá admitirse la exención de pena (cursiva en el original). En el mismo sentido, véase FERRÉ OLIVÉ para quien tendrán la consideración de inesenciales aquellos datos erróneos que "se refieran a aspectos secundarios, subsanables con facilidad y que no sean achacables al mismo sujeto que regulariza" (FERRÉ OLIVÉ, J.C., *Tratado de los delitos contra la Hacienda Pública y contra la Seguridad Social,* cit., p. 309).

114 MARTÍNEZ-BUJÁN PÉREZ, C., *Los delitos contra la Hacienda Pública y la Seguridad Social,* cit., pp. 181-182; IGLESIAS RÍO, M.A., *La regularización fiscal en el delito de defraudación tributaria (un análisis de la «autodenuncia». Art. 305-4 CP)*¸ cit., pp. 292 y ss.; MORALES PRATS, F., "De los delitos contra la Hacienda Pública contra la Seguridad Social", cit., pp. 1073-1074; APARICIO PÉREZ, A., *La regulación de los delitos contra la Hacienda Pública y la Seguridad Social en el nuevo Código Penal,* cit., p. 59; MAGALDI PATERNOSTRO, M.J., "De los delitos contra la Hacienda Pública y contra la Seguridad Social", cit., p. 1203; DE JUAN I CASADEVALL, J./ DEL CAMINO GARCÍA LLAMAS, M., "Arts. 305-310: Delitos contra la Hacienda Pública", cit., p. 353; MUÑOZ CONDE, F., *Derecho Penal. Parte Especial,* 22ª ed., cit., p. 950; COCA VILA, I., "Protección de las Haciendas Públicas y la Seguridad Social", cit., p. 596.

115 Críticamente, GARCÍA PÉREZ, O., *La Punibilidad en el Derecho Penal,* cit., pp. 197-198 o IGLESIAS RÍO, M.A., "Delitos contra la Hacienda Pública y la Seguridad Social: Arts. 305 a 310 *bis* CP", cit., p. 831, quien propone *de lege ferenda* que el art. 305.4 CP contenga expresamente la exigencia de voluntariedad.

116 MARTÍNEZ-BUJÁN PÉREZ, C., *Los delitos contra la Hacienda Pública y la Seguridad Social,* cit., p. 181. En el mismo sentido, véanse CHAZARRA QUIN-

o filosóficas del término[117], a efectos del art. 305.4 CP, el concepto de voluntariedad es un concepto normativo y objetivo en tanto que puede deducirse del propio precepto y no depende del ánimo o la motivación del sujeto que regulariza[118].

En este sentido, como advierte, con razón, IGLESIAS RÍO, será irrelevante a efectos del art. 305.4 CP la motivación que impulse al obligado tributario a regularizar. Así, es indiferente, por ejemplo, que regularice la deuda tributaria por "temor al descubrimiento" o "a sufrir una sanción penal"[119], pues no es necesario que su comportamiento obedezca a motivos "moralmente valiosos"[120]. Tampoco será

TO, M.A., *Delitos contra la Seguridad Social,* cit., p. 350; IGLESIAS RÍO, M.A., *La regularización fiscal en el delito de defraudación tributaria (un análisis de la «autodenuncia». Art. 305-4 CP)*, cit., p. 293; MORALES PRATS, F., "De los delitos contra la Hacienda Pública contra la Seguridad Social", cit., pp. 1073-1074; BRANDARIZ GARCÍA, J.A., *La exención de responsabilidad penal por regularización en el delito de Defraudación a la Seguridad Social*, cit., p. 87; GÓMEZ PAVÓN, P., "La regularización en el delito de defraudación a la Seguridad Social", cit., p. 587; BUSTOS RUBIO, M., *La regularización en el delito de defraudación a la Seguridad Social*, cit., p. 305.

117 Estas concepciones han quedado en gran medida superadas en la actualidad. Sobre el concepto filosófico y psicológico de voluntariedad, puede verse, entre otros, IGLESIAS RÍO, M.A., *La regularización fiscal en el delito de defraudación tributaria (un análisis de la «autodenuncia». Art. 305-4 CP)*, cit., pp. 283 y ss.

118 Así, MARTÍNEZ-BUJÁN PÉREZ, C., *Los delitos contra la Hacienda Pública y la Seguridad Social,* cit., pp. 181-182; MARTÍNEZ LUCAS, J.A., *El delito de defraudación a la Seguridad Social,* cit., p. 191; IGLESIAS RÍO, M.A., *La regularización fiscal en el delito de defraudación tributaria (un análisis de la «autodenuncia». Art. 305-4 CP)*, cit., p. 293; MORALES PRATS, F., "De los delitos contra la Hacienda Pública contra la Seguridad Social", cit., pp. 1073-1074; BRANDARIZ GARCÍA, J.A., *La exención de responsabilidad penal por regularización en el delito de defraudación a la Seguridad Social*, cit., p. 88; FENELLÓS PUIGCERVER, V., "El concepto de regularización tributaria a efectos de la exclusión de la pena por delito del artículo 305 del Código Penal", cit., p. 54; GÓMEZ PAVÓN, P., "La regularización en el delito de defraudación a la Seguridad Social", cit., p. 587; BUSTOS RUBIO, M., *La regularización en el delito de defraudación a la Seguridad Social*, cit., p. 307.

119 IGLESIAS RÍO, M.A., *La regularización fiscal en el delito de defraudación tributaria (un análisis de la «autodenuncia». Art. 305-4 CP)*, cit., p. 311.

120 IGLESIAS RÍO, M.A., *La regularización fiscal en el delito de defraudación tributaria (un análisis de la «autodenuncia». Art. 305-4 CP)*, cit., p. 313. En el mismo sentido, BRANDARIZ GARCÍA, J.A., *La exención de responsabilidad penal por regularización en el delito de defraudación a la Seguridad Social*, cit., pp. 87;

necesario que concurra cualquier otro elemento subjetivo o ánimo específico, como pudiera ser obrar por arrepentimiento o con intención de obrar en favor del fisco[121]. De este modo, entiende CHAZARRA QUINTO, "se gana en seguridad jurídica y se evita la interpretación y la siempre difícil prueba de los elementos subjetivos, tales como la voluntad de reparación, la voluntariedad o el arrepentimiento del autor"[122].

En conclusión, de acuerdo con lo anteriormente expuesto, se puede afirmar que el reconocimiento del obligado tributario ha de realizarse de forma voluntaria y solo podrá ser considerado voluntario cuando se realice antes de que la Administración Tributaria le haya notificado el inicio de actuaciones de comprobación o investigación dirigidas a determinar las deudas tributarias objeto de regularización; antes de

---

AYALA GÓMEZ, I., "Delitos contra la Hacienda pública y contra la Seguridad Social", cit., p. 740; BUSTOS RUBIO, M., *La regularización en el delito de defraudación a la Seguridad Social*, cit., p. 307.

121 Así, CHAZARRA QUINTO, M.A., *Delitos contra la Seguridad Social,* cit., pp. 352 y 353; MARTÍNEZ LUCAS, J.A., *El delito de defraudación a la Seguridad Social,* cit., p. 191; IGLESIAS RÍO, M.A., *La regularización fiscal en el delito de defraudación tributaria (un análisis de la «autodenuncia». Art. 305-4 CP),* cit., p. 313; SÁNCHEZ-OSTIZ GUTIÉRREZ, P., *La Exención de Responsabilidad Penal por Regularización Tributaria*, cit., p. 83; BRANDARIZ GARCÍA, J.A., *La exención de responsabilidad penal por regularización en el delito de defraudación a la Seguridad Social*, cit., p. 89 o BUSTOS RUBIO, M., *La regularización en el delito de defraudación a la Seguridad Social*, cit., p. 305. En el mismo sentido puede verse la Sentencia de la Sala 2ª del Tribunal Supremo 941/2009, de 29 de septiembre [ponente: Sr. Puerta Luís], Fundamento Jurídico Quinto (Tol 1.627.864). Según esta sentencia, "el texto legal no exige ninguna motivación o ánimo especial en el que regularice su situación tributaria, como tampoco lo exige para la estimación de la atenuante genérica de reparación (art. 21.5ª CP), por haber actuado el legislador en ambos casos con un mismo criterio de política criminal, al tiempo que ha condicionado el efecto exoneratorio de la regularización exclusivamente a que se lleve a cabo antes de que Administración tributaria notifique al interesado la iniciación de las correspondientes actuaciones de comprobación o de que el Ministerio Fiscal o el Abogado del Estado haya interpuesto contra él querella o denuncia por este delito".

122 CHAZARRA QUINTO, M.A., *Delitos contra la Seguridad Social,* cit., p. 354. En el mismo sentido, véanse MARTÍNEZ LUCAS, J.A., *El delito de defraudación a la Seguridad Social,* cit., p. 191 o BRANDARIZ GARCÍA, J.A., *La exención de responsabilidad penal por regularización en el delito de defraudación a la Seguridad Social*, cit., pp. 91 y 93.

que el Ministerio Fiscal, el Abogado del Estado o el representante procesal de la Administración autonómica, foral o local interponga querella o denuncia en contra del obligado tributario o antes de que este último tenga conocimiento formal de que el Ministerio Fiscal o el Juez de instrucción han iniciado diligencias en su contra. En estos casos, entiende MORALES PRATS, "se presume «iuris et de iure» que la regularización tributaria fue «voluntaria»"[123]. Para determinarlo, el art. 305.4 CP precisa que el obligado tributario ha debido tener constancia formal del inicio de actuaciones en su contra –conocimiento formal–, de lo que se infiere que, si el obligado tributario regularizara su situación tributaria tras conocer la existencia de una investigación en su contra por delito fiscal por otros medios diferentes a los anteriormente expuestos, no podrá negarse la aplicación del art. 305.4 CP[124].

4. EL COMPLETO PAGO DE LA DEUDA TRIBUTARIA

4.1. La necesidad de pago completo

A partir de la LO 7/2012, el art. 305.4 CP establece, como hemos adelantado al inicio de este capítulo, que el reconocimiento ha de ir

---

123 MORALES PRATS, F., "De los delitos contra la Hacienda Pública contra la Seguridad Social", cit., pp. 1073-1074. También en este sentido MARTÍNEZ LUCAS, J.A., *El delito de defraudación a la Seguridad Social,* cit., p. 191.

124 MARTÍNEZ-BUJÁN PÉREZ, C., *Los delitos contra la Hacienda Pública y la Seguridad Social,* cit., p. 182; IGLESIAS RÍO, M.A., *La regularización fiscal en el delito de defraudación tributaria (un análisis de la «autodenuncia». Art. 305-4 CP)*, cit., p. 306. Según estos autores, si el obligado tributario regularizara su situación tras haber tenido noticia del inicio de diligencias en contra de otros intervinientes en su defraudación, la conducta sería considerada voluntaria a efectos del art. 305.4 CP. Lo mismo ocurriría si el sujeto regularizara su situación tributaria porque creía de forma errónea que su infracción había sido descubierta. Véanse, en el mismo sentido, MARTÍNEZ LUCAS, J.A., *El delito de defraudación a la Seguridad Social,* cit., p. 191; SÁNCHEZ-OSTIZ GUTIÉRREZ, P., *La Exención de Responsabilidad Penal por Regularización Tributaria*, cit., p. 83; QUERALT JIMÉNEZ, J.J., "La regularización como comportamiento postdelictivo en el delito fiscal", cit., p. 48; FERRÉ OLIVÉ, J.C., *Tratado de los delitos contra la Hacienda Pública y contra la Seguridad Social,* cit., p. 319.

acompañado del pago de la deuda tributaria, tal y como ya lo venía exigiendo con anterioridad a dicha Ley la Jurisprudencia y una parte muy importante de nuestra Doctrina[125]. Dicho pago ha de ser, según el art. 305.4 CP, completo, lo que significa que, por un lado, deberá abarcar la totalidad de la deuda tributaria –la cuota tributaria y, cuando procedan, los intereses de demora y los recargos correspondientes– y, por otro, que un pago parcial no dará lugar a la exención. A tales efectos, es indiferente que el pago sea parcial porque no se han abonado alguno de los conceptos que integran la deuda tributaria o porque el pago de tales conceptos es inferior a lo debido[126].

Al margen de las evidentes ventajas interpretativas que presenta la nueva redacción del precepto tras la incorporación de la exigencia de pago de la deuda tributaria, lo cierto es que este requisito suscita, según veremos a continuación, múltiples interrogantes[127]. Ello puede deberse, en opinión de BUSTOS RUBIO, a una "excesiva parquedad" del precepto que no aclara las condiciones en las que debe producirse el pago, esto es, no establece ni el plazo y tampoco las formas de pago[128].

---

125 Véanse, por todos, MARTÍNEZ-BUJÁN PÉREZ, C., *Los delitos contra la Hacienda Pública y la Seguridad Social,* cit., pp. 166 y ss.; FARALDO CABANA, P., *Las causas de levantamiento de la pena,* cit., p. 222; SÁNCHEZ-OSTIZ GUTIÉRREZ, P., *La Exención de Responsabilidad Penal por Regularización Tributaria,* cit., pp. 93-113; BRANDARIZ GARCÍA, J.A., *La exención de responsabilidad penal por regularización en el delito de defraudación a la Seguridad Social,* cit., pp. 39-164; IGLESIAS RÍO, M.A., *La regularización fiscal en el delito de defraudación tributaria (un análisis de la «autodenuncia». Art. 305-4 CP),* cit., pp. 317-351; id., "Aproximación crítica a la cláusula legal de exención de la pena por regularización en el delito de defraudación tributaria", cit., pp. 65-86.

126 Así, MANJÓN-CABEZA OLMEDA, A., *Las excusas absolutorias en Derecho Español. Doctrina y jurisprudencia,* cit., p. 168.

127 Así lo considera también MARTÍNEZ-BUJÁN PÉREZ, C., *Los delitos contra la Hacienda Pública y la Seguridad Social,* cit., p. 167; id., *Derecho Penal Económico y de la Empresa. Parte Especial,* 6ª ed., cit., p. 701.

128 BUSTOS RUBIO, M., *La regularización en el delito de defraudación a la Seguridad Social,* cit., p. 313. En un sentido similar, IGLESIAS RÍO propone *de lege ferenda* que el art. 305.4 CP incluya "el plazo para proceder al ingreso de la deuda, la posibilidad y condiciones de aplazamiento, así como la persona que puede realizarlo" (IGLESIAS RÍO, M.A., "Delitos contra la Hacienda Pública y la Seguridad Social: Arts. 305 a 310 *bis* CP", cit., p. 831).

Una de las cuestiones más debatidas por la Doctrina en relación con el pago, aparte de aquellas que atañen al plazo o a la forma –sobre las que nos detendremos enseguida– ha sido la relativa a los efectos del pago parcial de la deuda tributaria.

Antes de que el art. 305.4 CP precisara que para regularizar había que pagar la totalidad de la deuda tributaria, algunos autores consideraban que el pago parcial o incompleto de lo defraudado no debía impedir la aplicación de la cláusula del art. 305.4 CP cuando dicho pago generara la disminución del umbral de punibilidad por debajo de los 120.000 €, sin perjuicio de la subsistencia de una eventual responsabilidad administrativa por la cantidad restante[129]. En nuestra opinión y siguiendo a FERRÉ OLIVÉ, con la nueva redacción del art. 305.4 CP esta interpretación, que ya contaba con escasos apoyos en la Doctrina, pero que era recurrente en la Literatura, debe quedar superada en la medida en que el precepto no deja lugar a duda en cuanto a que el pago debe ser completo[130]. Cuestión distinta será si ese pago parcial pudiera merecer, tal y como apunta MANJÓN-CABEZA OLMEDA, una atenuación de la pena[131].

Especial consideración merecen aquellos supuestos en los que la ausencia de pago total se produce como consecuencia de una insolvencia sobrevenida del obligado tributario. Así, podría ocurrir que una situación de insolvencia del sujeto, totalmente involuntaria o, en

129 Entre otros, eran partidarios de esta última posición doctrinal BOIX REIG, J./ GRIMA LIZANDRA, V., "Delitos contra la Hacienda Pública y contra la Seguridad Social", cit., p. 31.

130 FERRÉ OLIVÉ, J.C., *Tratado de los delitos contra la Hacienda Pública y contra la Seguridad Social*, cit., p. 313. En el mismo sentido, BUSTOS RUBIO, M., *La regularización en el delito de defraudación a la Seguridad Social*, cit., pp. 320-321; LANDERA LURI, M., *Excusas absolutorias basadas en conductas positivas postconsumativas: acciones contratípicas*, cit., pp. 104 y 105. Antes de la reforma, también había autores que defendían esta posición como, por ejemplo, IGLESIAS RÍO, M.A., *La regularización fiscal en el delito de defraudación tributaria (un análisis de la «autodenuncia». Art. 305-4 CP)*, cit., pp. 317 y ss.

131 Según MANJÓN-CABEZA OLMEDA, el reconocimiento de la deuda tributaria seguido de un pago parcial podría dar lugar a una atenuación de la pena en virtud de los arts. 21.4 o 21.5 CP (MANJÓN-CABEZA OLMEDA, A., *Las excusas absolutorias en Derecho Español. Doctrina y jurisprudencia*, cit., p. 168). En el mismo sentido, véase LANDERA LURI, M., *Excusas absolutorias basadas en conductas positivas postconsumativas: acciones contratípicas*, cit., p. 105.

los términos que utiliza BUSTOS RUBIO, no reprochable, real, no fingida o fraudulenta[132], pudiera impedirle satisfacer o bien la totalidad de la deuda o bien una parte de la misma. En estos casos, que conceptualmente se asemejan a un estado de necesidad[133], IGLESIAS RÍO advierte que "una respuesta favorable a la exención no encuentra fácil anclaje dogmático de lege lata"[134], lo que inevitablemente conduciría a negar la aplicación de la eximente. Otros autores, sin embargo, consideran que esta respuesta no es aceptable en la medida en que podría suponer una vuelta a la "prisión por deudas"[135].

MARTÍNEZ-BUJÁN PÉREZ considera que en el supuesto planteado anteriormente el pago parcial de lo defraudado que fuera acompañado de un reconocimiento total y un esfuerzo serio y voluntario del sujeto para pagar habría de ser eficaz a efectos del art. 305.4 CP[136] y, aunque reconoce que la exigencia legal de pago completo podría constituir un obstáculo a su interpretación, afirma que la exención

---

132 BUSTOS RUBIO, M., *La regularización en el delito de defraudación a la Seguridad Social,* cit., p. 321.

133 Así, IGLESIAS RÍO y BUSTOS RUBIO, quienes rechazan que el estado de necesidad pueda ser aplicado en estos casos. Mientras el primero de los autores entiende que la razón para no aplicar el estado de necesidad sería que no se cumple el requisito de la situación de necesidad al existir otros medios –como, por ejemplo, un préstamo– para hacer frente a la deuda (IGLESIAS RÍO, M.A., *La regularización fiscal en el delito de defraudación tributaria (un análisis de la «autodenuncia». Art. 305-4 CP),* cit., p. 350), BUSTOS RUBIO también aduce razones sistemáticas, toda vez que, según afirma este autor, "resulta dudoso que una causa de justificación o, en su caso de exculpación, pueda jugar algún papel en los comportamientos que, como la regularización, son ejecutados con posterioridad al delito ya consumado, en que ya han sido afirmadas la antijuridicidad y la culpabilidad del hecho." A todo ello habría que añadir, además, según BUSTOS RUBIO, que la Jurisprudencia es reacia a admitir el estado de necesidad en el delito fiscal. Véase BUSTOS RUBIO, M., *La regularización en el delito de defraudación a la Seguridad Social,* cit., p. 325.

134 IGLESIAS RÍO, M.A., *La regularización fiscal en el delito de defraudación tributaria (un análisis de la «autodenuncia». Art. 305-4 CP),* cit., p. 350.

135 Así, BOIX REIG, J./ MIRA BENAVENT, J., *Delitos contra la Hacienda Pública y contra la Seguridad Social,* cit., p. 92 o QUERALT JIMÉNEZ, J.J., *Derecho Penal español. Parte Especial,* cit., p. 823.

136 MARTÍNEZ-BUJÁN PÉREZ, C., *Los delitos contra la Hacienda Pública y la Seguridad Social,* cit., p. 168. En el mismo sentido, APARICIO PÉREZ, A., *La regulación de los delitos contra la Hacienda Pública y la Seguridad Social en el nuevo Código Penal,* cit., p. 58.

"debería poseer virtualidad, puesto que desaparecen por completo las necesidades de prevención general y especial fundamentadoras del castigo por el delito fiscal"[137].

Por su parte, LANDERA LURI considera que es difícil ofrecer una solución unitaria y propone que la respuesta penal dependa de un análisis pormenorizado e individualizado de cada caso en concreto, valorando las circunstancias que rodean la ausencia de pago total junto al "fundamento atribuido a la exención y la concurrencia del resto de requisitos exigibles"[138].

En otro sentido y aunque sea en relación con la regularización tributaria en el delito contra la Seguridad Social, es interesante la posición que adoptan BRANDARIZ GARCÍA y, posteriormente, BUSTOS RUBIO, toda vez que se podría trasladar a la regularización tributaria del delito fiscal. Según los citados autores, cuando hubiera problemas de insolvencia "irreprochable" del obligado tributario, se podría acudir a la normativa sectorial –en nuestro caso, la tributaria– que establece la posibilidad de que, en determinadas circunstancias y con una garantía suficiente, el pago pueda ser fraccionado o aplazado[139]. Ello

---

137 MARTÍNEZ-BUJÁN PÉREZ, C., *Los delitos contra la Hacienda Pública y la Seguridad Social,* cit., p. 169. Le sigue FARALDO CABANA, P., *Las causas de levantamiento de la pena,* cit., p. 223. También parece aceptar esta posibilidad IGLESIAS RÍO, M.A., *La regularización fiscal en el delito de defraudación tributaria (un análisis de la «autodenuncia». Art. 305-4 CP),* cit., p. 351, aunque en publicaciones posteriores afirma que "[s]i el sujeto que ha regularizado la deuda carece de medios económicos para satisfacerla, a mi juicio, no es posible concederle una exención total de pena" (IGLESIAS RÍO, M.A., "Aproximación crítica a la cláusula de exención de la pena por regularización en el delito de defraudación tributaria", cit., p. 82).

138 LANDERA LURI, M., *Excusas absolutorias basadas en conductas positivas postconsumativas: acciones contratípicas*, cit., p. 106.

139 Así, BRANDARIZ GARCÍA, J.A., "Sobre el concepto de regularización en las causas de levantamiento de la pena de los arts. 305 y 307 CP", cit., pp. 200-201 y BUSTOS RUBIO, M., *La regularización en el delito de defraudación a la Seguridad Social,* cit., pp. 324-325. En el mismo sentido, véanse FENELLÓS PUIGCERVER, V., "El concepto de regularización tributaria a efectos de la exclusión de la pena por delito del artículo 305 del Código Penal", cit., p. 59; CARRERAS MANERO, O., "La cláusula de regularización tributaria como causa de exención de la responsabilidad penal en el delito contra la Hacienda Pública", cit., pp. 1-21; CALVO VÉRGEZ, J., "Delitos contra la Hacienda Pública: los delitos de defraudación tributaria y contable a la luz de la reciente doctrina jurispruden-

podría hacerse, en opinión de BRANDARIZ GARCÍA, "siempre que la seriedad de los esfuerzos de pago determine una evidente reducción de la necesidad de imponer la pena, desde los fines preventivo-generales y preventivo-especiales de la misma"[140].

En cualquier caso, si ninguna de estas posibilidades fuera aceptada, solo nos quedaría la posibilidad de atenuar la pena. En este sentido, tal y como indican CUGAT MAURI y BAÑERES SANTOS, podría atenuarse la pena por reparación o disminución del daño en virtud de lo dispuesto en el art. 21.5 si hubiese existido un pago parcial o atenuarla por confesión, según el art. 21.4 CP, en los supuestos de declaración sin pago[141]. No sería posible, por el contrario, aplicar la atenuación prevista en el art. 305.6 CP toda vez que este precepto exige, según FERRÉ OLIVÉ, la íntegra satisfacción de la deuda tributaria[142].

4.2. *Las formas de pago*

Como ya hemos adelantado, al igual que sucedía con el reconocimiento de la deuda tributaria, el art. 305.4 CP no aclara las condiciones en las que debe realizarse el pago –como, por ejemplo, el plazo o la forma– para lo cual es necesario acudir a la normativa tributaria[143]. Con carácter general, las condiciones del pago de la deuda tributaria aparecen reguladas en los arts. 60 y siguientes de la LGT y en los arts.

---

cial", en *Revista Quincena Fiscal,* n. 11, 2012, s/p. Disponible en línea: www.aranzadi.es [fecha última consulta: 08/10/2020].

140 BRANDARIZ GARCÍA, J.A., "Sobre el concepto de regularización en las causas de levantamiento de la pena de los arts. 305 y 307 CP", cit., p. 200.

141 CUGAT MAURI, M./ BAÑERES SANTOS, F., "Delitos contra la Hacienda Pública y la Seguridad Social", cit., p. 824. En el mismo sentido, véanse MANJÓN-CABEZA OLMEDA, A., *Las excusas absolutorias en Derecho Español. Doctrina y jurisprudencia,* cit., p. 168 o LANDERA LURI, M., *Excusas absolutorias basadas en conductas positivas postconsumativas: acciones contratípicas*, cit., p. 105.

142 FERRÉ OLIVÉ, J.C., *Tratado de los delitos contra la Hacienda Pública y contra la Seguridad Social,* cit., p. 556.

143 Así lo consideran, por ejemplo, MARTÍNEZ-BUJÁN PÉREZ, C., *Los delitos contra la Hacienda Pública y la Seguridad Social,* cit., p. 167; id., *Derecho Penal Económico y de la Empresa. Parte Especial,* 6ª ed., cit., p. 701; APARICIO PÉREZ, A., *La regulación de los delitos contra la Hacienda Pública y la Seguridad Social en el nuevo Código Penal*, cit., p. 58 o IGLESIAS RÍO, M.A., *La regularización fiscal en el delito de defraudación tributaria (un análisis de la «autodenuncia». Art. 305-4 CP)*, cit., p. 346.

33 y siguientes del Real Decreto 939/2005, de 29 de julio, *por el que se aprueba el Reglamento General de Recaudación*, sin perjuicio de las especialidades que pudieran existir en la normativa reguladora de cada impuesto o aquellas relacionadas con el plazo del pago en la regularización voluntaria y que veremos más adelante.

Si bien no pretendemos detenernos aquí a analizar detalladamente el régimen jurídico-tributario del pago de la deuda tributaria, conviene realizar unas mínimas consideraciones al respecto. En este sentido y comenzando por las formas de pago, el art. 60 LGT establece que el pago de la deuda tributaria puede hacerse en efectivo, aunque también es posible realizarlo mediante efectos timbrados, cuando así se dispusiera reglamentariamente, o en especie, si así lo previera expresamente una ley. En cuanto a los medios electrónicos, informáticos o telemáticos de pago –mediante tarjeta de crédito o de débito, transferencia o domiciliación bancarias–, el art. 60 LGT se limita a disponer que ello será objeto de desarrollo reglamentario y el Reglamento General de Recaudación determina las condiciones en las que han de realizarse. A los anteriores medios de pago algunos autores añaden otras formas de extinción de la deuda tributaria como, por ejemplo, la compensación con créditos reconocidos a favor del mismo obligado tributario que regulariza[144]. No obstante, en nuestra opinión, esta modalidad de pago solo podrá utilizarse cuando se admita expresamente por la Administración Tributaria mediante acto administrativo (art. 71 LGT).

A pesar de que, como acabamos de ver, tanto la LGT como las normas que regulan cada tributo, determinan las distintas formas de pago, IGLESIAS RÍO y con él la mayoría de la Doctrina, opina que, a efectos del art. 305.4 CP, "existe amplia libertad en la forma o el modo de efectuar el pago del que se sirve para alcanzar la impunidad (al contado, por transferencia, giro, etc.)"[145], de tal modo que el obligado tributario podría hacer uso de cualquiera de los medios antes expuestos sin limitación alguna. Por nuestra parte, aun reconociendo las ventajas de esta interpretación, que, según creemos, pretende fomentar el pago de la deuda, consideramos que sería conveniente que

---

144 IGLESIAS RÍO, M.A., *La regularización fiscal en el delito de defraudación tributaria (un análisis de la «autodenuncia». Art. 305-4 CP)*, cit., p. 349.

145 IGLESIAS RÍO, M.A., *La regularización fiscal en el delito de defraudación tributaria (un análisis de la «autodenuncia». Art. 305-4 CP)*, cit., p. 349.

el obligado tributario regularizara su situación siguiendo lo dispuesto en las normas tributarias, tanto en relación con las formas y medios de reconocimiento de la deuda tributaria, como para su pago. No se trata, en nuestra opinión, de imponer al obligado tributario rígidas y complicadas pautas de actuación para regularizar su situación tributaria, sino de ofrecer una "vía de retorno a la legalidad" legalmente desarrollada que aporte transparencia y claridad a todo el proceso de regularización y, en definitiva, mayor seguridad jurídica.

4.3. El plazo para pagar

Escaso acuerdo doctrinal existe en cuanto al plazo para realizar el pago, pues no solo hay distintas teorías en torno al intervalo de tiempo del que disponen los obligados tributarios para pagar, sino que tampoco hay acuerdo sobre si es válido el aplazamiento o el fraccionamiento del pago a efectos del art. 305.4 CP.

4.3.1. Sobre el momento del pago

Empezando por la primera de las cuestiones, de la lectura del art. 305.4 CP se entiende que el pago deberá llevarse a cabo antes de que se produzca alguna de las actuaciones previstas en dicho precepto. La cuestión que se plantea no es si se puede sobrepasar dicho plazo, que indiscutiblemente no, sino, más bien, si el pago ha de realizarse de forma simultánea al reconocimiento –Teoría de la simultaneidad[146]– o puede realizarse después, pero respetando los límites que establecen las causas de bloqueo.

Una parte importante de la Doctrina acoge la Teoría de la simultaneidad, según la cual el pago de la deuda tributaria debe efectuarse en el mismo momento del reconocimiento, esto es, de forma coetánea o simultánea[147]. Según FERRÉ OLIVÉ, la exigencia del pago simultáneo

---

146 Aunque esta teoría cuente con una larga trayectoria doctrinal, la denominación "teoría de la simultaneidad" puede ser atribuida a BUSTOS RUBIO, M., *La regularización en el delito de defraudación a la Seguridad Social,* cit., pp. 318-319.

147 MARTÍNEZ-BUJÁN PÉREZ, C., *Los delitos contra la Hacienda Pública y la Seguridad Social,* cit., p. 167; FERRÉ OLIVÉ, J.C., *Tratado de los delitos contra la Hacienda Pública y contra la Seguridad Social,* cit., pp. 314-315; LAUNA

de la deuda tributaria es consecuencia de la propia naturaleza de la cláusula, toda vez que, si se desea obtener el "trato excepcional" que ofrece el art. 305.4 CP, es imprescindible que la reparación del perjuicio causado sea inmediata[148]. Por su parte, BUSTOS RUBIO advierte que permitir que el pago se realice después del reconocimiento de la deuda "conduce a una situación cuanto menos extraña, pues sitúa a la regularización en una especie de «limbo» en tanto el sujeto que reconozca su deuda se decida a ingresar su importe, o en tanto no se produzca alguna circunstancia de bloqueo"[149]. Por si lo anterior fuera poco, la ausencia de un plazo concreto de pago también permitiría, en opinión de BUSTOS RUBIO, facilitar "el acuerdo y el compadreo entre el sujeto que ha reconocido su deuda y cualquiera de los agentes de los que depende el bloqueo de la regularización, especialmente la Administración, que pueden convenir con aquél interrumpir o no la operatividad de la regularización (en este caso, el pago) con absoluta libertad"[150].

Otros autores, sin embargo, han defendido la posibilidad de que la deuda tributaria pueda abonarse después del reconocimiento, siempre y cuando, sea antes de que el obligado tributario reciba la comunicación formal de la iniciación de actuaciones administrativas o judicia-

---

ORIOL, C./ MORUELO GÓMEZ, C., "El delito contra la Hacienda Pública", en *Tratado de Derecho Penal Económico,* de A. Camacho Vizcaíno (dir.), Valencia, 2019, p. 1528. En el ámbito de los delitos contra la Seguridad Social, véanse, en este sentido, BRANDARIZ GARCÍA, J.A., *La exención de responsabilidad penal por regularización en el delito de defraudación a la Seguridad Social*, cit., pp. 76-77; BUSTOS RUBIO, M., *La regularización en el delito de defraudación a la Seguridad Social,* cit., pp. 318-319 y BERTRÁN GIRÓN, F., *Regularización y delito contra la Hacienda Pública: cuestiones prácticas,* cit., p. 302.

148 FERRÉ OLIVÉ, J.C., *Tratado de los delitos contra la Hacienda Pública y contra la Seguridad Social,* cit., pp. 314-315. En la misma línea, BRANDARIZ GARCÍA advierte que no es posible otorgar la exención de pena sin que se haya verificado el pago de la deuda tributaria que pone de manifiesto una menor necesidad de pena (BRANDARIZ GARCÍA, J.A., *La exención de responsabilidad penal por regularización en el delito de defraudación a la Seguridad Social*, cit., pp. 76-77 y 81).

149 BUSTOS RUBIO, M., *La regularización en el delito de defraudación a la Seguridad Social,* cit., p. 315.

150 BUSTOS RUBIO, M., *La regularización en el delito de defraudación a la Seguridad Social,* cit., p. 315.

les en su contra[151]. Así, según IGLESIAS RÍO, la declaración de rectificación no tiene que coincidir cronológicamente con el pago de la deuda tributaria, pues en ese momento el obligado todavía no conoce la cantidad exacta que debe abonar. Por el contrario, aunque el plazo de pago debe ser lo suficientemente limitado como para evitar que el obligado tributario pueda realizar "maniobras fraudulentas tendentes a provocar su propia insolvencia", también ha de ser lo bastante amplio para que el sujeto pueda afrontar el pago "de forma fluida, no traumática", para lo cual habrá que valorar sus circunstancias económicas personales y familiares, la cantidad defraudada, la gravedad del delito o su culpabilidad[152]. En definitiva, concluye IGLESIAS RÍO, la determinación del plazo vendrá condicionada por "la confluencia de criterios objetivos y subjetivos, fiscales y penales"[153].

A pesar de que ambas posiciones doctrinales son respaldadas por sólidos argumentos, en nuestra opinión, ninguna de ellas puede ser ya compartida en su totalidad si se tiene en cuenta la normativa tributaria vigente[154]. En este sentido, siendo coherentes con la postura que hemos mantenido en los apartados precedentes, consideramos que, para determinar el plazo de pago de la deuda tributaria a efectos del art. 305.4 CP, es preciso estar a lo dispuesto en el art. 252 LGT[155]. Según este precepto, el momento del pago dependerá de si la regularización tiene que practicarse mediante autoliquidación o a través de una declaración.

En el primer caso, si la regularización tuviera que seguir el sistema de autoliquidación, el art. 252 LGT opta por la simultaneidad del pa-

---

151 Así, por ejemplo, IGLESIAS RÍO, M.A., *La regularización fiscal en el delito de defraudación tributaria (un análisis de la «autodenuncia». Art. 305-4 CP)*, cit., p. 345. En el ámbito de los delitos contra la Seguridad Social defiende esta posición MARTÍNEZ LUCAS, J.A., *El delito de defraudación a la Seguridad Social,* cit., p. 201.

152 IGLESIAS RÍO, M.A., *La regularización fiscal en el delito de defraudación tributaria (un análisis de la «autodenuncia». Art. 305-4 CP)*, cit., pp. 347 y 348.

153 IGLESIAS RÍO, M.A., *La regularización fiscal en el delito de defraudación tributaria (un análisis de la «autodenuncia». Art. 305-4 CP)*, cit., p. 349.

154 Salvo las consideraciones de BUSTOS RUBIO realizadas sobre la regularización tributaria en el delito contra la Seguridad Social.

155 Véase, en el mismo sentido, LAUNA ORIOL, C./ MORUELO GÓMEZ, C., "El delito contra la Hacienda Pública", cit., p. 1528.

go al disponer que el obligado tributario deberá proceder "a la autoliquidación e ingreso simultáneo tanto de la cuota como de los intereses de demora y de los recargos legalmente devengados a la fecha del ingreso [...]". Dado que, en la actualidad, son muchos los impuestos que se gestionan de este modo, se podría decir que lo más frecuente será que el pago se realice de forma coetánea al reconocimiento.

En el segundo caso, si la regularización se realizara a través de una declaración, el art. 252 LGT establece que el obligado tributario ingresará la deuda tributaria una vez haya sido liquidada por la Administración y "en el plazo para el pago establecido en la normativa tributaria". Dicho plazo viene establecido, con carácter general, en el art. 62.2 LGT y el art. 34 del Reglamento General de Recaudación, aunque también habrá que prestar atención a las especialidades existentes según la modalidad de pago elegida o el impuesto que se esté regularizando.

4.3.2. Sobre el aplazamiento y fraccionamiento del pago

La falta de consenso que existe en relación con el momento del pago de la deuda tributaria también se extiende a la hora de decidir si, a efectos del art. 305.4 CP, puede admitirse el aplazamiento o el fraccionamiento del pago[156], pues mientras algunos autores defienden esta posibilidad, otros la rechazan.

---

[156] Según el art. 65 LGT, el aplazamiento y el fraccionamiento del pago son figuras que permiten que el abono de la deuda tributaria se realice en un momento diferente al establecido legalmente, siempre y cuando dicho pago no se pueda realizar debido a la situación económico-financiera transitoria del sujeto. Esta situación puede deberse, en palabras de CALVO ORTEGA y CALVO VÉRGEZ, a que el momento del pago sea lejano al periodo en el que se ha manifestado la capacidad económica, a la existencia de otras obligaciones pecuniarias del sujeto o a una ausencia temporal de liquidez (así, CALVO ORTEGA, R./ CALVO VÉRGEZ, J., *Curso de Derecho Financiero,* 23ª ed., cit., p. 176). En síntesis y obviando las múltiples especialidades y salvedades que la LGT y la normativa sectorial establece, para que se pueda disfrutar del aplazamiento o el fraccionamiento de pago, la Administración tiene que concederlo expresamente a instancia del interesado una vez que este último ha acreditado la imposibilidad de afrontar el pago de la deuda tributaria y ha prestado garantía suficiente en los términos previstos en el art. 82 LGT.

Empezando por los primeros, un sector doctrinal considera que los pagos aplazados o fraccionados de la deuda tributaria podrían tener relevancia a efectos de eximir de pena en virtud del art. 305.4 CP, sobre todo en supuestos de insolvencia sobrevenida y no provocada por el obligado tributario[157]. Desde esta perspectiva, el aplazamiento o fraccionamiento del pago constituyen, en palabras de BUSTOS RUBIO, "una forma más de *pagar* la deuda"[158], siendo suficiente, a efectos del art. 305.4 CP, que el sujeto reconozca su deuda y solicite el aplazamiento o fraccionamiento del pago.

Ahora bien, podría ocurrir, como bien señala BRANDARIZ GARCÍA, que el obligado tributario no cumpliera con el compromiso adquirido en su solicitud de aplazamiento o fraccionamiento. Si así fuera, este último autor y BUSTOS RUBIO creen que la exención de pena ya aplicada debería quedar intacta y solucionar la ausencia total o parcial de pago a través del procedimiento de apremio[159]. FENELLÓS

---

157 Así, FENELLÓS PUIGCERVER, V., "El concepto de regularización tributaria a efectos de la exclusión de la pena por delito del artículo 305 del Código Penal", cit., p. 59; BRANDARIZ GARCÍA, J.A., "Sobre el concepto de regularización en las causas de levantamiento de la pena de los arts. 305 y 307 CP", cit., pp. 200-201; CARRERAS MANERO, O., "La cláusula de regularización tributaria como causa de exención de la responsabilidad penal en el delito contra la Hacienda Pública", cit., pp. 1-21; CALVO VÉRGEZ, J., "Delitos contra la Hacienda Pública: los delitos de defraudación tributaria y contable a la luz de la reciente doctrina jurisprudencial", cit., s/p; BUSTOS RUBIO, M., *La regularización en el delito de defraudación a la Seguridad Social,* cit., pp. 324-325; AYATS VERGÉS, M./ DE JUAN CASADEVALL, J., *Informe sobre las novedades introducidas en la nueva regulación del delito fiscal: algunas propuestas de mejora,* s/l, 2013, p. 124. Véanse, asimismo, MARTÍNEZ-BUJÁN PÉREZ, C., *Los delitos contra la Hacienda Pública y la Seguridad Social,* cit., p. 167; IGLESIAS RÍO, M.A., *La regularización fiscal en el delito de defraudación tributaria (un análisis de la «autodenuncia». Art. 305-4 CP)*, cit., p. 349; DE LA MATA BARRANCO, N., "La cláusula de regularización tributaria en el delito de defraudación fiscal del artículo 305 del Código Penal", cit., p. 316. Estos autores también admiten el pago aplazado o fraccionado a efectos del art. 305.4 CP, pero no especifican en qué casos.

158 BUSTOS RUBIO, M., *La regularización en el delito de defraudación a la Seguridad Social,* cit., p. 326, cursiva en el original.

159 En este sentido, BRANDARIZ GARCÍA, J.A., *La exención de responsabilidad penal por regularización en el delito de defraudación a la Seguridad Social*, cit., p. 84; BUSTOS RUBIO, M., *La regularización en el delito de defraudación a la Seguridad Social,* cit., p. 330.

PUIGCERVER, por el contrario, no está de acuerdo con esta solución toda vez que, en caso de que el obligado tributario no lleve a cabo los pagos aplazados o fraccionados, la situación tributaria no habrá terminado de regularizarse, razón por la que considera que se debería revocar la exención de pena concedida[160].

En un sentido diferente a lo anteriormente expuesto, FERRÉ OLIVÉ opina que, ante la ausencia de una previsión legal expresa al respecto y los problemas para decidir los efectos de un eventual incumplimiento del aplazamiento o fraccionamiento, no caben "postergaciones ni prórrogas, de la misma forma que no caben los pagos fraccionados"[161].

Por nuestra parte, consideramos que la admisión del aplazamiento o fraccionamiento del pago podría plantear algunos problemas de difícil solución.

Así, en primer lugar, en un intento por favorecer la aplicación de la cláusula en aquellos supuestos de insolvencia justificada e involuntaria del obligado tributario, el aplazamiento o fraccionamiento del pago puede llegar a convertirse en una vía para aplicar el art. 305.4 CP a supuestos en los que, *de facto*, no se ha producido todavía un pago completo; aunque siempre cabría el riesgo de que, ante la ausencia de un control adecuado y exhaustivo por parte de la Administración Tributaria, esta modalidad se podría utilizar de forma fraudulenta cuando aún no se han cumplido al pie de la letra todos los requisitos del art. 305.4 CP.

En segundo lugar, pero relacionado con lo anterior, surgen dudas acerca de que el pago aplazado o fraccionado sea compatible con lo dispuesto en el art. 305.4 CP, sobre todo si se considera tal y como lo hace, por ejemplo, BUSTOS RUBIO, que la situación tributaria se

---

160 Así, FENELLÓS PUIGCERVER, V., "El concepto de regularización tributaria a efectos de la exclusión de la pena por delito del artículo 305 del Código Penal", cit., p. 60.

161 FERRÉ OLIVÉ, J.C., *Tratado de los delitos contra la Hacienda Pública y contra la Seguridad Social,* cit., pp. 314-315. En el mismo sentido, véase RODRÍGUEZ ALIMRÓN, F.J., "Evolución de los delitos contra la Hacienda Pública a través de la Jurisprudencia del Tribunal Supremo", en *Anuario de Derecho Penal y Ciencias Penales*, T. 73, n. 1, 2020, p. 680 o BERTRÁN GIRÓN, F., *Regularización y delito contra la Hacienda Pública: cuestiones prácticas,* cit., pp. 231 y ss.

da por regularizada –y, en consecuencia, se exime de pena– desde el momento en el que el obligado tributario solicita el aplazamiento o el fraccionamiento del pago. En nuestra opinión, con ello estaríamos adelantando la eficacia del art. 305.4 CP a un momento en el que todavía no se ha constatado el abono completo de la deuda tributaria, algo que resulta contrario al propio art. 305.4 CP que prevé, de forma expresa, que la situación tributaria solo podrá considerarse regularizada "*cuando* se haya procedido por el obligado tributario al completo reconocimiento y pago de la deuda tributaria [...]"[162]. Lo anterior determina que la situación tributaria no se podrá tener por regularizada hasta el momento en el que la deuda tributaria haya sido abonada en su totalidad y esto no ocurre, según creemos, cuando el obligado tributario se compromete a pagar en su solicitud de aplazamiento o fraccionamiento. Cuestión distinta sería si se interpretara que la cláusula despliega eficacia una vez finalizados los pagos aplazados o fraccionados, aunque ello tampoco estaría exento de problemas.

En tercer lugar y para concluir, consideramos que aplicar el art. 305.4 CP con el mero compromiso de pago de la deuda que el obligado tributario asume con la solicitud de aplazamiento o fraccionamiento de pago sería tanto como admitir que pagar es lo mismo que prometer pagar, algo que la Jurisprudencia se ha negado a admitir en reiteradas ocasiones en relación con la atenuante de reparación del daño del art. 21.5 CP[163]. Este criterio establecido por el Tribunal Supremo no ha

---

162 La cursiva es nuestra.

163 En este sentido, puede verse un reciente estudio jurisprudencial de CHOZA CORDERO y RIZO LEÓN sobre los efectos de la reparación del daño en los delitos contra la Hacienda Pública: CHOZA CORDERO, A./ RIZO LEÓN, A., "Reparación del daño en los delitos contra la Hacienda Pública: atenuante simple o muy cualificada", en *Revista Aranzadi Doctrinal,* n. 4, 2020, s/p. Disponible en línea: www.aranzadi.es [fecha última consulta: 13/10/2020]. Tal y como señalan estos autores, los Tribunales exigen para aplicar la atenuante simple del art. 21.5 CP a los delitos contra la Hacienda Pública que se haya pagado la deuda tributaria de forma efectiva y no suelen admitirla cuando, por ejemplo, el sujeto se limita a aportar un aval bancario como garantía de pago. Al respecto puede verse la Sentencia de la Sala 2ª del Tribunal Supremo 539/2003, de 30 de abril [ponente Sr. Jiménez Villarejo], Fundamento Jurídico Decimotercero (Tol 4.928.370), que rechaza que un aval pueda ser equivalente al pago (a efectos de la atenuante de reparación del daño) por considerar que el hecho de haber conseguido un aval demuestra que el sujeto tenía "solvencia" y que, por tanto,

impedido, sin embargo, que otros tribunales aprecien la regularización cuando el pago se ha realizado de forma fraccionada[164].

tenía capacidad económica para reparar el daño causado pagando a la Hacienda Pública lo defraudado. En este sentido, añade, "[e]l aval constituye una garantía para el acreedor de que cobrará su crédito, pero cuando la obligación nace de un delito no es garantía de pago futuro por un tercero, sino el pago efectivo por el propio autor, lo que se convierte en presupuesto de la atenuante cuya razón de menos culpabilidad nunca debe ser olvidada".

164 En este sentido, puede verse la Sentencia de la Audiencia Provincial de Asturias, sección 2ª, 168/2004, de 18 de mayo, Fundamento Jurídico Cuarto (Tol 499.133), que confirma una sentencia absolutoria del Juzgado de lo Penal n. 1 de Oviedo en un caso en el que el obligado tributario había presentado dos declaraciones complementarias correspondientes al IVA de 1999 y 2000 y había obtenido una resolución de la Oficina Nacional de Recaudación que le admitía la solicitud de fraccionamiento de pago por presentar problemas de tesorería.

Capítulo III

Las causas de bloqueo: límites temporales a la regularización tributaria

1. INTRODUCCIÓN

El art. 305.4 CP establece, como último requisito para eximir de pena, que la regularización tributaria –completo reconocimiento y pago de la deuda tributaria– se produzca con anterioridad a las siguientes actuaciones administrativas o judiciales:

a) Notificación al obligado tributario del inicio de actuaciones de comprobación o investigación por parte de la Administración Tributaria dirigidas a la determinación de las deudas objeto de regularización.
b) Interposición de querella o denuncia contra el obligado tributario por parte del Ministerio Fiscal, el Abogado del Estado o el representante procesal de la Administración autonómica, foral o local.
c) Puesta en conocimiento formal del obligado tributario sobre la iniciación de diligencias por parte del Ministerio Fiscal o el Juez de Instrucción.

Estas actuaciones constituyen, según nuestra Doctrina, verdaderos límites temporales[1] –también llamados causas de bloqueo[2], pre-

---

1 Emplea estos términos QUERALT JIMÉNEZ, J.J., "La regularización como comportamiento postdelictivo en el delito fiscal", cit., p. 44.

2 Véanse, en este sentido, siguiendo la terminología alemana, IGLESIAS RÍO, M.A., *La regularización fiscal en el delito de defraudación tributaria (un análisis de la «autodenuncia». Art. 305-4 CP)*, cit., p. 353; FERRÉ OLIVÉ, J.C., *Tratado de los delitos contra la Hacienda Pública y contra la Seguridad Social*, cit., p. 318.

supuestos negativos[3] o requisitos negativos[4]– a partir de los cuales el reconocimiento y el pago del obligado tributario ya no podrán ser considerados ni espontáneos y tampoco voluntarios, razón por la que, una vez tengan lugar, ya no es posible otorgar la exención de pena[5]. A estos efectos, será suficiente que se lleve a cabo solo una de las actuaciones previstas, pues el art. 305.4 CP establece entre ellas una relación de subsidiariedad[6] o alternatividad[7] al determinar que el segundo límite temporal –basado en la interposición de denuncia o querella por parte del Ministerio Fiscal, Abogado del Estado o representantes procesales correspondientes– solo operará en caso de que la Administración Tributaria no haya notificado previamente el inicio

---

3 Así, por ejemplo, MARTÍNEZ-BUJÁN PÉREZ, C., *Los delitos contra la Hacienda Pública y la Seguridad Social,* cit., p. 170.

4 Así, FERRÉ OLIVÉ, J.C., *Tratado de los delitos contra la Hacienda Pública y contra la Seguridad Social,* cit., p. 318, quien también habla de causas de bloqueo, al igual que LANDERA LURI, M., *Excusas absolutorias basadas en conductas positivas postconsumativas: acciones contratípicas*, cit., p. 128.

5 MARTÍNEZ-BUJÁN PÉREZ, C., *Los delitos contra la Hacienda Pública y la Seguridad Social,* cit., p. 170; BOIX REIG, J./ MIRA BENAVENT, J., *Delitos contra la Hacienda Pública y contra la Seguridad Social,* cit., pp. 98-99; BAJO FERNÁNDEZ, M./ BACIGALUPO, S., *Delitos contra la Hacienda pública,* cit., pp.105-106; SÁNCHEZ-OSTIZ GUTIÉRREZ, P., *La Exención de Responsabilidad Penal por Regularización Tributaria*, cit., p. 83; IGLESIAS RÍO, M.A., *La regularización fiscal en el delito de defraudación tributaria (un análisis de la «autodenuncia». Art. 305-4 CP)*, cit., p. 353; BRANDARIZ GARCÍA, J.A., *La exención de responsabilidad penal por regularización en el delito de defraudación a la Seguridad Social*, cit., p. 87; MORALES PRATS, F., "De los delitos contra la Hacienda Pública contra la Seguridad Social", cit., p. 1084; MANJÓN-CABEZA OLMEDA, A., *Las excusas absolutorias en Derecho Español. Doctrina y jurisprudencia,* cit., p. 171; AYALA GÓMEZ, I., "Delitos contra la Hacienda pública y contra la Seguridad Social", cit., p. 741; FERRÉ OLIVÉ, J.C., *Tratado de los delitos contra la Hacienda Pública y contra la Seguridad Social,* cit., p. 318; MUÑOZ CONDE, F., *Derecho Penal. Parte Especial,* 22ª ed., cit., pp. 950-951.

6 Véase BUSTOS RUBIO, M., *La regularización en el delito de defraudación a la Seguridad Social,* cit., p. 326, quien habla de una relación de secundariedad del segundo y tercer límite temporal respecto del primero. También, en este sentido, LANDERA LURI, M., *Excusas absolutorias basadas en conductas positivas postconsumativas: acciones contratípicas*, cit., p. 147.

7 Así, OCTAVIO DE TOLEDO Y UBIETO, E., "Consideración penal de las cláusulas de regularización tributaria", cit., pp. 1472-1478 y LINARES, M.B., *El delito de defraudación tributaria. Análisis dogmático de los artículos 305 y 305 bis del Código Penal español*, cit., p. 304.

de actividades de investigación o comprobación de las deudas objeto de regularización[8]. Lo mismo sucederá con el tercer límite temporal respecto del primero y del segundo.

A lo largo de este capítulo, abordaremos el análisis de cada uno de los límites temporales impuestos a la regularización tributaria. Para ello, será fundamental el estudio de las normas tributarias que regulan las actuaciones tributarias a las que hace referencia el art. 305.4 CP, así como las normas procesales en las que vienen regulados aquellos aspectos que atañen a las actuaciones de los jueces, del Ministerio Fiscal o del Abogado del Estado y representantes procesales de las distintas administraciones autonómicas, forales o locales.

Antes de comenzar, sin embargo, nos gustaría remarcar que la LO 7/2012, de 27 de diciembre, ha modificado de una forma casi imperceptible la redacción de los límites temporales. Así, por un lado, en el primer límite temporal se ha añadido la referencia a las actuaciones de investigación de la Administración Tributaria junto a las de comprobación que ya aparecían antes de la reforma. Por otro lado, también se ha corregido un defecto que parecía tener el último supuesto previsto relativo a las actuaciones del Ministerio Fiscal o el Juez de Instrucción, pues el art. 305.4 CP, previo a la reforma de 2012, establecía el bloqueo "*cuando* el Ministerio Fiscal o el Juez de Instrucción" realizaran actuaciones y no "*antes de que* el Ministerio Fiscal o el Juez de Instrucción" las realizara, tal y como se establece en la actualidad.

---

8 En concreto, el art. 305.4 CP determina que "[s]e considerará regularizada la situación tributaria cuando se haya procedido por el obligado tributario al completo reconocimiento y pago de la deuda tributaria, *antes de que* por la Administración Tributaria se le haya notificado el inicio de actuaciones de comprobación o investigación tendentes a la determinación de las deudas tributarias objeto de la regularización *o, en el caso de que tales actuaciones no se hubieran producido, antes de que* el Ministerio Fiscal, el Abogado del Estado o el representante procesal de la Administración autonómica, foral o local de que se trate, interponga querella o denuncia contra aquél dirigida, *o antes de que* el Ministerio Fiscal o el Juez de Instrucción realicen actuaciones que le permitan tener conocimiento formal de la iniciación de diligencias." La cursiva es nuestra.

2. PRIMER LÍMITE TEMPORAL: NOTIFICACIÓN DEL INICIO DE ACTUACIONES DE LA ADMINISTRACIÓN TRIBUTARIA

2.1. Cuestiones introductorias

El primero de los límites señalados en el art. 305.4 CP es el relacionado con la notificación al obligado tributario por parte de la Administración Tributaria del inicio de actuaciones de comprobación o investigación tendentes a la determinación de las deudas defraudadas que sean objeto de la regularización. Según IGLESIAS RÍO, este primer límite cronológico "se refiere a la realización de aquellas medidas legalmente previstas dirigidas contra una persona concreta, efectuadas por parte de las autoridades financieras con la finalidad de determinar fiscalmente los hechos y de precisar íntegra y exactamente el alcance de los deberes tributarios que permiten deducir, en su caso, la existencia de fraude"[9].

Algunos autores han mostrado sus dudas acerca de la conveniencia de incluir este supuesto entre las causas de bloqueo del art. 305.4 CP, en la medida en que –tal y como indica FERRÉ OLIVÉ– de este modo se estaría concediendo a la Administración Tributaria un poderoso "elemento de presión" para lograr el pago de las deudas tributarias a cambio de que no se inicien las diligencias penales[10].

En nuestra opinión, los temores de la Doctrina por el riesgo de instrumentalización de la norma penal son comprensibles, pero solo tienen sentido si concebimos la Administración Tributaria como un ente que dirige sus actuaciones de forma caprichosa, irracional o arbitraria. Sin embargo, la Administración Tributaria, según el art. 103.1 CE, debe actuar "con sometimiento pleno a la ley y al Derecho". En

---

9 IGLESIAS RÍO, M.A., *La regularización fiscal en el delito de defraudación tributaria (un análisis de la «autodenuncia». Art. 305-4 CP)*, cit., p. 354.

10 FERRÉ OLIVÉ, J.C., *Tratado de los delitos contra la Hacienda Pública y contra la Seguridad Social,* cit., p. 319. En el mismo sentido, véase BLANCO CORDERO, I., "Delitos contra la Hacienda Pública y la Seguridad Social", cit., p. 30, quien considera que la exigencia de notificación también "puede propiciar prácticas de elusión o dilación de dichas notificaciones cuando se sospecha por otros datos cuál puede ser su contenido".

este sentido, como recuerda MARTÍN QUERALT, la Administración Tributaria tiene atribuida la función de aplicación de los tributos y para ello "ni goza de libertad de configuración ni dispone de discrecionalidad ordenadora alguna, puesto que los actos de aplicación tienen carácter reglado (art. 6 LGT) y las potestades administrativas de las que emanan únicamente pueden ejercerse en el marco habilitado por la Ley y para la realización y efectivo cumplimiento de la misma"[11]. Por lo tanto, añade este autor, "el *respeto a la ley* constituye una exigencia inexcusable impuesta a la Administración Tributaria en el ejercicio de sus funciones"[12]. Si, como acabamos de ver, la Administración Tributaria debe actuar en virtud de la ley y solo en la medida en que la ley se lo permite[13], la decisión sobre el inicio de actividades de comprobación o investigación, así como sobre si se traslada o no el tanto de culpa a la jurisdicción penal se tomará según lo dispuesto en la ley y no podrá ser utilizada como moneda de cambio o instrumento de persuasión o al menos no más allá de las potestades de negociación que la propia ley le atribuya.

En un sentido parecido al que nosotras defendemos, BRANDARIZ GARCÍA afirma que ante el riesgo de que pudieran existir prácticas negociadoras entre la Administración y el obligado tributario "no queda sino confiar en el buen criterio de la Administración" y en que actuará según está legalmente obligada[14]. A todo ello añade BUSTOS RUBIO, quien comparte las consideraciones anteriores, que, si se eliminara esta causa de bloqueo, habría que introducir en el art. 305.4 CP el requisito de que el obligado tributario actúe con voluntariedad y nos encontraríamos con dificultades aún mayores que las que se presentan con la redacción actual del precepto, como, por ejemplo, la

---

11 MARTÍN QUERALT, J./ LOZANO SERRANO, C./ TEJERIZO LÓPEZ, J.M./ CASADO OLLERO, G., *Curso de Derecho Financiero y Tributario,* 30ª ed., cit., p. 312.

12 MARTÍN QUERALT, J./ LOZANO SERRANO, C./ TEJERIZO LÓPEZ, J.M./ CASADO OLLERO, G., *Curso de Derecho Financiero y Tributario,* 30ª ed., cit., p. 312, cursiva en el original.

13 MARTÍN REBOLLO, L., *Leyes administrativas,* 16ª ed., Cizur Menor, 2010, p. 40.

14 BRANDARIZ GARCÍA, J.A., *La exención de responsabilidad penal por regularización en el delito de defraudación a la Seguridad Social*, cit., p. 96.

interpretación del término voluntariedad o los eventuales problemas probatorios de este elemento[15].

Junto a las anteriores consideraciones, DE LA MATA BARRANCO sostiene que la previsión de un límite temporal como el que estamos analizando obedece a criterios de lógica, en cuanto que lo más normal será que el fraude sea detectado por la Administración Tributaria en el marco de su función de control tributario[16]. Todo ello contribuye, además, a garantizar el principio de seguridad jurídica[17].

En definitiva y sin perjuicio de las estimaciones *de lege ferenda* que pudieran hacerse sobre la conveniencia político-criminal de incluir esta causa de bloqueo en el art. 305.4 CP, en esta parte de nuestra investigación nos interesa centrarnos en analizar el contenido de la misma y los problemas interpretativos que plantea. A efectos meramente expositivos, conviene dividir el análisis del primer límite temporal en dos partes: una primera, en la que estudiaremos las actuaciones de comprobación o investigación de la Administración Tributaria que impiden la exención de pena del art. 305.4 CP y, una segunda, en la que nos detendremos a examinar la exigencia de notificación de dichas actuaciones y sus características[18].

2.2. Las actuaciones de comprobación o investigación

Según hemos adelantado, el art. 305.4 CP exige que la regularización se haga antes del "inicio de actuaciones de comprobación o investigación tendentes a la determinación de las deudas tributarias

---

15 BUSTOS RUBIO, M., *La regularización en el delito de defraudación a la Seguridad Social,* cit., pp. 335-337. En el mismo sentido, véase DE LA MATA BARRANCO, N., "La cláusula de regularización tributaria en el delito de defraudación fiscal del artículo 305 del Código Penal", cit., p. 319.

16 DE LA MATA BARRANCO, N., "La cláusula de regularización tributaria en el delito de defraudación fiscal del artículo 305 del Código Penal", cit., p. 318.

17 En este sentido, MARTÍNEZ LUCAS, J.A., *El delito de defraudación a la Seguridad Social,* cit., p. 191.

18 También adopta esta sistemática BUSTOS RUBIO para analizar la primera causa de bloqueo en la regularización del delito contra la Seguridad Social que, en esencia, es muy similar a la que se ha previsto para el delito contra la Hacienda Pública (BUSTOS RUBIO, M., *La regularización en el delito de defraudación a la Seguridad Social,* cit., p. 337).

objeto de la regularización". Lejos de definir de la forma debida los concretos procedimientos tributarios cuya notificación evita la aplicación de la cláusula, esta exigencia suscita, en opinión de MARTÍNEZ-BUJÁN PÉREZ[19], múltiples interrogantes, muchos de los cuales ya han sido analizados detenidamente por nuestra Doctrina.

2.2.1. Los procedimientos tributarios que desarrollan funciones de comprobación o investigación

Uno de los debates que se han planteado en torno a las "actuaciones de comprobación o investigación" ha sido para determinar qué tipo de procedimientos tributarios desarrollan las funciones de comprobación o investigación.

La LGT, en su art. 115, se limita a afirmar que las funciones de comprobación e investigación consisten en "comprobar e investigar los hechos, actos, elementos, actividades, explotaciones, negocios, valores y demás circunstancias determinantes de la obligación tributaria para verificar el correcto cumplimiento de las normas aplicables". Estas actuaciones o funciones pueden sustanciarse, según la Doctrina tributaria, mediante distintos procedimientos, toda vez que estas, las actuaciones de comprobación e investigación, no se corresponden con ningún procedimiento en concreto y tampoco se hallan adscritas a un órgano específico, sino que "se distribuyen y, a veces, se comparten entre distintos órganos tributarios (de gestión, de inspección e, incluso, de recaudación), y se desarrollan asimismo en diferentes procedimientos administrativos"[20].

Ahora bien, aunque legalmente las funciones de comprobación o investigación puedan ser llevadas a cabo tanto en procedimientos de gestión como de inspección, lo cierto es que, en la práctica, lo más fre-

19 MARTÍNEZ-BUJÁN PÉREZ, C., *Derecho Penal Económico y de la Empresa. Parte Especial,* 6ª ed., cit., p. 702. En opinión de MAGALDI PATERNOSTRO, sin embargo, la primera causa de bloqueo no plantea "ningún problema interpretativo" (MAGALDI PATERNOSTRO, M.J., "De los delitos contra la Hacienda Pública y contra la Seguridad Social", cit., p. 1208).

20 Así, MARTÍN QUERALT, J./ LOZANO SERRANO, C./ TEJERIZO LÓPEZ, J.M./ CASADO OLLERO, G., *Curso de Derecho Financiero y Tributario,* 30ª ed., cit., p. 315.

cuente será que estas actuaciones provengan de un procedimiento de inspección, tal y como se deduce del Título VI de la LGT sobre actuaciones y procedimientos de aplicación de los tributos en supuestos de delito contra la Hacienda Pública, donde se hace constante referencia al procedimiento de inspección.

No obstante, que eso ocurra en la práctica no significa que a efectos del art. 305.4 CP solo sirva para bloquear la exención de pena la notificación del inicio del procedimiento de inspección, tal y como propone QUERALT JIMÉNEZ[21]. En este sentido, consideramos, junto al resto de la Doctrina[22], que, además de la notificación del proce-

---

21 En concreto, afirma que las actuaciones administrativas a las que hace referencia el art. 305.4 CP "tienen que ser *forzosamente inspectoras,* y no de cualquier otro orden" (QUERALT JIMÉNEZ, J.J., "La regularización como comportamiento postdelictivo en el delito fiscal", cit., p. 44). En el mismo sentido, véanse AYALA GÓMEZ, I., "Delitos contra la Hacienda pública y contra la Seguridad Social", cit., p. 741 o AYATS VERGÉS, M./ DE JUAN CASADEVALL, J., *Informe sobre las novedades introducidas en la nueva regulación del delito fiscal: algunas propuestas de mejora,* cit., p. 125. También parecen ser de la misma opinión SÁNCHEZ-OSTIZ GUTIÉRREZ, quien restringe el bloqueo de la cláusula del art. 305.4 CP a la "notificación de las actuaciones procedente de la inspección", no así a aquellas notificaciones que procedan de los órganos de gestión (así, SÁNCHEZ-OSTIZ GUTIÉRREZ, P., *La Exención de Responsabilidad Penal por Regularización Tributaria*, cit., p. 85); DE LA MATA BARRANCO, N., "La cláusula de regularización tributaria en el delito de defraudación fiscal del artículo 305 del Código Penal", cit., p. 319 y RODRÍGUEZ ALIMRÓN, F.J., "Evolución de los delitos contra la Hacienda Pública a través de la Jurisprudencia del Tribunal Supremo", cit., p. 682.
A diferencia de la regularización tributaria del art. 305.4 CP, la regularización del delito contra la Seguridad Social prevista en el art. 307.3 CP hace referencia expresa a la "iniciación de actuaciones inspectoras", razón por la que los autores que analizan esta última cláusula afirman que solo serán susceptibles de bloquear los efectos de dicha cláusula las actuaciones de inspección y no otras. Véase, así, BUSTOS RUBIO, M., *La regularización en el delito de defraudación a la Seguridad Social,* cit., pp. 337-347).

22 En este sentido, MARTÍNEZ-BUJÁN PÉREZ, C., *Los delitos contra la Hacienda Pública y la Seguridad Social,* cit., p. 170; IGLESIAS RÍO, M.A., *La regularización fiscal en el delito de defraudación tributaria (un análisis de la «autodenuncia». Art. 305-4 CP)*, cit., pp. 356-357, quien, sin embargo, reconoce que lo habitual será que la comprobación o inspección se realice mediante el procedimiento de inspección; FENELLÓS PUIGCERVER, V., "El concepto de regularización tributaria a efectos de la exclusión de la pena por delito del artículo 305 del Código Penal", cit., p. 61; PÉREZ MARTÍNEZ, D., "La regula-

dimiento de inspección, también es susceptible de bloquear los efectos de la cláusula del art. 305.4 CP la notificación del inicio de algunos procedimientos de gestión, como pudieran ser el procedimiento de comprobación de valores o el de comprobación limitada[23] o el inicio

---

rización fiscal del artículo 305.4 del Código Penal como causa de exención de responsabilidad criminal", cit., pp. 212-213; SABADELL CARNICERO, C., "La regularización tributaria como causa de exención de la responsabilidad penal", en *El delito fiscal,* de AA.VV., Madrid, 2009, p. 215; CUGAT MAURI, M./ BAÑERES SANTOS, F., "Delitos contra la Hacienda Pública y la Seguridad Social", cit., p. 822; CARRERAS MANERO, O., "La cláusula de regularización tributaria como causa de exención de la responsabilidad penal en el delito contra la Hacienda Pública", cit., pp. 1-21; LANDERA LURI, M., *Excusas absolutorias basadas en conductas positivas postconsumativas: acciones contratípicas*, cit., pp. 142-143 o BERTRÁN GIRÓN, F., *Regularización y delito contra la Hacienda Pública. Cuestiones prácticas,* cit., pp. 276 y ss. En la misma línea, véase la Circular 2/2009 de la Fiscalía General del Estado de 4 de mayo de 2009, *sobre la interpretación del término regularizar en las excusas absolutorias previstas en los apartados 4 del artículo 305 y 3 del artículo 307 del Código Penal,* en la que se afirma que, a pesar de que las funciones de comprobación o investigación se atribuyen a los órganos de inspección de tributos, tanto la LGT como el Reglamento General de las Actuaciones y Procedimientos de Gestión e Inspección Tributaria establece que dichas funciones se desarrollan también en los procedimientos de verificación o de comprobación limitada. Ello permite, según la Fiscalía General del Estado, que "la notificación del inicio de estos procedimientos de verificación, comprobación limitada e inspección, como manifestaciones del ejercicio de las facultades de comprobación e investigación de la Administración, [pongan] fin a la operatividad de la regularización en el derecho penal".

23 En este sentido, CAZORLA PRIETO afirma que las actuaciones de comprobación e investigación pueden sustanciarse tanto en procedimientos de gestión como el de verificación de datos y el de comprobación limitada, como en procedimientos de inspección (CAZORLA PRIETO, L.M., *Derecho Financiero y Tributario Parte General,* 19ª ed., cit., p. 415).
En el mismo sentido que hemos defendido *supra,* puede verse el Auto del Juzgado Central de Instrucción de la Audiencia Nacional, de 22 de mayo de 2012, Fundamento Jurídico Tercero. Según este Tribunal, "[l]a notificación del inicio de actuaciones de comprobación, tendentes a la determinación de la deuda objeto de regularización, representa el momento preclusivo de cierre para acogerse a la posibilidad de su aplicación. Las actuaciones de la Administración Tributaria han de estar encaminadas a la comprobación precisamente de las deudas de cuya regularización se trata. Y estas actuaciones preclusivas pueden producirse ante la inspección, como en sede de gestión, quedando excluidas las comunicaciones, cartas y circulares informativas destinadas a los contribuyentes en general o a sectores de sujetos obligados en contemplación de determinado hecho punible". De este modo, concluye el citado Tribunal que, a efectos de la primera causa de

de un procedimiento de recaudación. Varios argumentos apoyan esta afirmación:

1) en algunos procedimientos de gestión también se desarrollan funciones de comprobación o investigación;
2) en ocasiones, la notificación de los procedimientos de gestión puede poner de manifiesto que existe cierta sospecha sobre la situación tributaria del contribuyente, lo que, a nuestro modo de ver, puede ser suficiente para negar la exención de pena;
3) el procedimiento de recaudación también desarrolla funciones de comprobación o investigación, según el art. 162 LGT[24];
4) limitar la capacidad de bloqueo de la cláusula al acto de notificación de los procedimientos de inspección supondría eximir de pena en supuestos en los que se llevan a cabo actuaciones de comprobación o investigación a través de un procedimiento distinto como, por ejemplo, en un procedimiento de comprobación limitada.

En definitiva y para concluir, lo determinante para que las actuaciones tributarias impidan eximir de pena por razón de la regularización es que tales actuaciones se dirijan a investigar o comprobar las deudas existentes con la Administración Tributaria, sin importar que ello se haga a través de un procedimiento de inspección, de gestión o de recaudación[25].

---

bloqueo del art. 305.4 CP, tendrán relevancia tanto las actuaciones de comprobación en el marco de procedimientos de verificación de datos o de comprobación limitada realizadas por los órganos de gestión o de inspección de la AEAT, como las actuaciones de inspección, pues todos estos "implican actos de comprobación tendentes a la determinación de las deudas objeto de regularización".

24 Según el art. 162.1 LGT, los órganos de recaudación podrán "comprobar e investigar la existencia y situación de los bienes o derechos de los obligados tributarios" y, para ello, tendrán las mismas facultades que los órganos de inspección.

25 Todo ello contrasta, como bien pone de manifiesto BUSTOS RUBIO, con la cláusula de regularización del delito contra la Seguridad Social que prevé únicamente como primera causa de bloqueo la notificación de actuaciones de inspección (BUSTOS RUBIO, M., *La regularización en el delito de defraudación a la Seguridad Social,* cit., p. 338).

2.2.2. El objeto de las actuaciones de comprobación o investigación

El art. 305.4 CP exige que las actuaciones de comprobación o investigación de la Administración Tributaria tengan una finalidad concreta, es decir, que se dirijan a determinar "las deudas tributarias objeto de la regularización". Por tanto, como bien señala MARTÍNEZ-BUJÁN PÉREZ, "si las actuaciones de comprobación van referidas a la fijación de *otras* deudas tributarias, este presupuesto de bloqueo no se cumple y el sujeto todavía puede presentar una declaración de rectificación eficaz para alcanzar la liberación de pena"[26]. En este sentido, y tomando como ejemplo el que ofrece LANDERA LURI, la comunicación del inicio de actuaciones de comprobación o investigación de un impuesto municipal no impide que el art. 305.4 CP despliegue su eficacia si se regularizan otros impuestos estatales o autonómicos[27]. El mismo efecto tendrá la notificación de una investigación que tiene por objeto un periodo de imposición diferente al que en última instancia se regulariza[28].

---

26 MARTÍNEZ-BUJÁN PÉREZ, C., *Los delitos contra la Hacienda Pública y la Seguridad Social,* cit., p. 173, cursiva en el original. En el mismo sentido, SUÁREZ GONZÁLEZ, C.J., "El delito de defraudación tributaria", en *Comentarios a la legislación penal*, T. XVIII, de M. Cobo del Rosal (dir.) y M. Bajo Fernández (coord.), Madrid, 1997, p. 125; IGLESIAS RÍO, M.A., *La regularización fiscal en el delito de defraudación tributaria (un análisis de la «autodenuncia». Art. 305-4 CP),* cit., p. 376; FENELLÓS PUIGCERVER, V., "El concepto de regularización tributaria a efectos de la exclusión de la pena por delito del artículo 305 del Código Penal", cit., pp. 61-62; MARTÍNEZ LUCAS, J.A., *El delito de defraudación a la Seguridad Social,* cit., p. 194; DE LA MATA BARRANCO, N., "La cláusula de regularización tributaria en el delito de defraudación fiscal del artículo 305 del Código Penal", cit., p. 318; QUERALT JIMÉNEZ, J.J., "La regularización como comportamiento postdelictivo en el delito fiscal", cit., p. 44; CUGAT MAURI, M./ BAÑERES SANTOS, F., "Delitos contra la Hacienda Pública y la Seguridad Social", cit., pp. 822-823; AYALA GÓMEZ, I., "Delitos contra la Hacienda pública y contra la Seguridad Social", cit., p. 741; BUSTOS RUBIO, M., *La regularización en el delito de defraudación a la Seguridad Social,* cit., p. 346.

27 LANDERA LURI, M., *Excusas absolutorias basadas en conductas positivas postconsumativas: acciones contratípicas*, cit., p. 145. El mismo ejemplo aparece en IGLESIAS RÍO, M.A., "Aproximación crítica a la cláusula de exención de la pena por regularización en el delito de defraudación tributaria", cit., p. 84.

28 Véase, en este sentido, la Sentencia de la Sala 2ª del Tribunal Supremo 941/2009, de 29 de septiembre [ponente: Sr. Puerta Luís], Fundamento Jurídico Quinto (Tol

Asimismo, según IGLESIAS RÍO, las actuaciones de la Administración Tributaria deben perseguir "la realización de una verdadera y seria inspección" y no podrán impedir la aplicación de la cláusula citaciones para discutir cuestiones que nada tienen que ver con la defraudación del obligado tributario o actuaciones meramente forma-

1.627.864). Según esta sentencia, la notificación del inicio de comprobaciones de deudas tributarias diferentes a las que fueron objeto de regularización por parte del contribuyente no impide la aplicación del art. 305.4 CP. Por esta razón, la citada sentencia estima que cabe eximir de pena en un supuesto en el que el obligado tributario regulariza las cuotas defraudadas relativas al IRPF de 1996 y 1997 tras recibir notificación del inicio de actuaciones de comprobación por el IRPF de 1998 y 1999.

También lo ha entendido de este modo la Doctrina. Véanse MARTÍNEZ-BUJÁN PÉREZ, C., *Los delitos contra la Hacienda Pública y la Seguridad Social*, cit., p. 173; IGLESIAS RÍO, M.A., *La regularización fiscal en el delito de defraudación tributaria (un análisis de la «autodenuncia». Art. 305-4 CP)*¸ cit., p. 376; CHAZARRA QUINTO, M.A., *Delitos contra la Seguridad Social*, cit., pp. 356-357; FENELLÓS PUIGCERVER, V., "El concepto de regularización tributaria a efectos de la exclusión de la pena por delito del artículo 305 del Código Penal", cit., pp. 61-62; SÁNCHEZ-OSTIZ GUTIÉRREZ, P., *La Exención de Responsabilidad Penal por Regularización Tributaria*, cit., p. 92; MARTÍNEZ LUCAS, J.A., *El delito de defraudación a la Seguridad Social*, cit., p. 194; QUERALT JIMÉNEZ, J.J., "La regularización como comportamiento postdelictivo en el delito fiscal", cit., p. 44; BRANDARIZ GARCÍA, J.A., *La exención de responsabilidad penal por regularización en el delito de defraudación a la Seguridad Social*, cit., pp. 107-108; IGLESIAS RÍO, M.A., "Aproximación crítica a la cláusula de exención de la pena por regularización en el delito de defraudación tributaria", cit., p. 84; CARRERAS MANERO, O., "La cláusula de regularización tributaria como causa de exención de la responsabilidad penal en el delito contra la Hacienda Pública", cit., pp. 1-21; CUGAT MAURI, M./ BAÑERES SANTOS, F., "Delitos contra la Hacienda Pública y la Seguridad Social", cit., pp. 822-823; AYALA GÓMEZ, I., "Delitos contra la Hacienda pública y contra la Seguridad Social", cit., p. 741; BUSTOS RUBIO, M., *La regularización en el delito de defraudación a la Seguridad Social*, cit., p. 346.

En sentido crítico, MERINO JARA y SERRANO GONZÁLEZ DE MURILLO consideran que dicha limitación permitirá que en los casos de fraude fiscal a gran escala la notificación del inicio de actuaciones de investigación o comprobación de una parte del mismo solo servirá "para hacer saltar la alarma de que la inspección está sobre la pista correcta, mucho antes de que el defraudado tenga conocimiento «formal» ya que habrá adquirido conocimiento real, que le permitirá eludir la pena mediante la regularización correspondiente" (MERINO JARA, I./ SERRANO GONZÁLEZ DE MURILLO, J.L., *El delito fiscal*, 2ª ed., cit., p. 138).

les[29]. Por otro lado, añade este último autor, dichas actuaciones solo tendrán el efecto de impedir la aplicación de la exención de pena si se han iniciado "como consecuencia de la existencia de una sospecha fundada de irregularidades o conducta delictiva" y no si son consecuencia de una "inspección rutinaria"[30].

2.3. *La notificación tributaria*

2.3.1. Cuestiones introductorias

Según el art. 305.4 CP, las actuaciones anteriormente expuestas solo tendrán efectos si se notifican al obligado tributario por la Administración Tributaria competente, de lo que se deduce que no tendrán validez las notificaciones anónimas[31]. No se prevé, por el contrario, que tengan relevancia otro tipo de actuaciones llevadas a cabo por la Administración Tributaria como, por ejemplo, la personación del inspector sin comunicación previa en los términos establecidos en el art. 177 LGT; algo que ha dado pie a numerosas críticas[32] y, en ocasiones, ha llevado a parte de la Doctrina a proponer que también se extendiera el bloqueo a estos supuestos[33]. Por otro lado, y en la medi-

---

29 IGLESIAS RÍO, M.A., *La regularización fiscal en el delito de defraudación tributaria (un análisis de la «autodenuncia». Art. 305-4 CP)*, cit., p. 358. En el mismo sentido, DE LA MATA BARRANCO, N., "La cláusula de regularización tributaria en el delito de defraudación fiscal del artículo 305 del Código Penal", cit., p. 319, afirma que tampoco servirá para bloquear la aplicación del art. 305.4 CP aquellas actuaciones administrativas meramente formales como "la comunicación de una inspección, la solicitud de información o la concertación de una cita".

30 IGLESIAS RÍO, M.A., *La regularización fiscal en el delito de defraudación tributaria (un análisis de la «autodenuncia». Art. 305-4 CP)*, cit., p. 355.

31 Así, BRANDARIZ GARCÍA, J.A., *La exención de responsabilidad penal por regularización en el delito de defraudación a la Seguridad Social*, cit., p. 102 o BUSTOS RUBIO, M., *La regularización en el delito de defraudación a la Seguridad Social*, cit., p. 357.

32 MARTÍNEZ-BUJÁN PÉREZ, C., *Los delitos contra la Hacienda Pública y la Seguridad Social*, cit., pp. 172-173.

33 En opinión de SÁNCHEZ-OSTIZ GUTIÉRREZ, en estos casos, la presencia del funcionario sin comunicación previa también podría bloquear la posibilidad de regularizar la deuda tributaria, siempre y cuando, dicho modo de proceder sea justificado y que el inspector informe al contribuyente en el momento de la ins-

da en que la exigencia de notificación implica la necesidad de que el obligado tributario tenga un conocimiento formal de las actuaciones que se realizan en su contra, la adquisición de dicho conocimiento por medios informales o no oficiales, tales como periódicos o por terceras personas, no impedirá que se aprecie la regularización tributaria[34]. Así lo ha entendido también el Tribunal Supremo quien, en una re-

pección (SÁNCHEZ-OSTIZ GUTIÉRREZ, P., *La Exención de Responsabilidad Penal por Regularización Tributaria*, cit., pp. 87-88). También en este sentido, FENELLÓS PUIGCERVER, V., "El concepto de regularización tributaria a efectos de la exclusión de la pena por delito del artículo 305 del Código Penal", cit., p. 62 o BRANDARIZ GARCÍA, J.A., *La exención de responsabilidad penal por regularización en el delito de defraudación a la Seguridad Social*, cit., p. 101. Por su parte, MARTÍNEZ-BUJÁN PÉREZ e IGLESIAS RÍO proponen que este supuesto se incluya expresamente en el art. 305.4 CP (véanse, MARTÍNEZ-BUJÁN PÉREZ, C., *Los delitos contra la Hacienda Pública y la Seguridad Social*, cit., p. 172; IGLESIAS RÍO, M.A., "Delitos contra la Hacienda Pública y la Seguridad Social: Arts. 305 a 310 *bis* CP", cit., p. 832 y BERTRÁN GIRÓN, F., *Regularización y delito contra la Hacienda Pública. Cuestiones prácticas*, cit., pp. 287 y 288).

En sentido contrario, véase SUÁREZ GONZÁLEZ, C.J., "El delito de defraudación tributaria", cit., p. 125, quien opina que solo bloquea la notificación, pero no la personación de la inspección. También parecen adoptar esta posición CHAZARRA QUINTO, M.A., *Delitos contra la Seguridad Social*, cit., pp. 354-355; GÓMEZ PAVÓN, P., "La regularización en el delito de defraudación a la Seguridad Social", cit., p. 591 o BUSTOS RUBIO, M., *La regularización en el delito de defraudación a la Seguridad Social*, cit., p. 357.

34 Así, véanse, entre otros, BLANCO CORDERO, I., "Delitos contra la Hacienda Pública y la Seguridad Social", cit., pp. 30-31; CHAZARRA QUINTO, M.A., *Delitos contra la Seguridad Social*, cit., pp. 354-355; BRANDARIZ GARCÍA, J.A., *La exención de responsabilidad penal por regularización en el delito de defraudación a la Seguridad Social*, cit., pp. 96-98; DE LA MATA BARRANCO, N., "La cláusula de regularización tributaria en el delito de defraudación fiscal del artículo 305 del Código Penal", cit., pp. 318-319; CUGAT MAURI, M./ BAÑERES SANTOS, F., "Delitos contra la Hacienda Pública y la Seguridad Social", cit., p. 822; LANDERA LURI, M., *Excusas absolutorias basadas en conductas positivas postconsumativas. Acciones contratípicas*, cit., p. 144 o FERRÉ OLIVÉ, J.C., *Tratado de los delitos contra la Hacienda Pública y contra la Seguridad Social*, cit., p. 320. Tampoco valdrá, según IGLESIAS RÍO, "la simple comunicación extraoficial en conversación privada ni una información adquirida internamente por el funcionario y transmitida vulnerando el deber de discrecionalidad" (IGLESIAS RÍO, M.A., *La regularización fiscal en el delito de defraudación tributaria (un análisis de la «autodenuncia». Art. 305-4 CP)*, cit., p. 364).

ciente sentencia[35], afirma que es posible eximir de pena en virtud del art. 305.4 CP cuando el obligado tributario regulariza después de conocer de la existencia de una investigación en su contra por medios no oficiales o vías distintas a la notificación.

En cuanto a las características que ha de cumplir la notificación, el art. 305.4 CP se limita a establecer, de forma un tanto insatisfactoria que se tendrá que llevar a cabo por la Administración Tributaria y que su destinatario será el obligado tributario. Más allá de lo allí estipulado, para determinar las características formales y materiales de la notificación tributaria es necesario acudir, según MARTÍNEZ-BUJÁN PÉREZ, a normas extrapenales[36]. En concreto, el régimen jurídico de las notificaciones se encuentra previsto en la Ley 39/2015, de 1 de octubre, *del Procedimiento Administrativo Común de las Administraciones Públicas,* sin perjuicio de que, según el art. 109 LGT, las notificaciones en materia tributaria deberán seguir las especialidades señaladas en los arts. 110-112 LGT y arts. 114-115 *bis* del Reglamento General de las Actuaciones y Procedimientos de Gestión e Inspección Tributaria[37].

Por razones de espacio, no podemos detenernos a exponer aquí el régimen jurídico de las notificaciones tributarias[38], lo que nos lleva a

---

35 Sentencia de la Sala 2ª del Tribunal Supremo 746/2018, de 13 de febrero [ponente: Sr. Del Moral García], Fundamento Jurídico Tercero (Tol 7.065.071).

36 MARTÍNEZ-BUJÁN PÉREZ, C., *Los delitos contra la Hacienda Pública y la Seguridad Social,* cit., p. 172. En el mismo sentido, SÁNCHEZ-OSTIZ GUTIÉRREZ, P., *La Exención de Responsabilidad Penal por Regularización Tributaria,* cit., p. 86; IGLESIAS RÍO, M.A., *La regularización fiscal en el delito de defraudación tributaria (un análisis de la «autodenuncia». Art. 305-4 CP),* cit., p. 365; BRANDARIZ GARCÍA, J.A., *La exención de responsabilidad penal por regularización en el delito de defraudación a la Seguridad Social,* cit., p. 101; BUSTOS RUBIO, M., *La regularización en el delito de defraudación a la Seguridad Social,* cit., p. 355 o FERRÉ OLIVÉ, J.C., *Tratado de los delitos contra la Hacienda Pública y contra la Seguridad Social,* cit., p. 320.

37 Real Decreto 1065/2007, de 27 de julio, *por el que se aprueba el Reglamento General de las actuaciones y los procedimientos de gestión e inspección tributaria y de desarrollo de las normas comunes de los procedimientos de aplicación de los tributos.*

38 Para ello, nos remitimos a las normas administrativas y tributarias citadas *supra* y a los manuales de Derecho Tributario. En este sentido, pueden verse, entre otros, MARTÍN QUERALT, J./ LOZANO SERRANO, C./ TEJERIZO LÓPEZ,

limitar nuestro análisis a determinadas cuestiones conflictivas que se suscitan sobre las notificaciones y que son susceptibles de influir en la aplicación de la cláusula de regularización tributaria del art. 305.4 CP. Dichas cuestiones afectan tanto a la forma como al contenido de las notificaciones.

2.3.2. Los destinatarios de la notificación

La primera cuestión controvertida que se ha planteado en relación con la notificación del inicio de actuaciones de comprobación o investigación de la Administración Tributaria es determinar su destinatario; algo que, según hemos visto, ha quedado solucionado con la reforma de 2012, al incluirse en el art. 305.4 CP expresa referencia al obligado tributario[39]. En consecuencia, el destinatario de la notificación ha de ser el obligado tributario.

Ahora bien, la referencia al obligado tributario no resuelve de forma satisfactoria los supuestos en los que existe más de un sujeto al que se le atribuye responsabilidad penal por delito fiscal. Concretamente, habría problemas para determinar si la notificación sobre el inicio de actuaciones de comprobación o investigación de la deuda tributaria a uno de ellos permitiría regularizar a los demás o, por el contrario, dicha notificación les impediría a todos acogerse a la exención de la pena que implica la regularización. La Doctrina ha propuesto distintas soluciones.

En primer lugar, IGLESIAS RÍO considera que la configuración de la regularización tributaria como causa personal de levantamiento de la pena conduce a que "el efecto bloqueo tenga un alcance personal", lo que significa que la notificación bloqueará la exención de pena a aquél que la recibe, pero no a los demás[40].

J.M./ CASADO OLLERO, G., *Curso de Derecho Financiero y Tributario,* 30ª ed., cit., pp. 373 y ss., con abundante Jurisprudencia sobre esta materia.

39 En concreto, el art. 305.4 CP precisa que la regularización de la situación tributaria ha de producirse antes de que al obligado tributario "se *le* haya notificado el inicio de actuaciones de comprobación o investigación [...]". La cursiva es nuestra.

40 Así, IGLESIAS RÍO, M.A., *La regularización fiscal en el delito de defraudación tributaria (un análisis de la «autodenuncia». Art. 305-4 CP),* cit., p. 373. Véanse, en el mismo sentido, SÁNCHEZ-OSTIZ GUTIÉRREZ, P., *La Exención de*

En segundo lugar, HERRERO DE EGAÑA ESPINOSA DE LOS MONTEROS afirma que la notificación a uno de los sujetos responsables del fraude fiscal debería impedir a todos los demás optar a la regularización tributaria, pues, de lo contrario, se estaría beneficiando a aquellos defraudadores que mejor se esconden ofreciéndoles un tratamiento privilegiado[41].

En nuestra opinión, más adecuada nos parece la posición de MARTÍNEZ-BUJÁN PÉREZ, a la que nos unimos. Según este autor, la respuesta al supuesto planteado depende del título de imputación que corresponda a cada sujeto, de manera que, si los sujetos fueran coautores, la notificación a uno de ellos no tendría "efectos oclusivos para los restantes obligados tributarios que no hubiesen sido fehacientemente notificados"[42]. En caso de que, además del autor, hubiera partícipes, la notificación practicada al primero provocaría que los segundos perdieran, también, la posibilidad de regularizar[43].

Responsabilidad Penal por Regularización Tributaria, cit., p. 92; BRANDARIZ GARCÍA, J.A., *La exención de responsabilidad penal por regularización en el delito de defraudación a la Seguridad Social*, cit., p. 104; CHAZARRA QUINTO, M.A., *Delitos contra la Seguridad Social,* cit., pp. 355-356; MARTÍNEZ LUCAS, J.A., *El delito de defraudación a la Seguridad Social. Régimen legal, criterios jurisprudenciales,* cit., p. 194; GÓMEZ PAVÓN, P., "La regularización en el delito de defraudación a la Seguridad Social", cit., p. 590 o BUSTOS RUBIO, M., *La regularización en el delito de defraudación a la Seguridad Social,* cit., p. 360.

41 HERRERO DE EGAÑA ESPINOSA DE LOS MONTEROS, J.M., "Estudio sobre el delito fiscal del art. 349 del Código Penal tras la reforma operada por la Ley Orgánica 6/1995, de 29 de junio", en *Revista Actualidad Jurídica Aranzadi*, n. 239, marzo 1996, p. 6.

42 Así, MARTÍNEZ-BUJÁN PÉREZ, C., *Los delitos contra la Hacienda Pública y la Seguridad Social,* cit., p. 175. En el mismo sentido, DE LA MATA BARRANCO, N., "La cláusula de regularización tributaria en el delito de defraudación fiscal del artículo 305 del Código Penal", cit., p. 320 o BRANDARIZ GARCÍA, J.A., *La exención de responsabilidad penal por regularización en el delito de defraudación a la Seguridad Social*, cit., p. 104.

43 MARTÍNEZ-BUJÁN PÉREZ, C., *Los delitos contra la Hacienda Pública y la Seguridad Social,* cit., p. 175. En el mismo sentido, véanse BRANDARIZ GARCÍA, J.A., *La exención de responsabilidad penal por regularización en el delito de defraudación a la Seguridad Social*, cit., p. 104; CHAZARRA QUINTO, M.A., *Delitos contra la Seguridad Social,* cit., p. 356 o DE LA MATA BARRANCO, N., "La cláusula de regularización tributaria en el delito de defraudación fiscal del artículo 305 del Código Penal", cit., p. 320.

2.3.3. Eficacia de la notificación recibida por el representante del obligado tributario o por tercero

Según la LGT, las notificaciones podrán ser recogidas por los siguientes sujetos: a) el obligado tributario; b) su representante o c) cualquier persona que estuviera presente en el domicilio fiscal del obligado tributario o de su representante (art. 111 LGT)[44]. Cuando no pudiera entregarse la notificación a ninguno de los sujetos anteriormente mencionados, la LGT prevé que se pueda practicar la notificación por comparecencia. En este sentido, el art. 112 LGT establece que la Administración Tributaria podrá citar al obligado tributario o a su representante a comparecer por medio de edictos publicados en el BOE, siempre que se cumplan determinados requisitos[45]. Dicho anuncio contendrá, según dispone el art. 112 LGT, la identificación del obligado tributario o de su representante, la relación de notificaciones pendientes, el procedimiento que las motiva, así como el órgano al que compete la tramitación del citado procedimiento y el lugar y plazo del que dispone el obligado tributario o su representante para comparecer y ser notificado. Si transcurridos 15 días naturales –contados a partir del día siguiente al de la publicación del edicto–, el obligado tributario o su representante no compareciesen, el art. 112 LGT establece que la notificación se dará por realizada, desplegando sus efectos a partir del día siguiente al del vencimiento del plazo señalado.

---

44 Para ser más exactos, el art. 111 LGT establece lo siguiente: "1. Cuando la notificación se practique en el lugar señalado al efecto por el obligado tributario o por su representante, o en el domicilio fiscal de uno u otro, de no hallarse presentes en el momento de la entrega, podrá hacerse cargo de la misma cualquier persona que se encuentre en dicho lugar o domicilio y haga constar su identidad, así como los empleados de la comunidad de vecinos o de propietarios donde radique el lugar señalado a efectos de notificaciones o el domicilio fiscal del obligado o su representante. 2. El rechazo de la notificación realizado por el interesado o su representante implicará que se tenga por efectuada la misma."

45 Según el art. 112 LGT, para que se pueda notificar por comparecencia es necesario que se cumplan con los siguientes requisitos: 1°) que no haya sido posible efectuar la notificación al interesado o a su representante; 2°) que la falta de notificación sea por causas no imputables a la propia Administración Tributaria; 3°) que se haya intentado notificar al menos dos veces en el domicilio fiscal o en el lugar designado por el interesado, aunque valdrá con un solo intento cuando el destinatario constara como desconocido en dicho domicilio o lugar.

A raíz de lo anterior y en la medida en que el art. 305.4 CP no se pronuncia al respecto, cabe cuestionarse lo siguiente:

1) ¿qué efectos tienen las notificaciones entregadas al representante del obligado tributario?
2) ¿y las recogidas por terceras personas?
3) ¿se aplicará la exención de pena del art. 305.4 CP cuando la notificación se realice por comparecencia?

Empezando por las dos primeras cuestiones –las cuales, en nuestra opinión, pueden ser analizadas conjuntamente–, cabría defender al menos dos interpretaciones.

Por una parte, podría entenderse, tal y como parece defender CHAZARRA QUINTO, que el art. 305.4 CP exige –para bloquear la posibilidad de acogerse a la exención de pena– que la notificación sea personal[46], en la medida en que dicho precepto se refiere a que el obligado tributario ha de regularizar "antes de que por la Administración Tributaria *se le haya notificado* [...]"[47]. Desde esta perspectiva, el bloqueo se produciría únicamente cuando la notificación fuera recibida por el obligado tributario, pero no por su representante o terceros.

Por otra parte, en nuestra opinión y siguiendo a la Doctrina mayoritaria[48], más razonable sería interpretar que la referencia expresa que hace el art. 305.4 CP a la notificación y no a otra forma de adquirir el conocimiento por el sujeto vincula la interpretación de este

46 CHAZARRA QUINTO, M.A., *Delitos contra la Seguridad Social,* cit., pp. 354-355. También parece apuntar en este sentido, QUERALT JIMÉNEZ, J.J., "La regularización como comportamiento postdelictivo en el delito fiscal", cit., p. 52.

47 La cursiva es nuestra.

48 Así, véanse FENELLÓS PUIGCERVER, V., "El concepto de regularización tributaria a efectos de la exclusión de la pena por delito del artículo 305 del Código Penal", cit., pp. 62-63; MARTÍNEZ LUCAS, J.A., *El delito de defraudación a la Seguridad Social,* cit., p. 194; BRANDARIZ GARCÍA, J.A., *La exención de responsabilidad penal por regularización en el delito de defraudación a la Seguridad Social,* cit., p. 102; DE LA MATA BARRANCO, N., "La cláusula de regularización tributaria en el delito de defraudación fiscal del artículo 305 del Código Penal", cit., p. 320; SABADELL CARNICERO, C., "La regularización tributaria como causa de exención de la responsabilidad penal", cit., p. 215 o BUSTOS RUBIO, M., *La regularización en el delito de defraudación a la Seguridad Social,* cit., p. 366.

requisito con las normas administrativas y tributarias que lo regulan. En este sentido, según BRANDARIZ GARCÍA, "no cabe excluir que [la notificación] se haga a una persona identificada presente en el domicilio"[49], al igual que tampoco podrá excluirse la notificación recibida por el representante del obligado tributario. En definitiva, desde esta posición el art. 305.4 CP surtiría plenos efectos tanto cuando la notificación hubiera sido recibida personalmente por el obligado tributario, como cuando hubiese sido entregada a su representante legal o a terceros en las condiciones previstas en el art. 111 LGT[50].

Para responder a la tercera cuestión planteada –es decir, la relativa a la aplicación del art. 305.4 CP cuando la notificación se realizara por comparecencia–, en nuestra opinión, sería necesario distinguir entre varios supuestos, pues, tras la publicación del edicto en el BOE podrían suceder tres cosas:

1) Que en el plazo otorgado el obligado tributario o su representante comparezca ante la Administración Tributaria. En estos casos, consideramos que el bloqueo del art. 305.4 CP surgirá desde el momento de la notificación, que se llevará a cabo durante la comparecencia[51].
2) Que el obligado tributario o su representante no comparezca en el plazo señalado, en cuyo caso el bloqueo del art. 305.4 CP se producirá en el momento en el que, a efectos administrativos,

---

49 BRANDARIZ GARCÍA, J.A., *La exención de responsabilidad penal por regularización en el delito de defraudación a la Seguridad Social*, cit., p. 102.

50 También parece ser esta la posición que mantiene la Jurisprudencia. Así, pese a que ello no ha sido objeto de especial análisis por los Tribunales, pueden encontrarse sentencias como, por ejemplo, la Sentencia de la Audiencia Provincial de Valencia, sección 4ª, 423/2016, de 16 de junio, Fundamento Jurídico Tercero (Tol 5.861.321), que niega eximir de pena por regularización tributaria en un caso en el que el obligado tributario reconoce la deuda cuatro días después de que su esposa recibiera la notificación del inicio de actuaciones de comprobación o investigación por parte de la AEAT.

51 En este sentido, el art. 115 del Reglamento General de las actuaciones y los procedimientos de gestión e inspección tributaria establece que, si la comparecencia del obligado tributario o su representante se produjera dentro del plazo de 15 días naturales a la publicación del edicto, "se practicará la notificación correspondiente". Asimismo, también establece que, en caso de que, durante su comparecencia, se negaran a ser notificados, se dejará constancia de ello y se les tendrá por notificados a todos los efectos.

la notificación surta eficacia, es decir, el día siguiente al que finalizara el plazo señalado para comparecer (art. 112 LGT)[52]. A pesar de que este modo de notificación "no garantiza el conocimiento efectivo"[53] del obligado tributario sobre las actuaciones iniciadas en su contra, en nuestra opinión[54], puede ser suficiente para bloquear la exención de pena por regularización tributaria y ello por dos razones: primero, porque el art. 305.4 CP exige notificación y esta lo es según la LGT y, segundo, porque, de no admitirse el bloqueo de los efectos del art. 305.4 CP en estos casos, se estaría permitiendo supeditar la aplicación de dicho precepto al conocimiento efectivo y no al formal, además de dejar en suspenso la posibilidad de regularizar a expensas de que el obligado tributario pueda ser localizado y forzar a la Administración Tributaria a numerosos intentos de notificación.

---

52 De otra opinión es BERTRÁN GIRÓN, que opina que, en caso de notificación por comparecencia, el bloqueo se produciría desde el momento en el que se publique el edicto en el Boletín Oficial del Estado (BERTRÁN GIRÓN, F., *Regularización y delito contra la Hacienda Pública. Cuestiones prácticas,* cit., p. 286).

53 Así, MARTÍN QUERALT, J./ LOZANO SERRANO, C./ TEJERIZO LÓPEZ, J.M./ CASADO OLLERO, G., *Curso de Derecho Financiero y Tributario,* 30ª ed., cit., p. 378.

54 En el mismo sentido, véanse IGLESIAS RÍO quien admite que la notificación por comparecencia tenga eficacia para bloquear los efectos del art. 305.4 CP, sobre todo en aquellos casos en los que existen "maquinaciones fraudulentas para evitar la recepción de notificaciones" (IGLESIAS RÍO, M.A., *La regularización fiscal en el delito de defraudación tributaria (un análisis de la «autodenuncia». Art. 305-4 CP)*, cit., p. 366) o DE LA MATA BARRANCO, N., "La cláusula de regularización tributaria en el delito de defraudación fiscal del artículo 305 del Código Penal", cit., p. 319. De igual modo, FENELLÓS PUIGCERVER admite que en caso de que los infractores actúen de mala fe y se ausenten o rechacen las notificaciones porque sospechan de la comprobación, se podría negar la exención de pena del art. 305.4 CP desde que se hubiese producido el intento de notificación en el domicilio (así, FENELLÓS PUIGCERVER, V., "El concepto de regularización tributaria a efectos de la exclusión de la pena por delito del artículo 305 del Código Penal", cit., p. 62). No obstante, en nuestra opinión, no pueden equipararse en efectos la ausencia del obligado tributario con el rechazo de la notificación, toda vez que, mientras en el primer caso, la Administración Tributaria puede realizar un segundo intento de notificación o citar a comparecer a través de edictos, en el segundo, el rechazo del obligado tributario o su representante a recibir la notificación tiene como consecuencia, según el art. 111.2 LGT, que se le tenga por notificado.

3) Por último, también podría ocurrir que, tras la publicación del edicto, pero antes de finalizar el plazo otorgado para comparecer, el obligado tributario o su representante aprovechara la ocasión para regularizar las deudas que tiene pendiente con la Administración Tributaria. Para ser más exactos, el supuesto en el que estamos pensando es aquel en el que el obligado tributario tiene conocimiento a través del edicto de que la Administración Tributaria le ha citado para ser notificado y, sospechando de que ello podría estar relacionado con deudas pendientes[55], se apresura para regularizar su situación presentando una autoliquidación por medios telemáticos. Pues bien, en esta situación –un tanto extraña, aunque posible– podríamos sostener, por un lado, que, ante la ausencia de una notificación personal en la que se informe al obligado tributario de las actuaciones que se están llevando a cabo en su contra, los datos que se ofrecen en el anuncio publicado en el BOE –la relación de notificaciones pendientes, el procedimiento que las motiva, así como el órgano al que compete la tramitación– no pueden ser suficientes para bloquear los efectos del art. 305.4 CP. Por otro lado, la falta de comparecencia ante la Administración Tributaria –la autoliquidación se hace telemáticamente[56]– y la ausencia de expiración del plazo de 15 días otorgado para comparecer hace que tampoco sea posible notificar o tener por notificado el inicio de actuaciones en contra del obligado tributario, lo que, al menos teóricamente, conduce a pensar, en nuestra opinión, que en el supuesto planteado la conducta del obligado tributario pudiera ser considerada espontánea a efectos del art. 305.4 CP.

---

55 Cuya defraudación, naturalmente, fuera constitutiva de delito, pues, de no serlo, carecería de importancia a los efectos de la cláusula del art. 305.4 CP.

56 Para ello no es necesario comparecer y tampoco es imprescindible haber leído las notificaciones que se encuentran disponibles en la Sede Electrónica de la Agencia Tributaria.

2.3.4. La forma y el contenido de la notificación

Desde un punto de vista formal, la notificación ha de cumplir, según amplia Doctrina[57], con todos los requisitos legalmente previstos, de lo que se infiere que las notificaciones que no se adecúen a dichos requisitos "no deberían producir «efecto de bloqueo»"[58]. No obstante, en nuestra opinión y siguiendo a IGLESIAS RÍO, los defectos formales de la notificación no deberían ser un obstáculo para bloquear los efectos del art. 305.4 CP en todo caso, sino solo aquellos que sean esenciales. En consecuencia, producirían el bloqueo del art. 305.4 CP las notificaciones cuyos defectos sean inesenciales o subsanables[59].

En cuanto a su contenido, la Doctrina ha entendido, asimismo, que la notificación deberá informar al obligado tributario sobre la naturaleza y el alcance de las actuaciones[60], concretamente, según IGLESIAS RÍO, deberá indicar "la naturaleza del impuesto y, de acuerdo con la competencia material del funcionario particular, la dimensión de las actuaciones judiciales o administrativas de comprobación, con qué finalidad, a qué impuestos o deudas concretas afectan nominalmente, cuáles son los supuestos de hecho a investigar o qué ejercicios de

---

57 Así, MARTÍNEZ-BUJÁN PÉREZ, C., *Los delitos contra la Hacienda Pública y la Seguridad Social,* cit., p. 172; IGLESIAS RÍO, M.A., *La regularización fiscal en el delito de defraudación tributaria (un análisis de la «autodenuncia». Art. 305-4 CP)*¸ cit., p. 364; SÁNCHEZ-OSTIZ GUTIÉRREZ, P., *La Exención de Responsabilidad Penal por Regularización Tributaria*, cit., p. 86; MARTÍNEZ LUCAS, J.A., *El delito de defraudación a la Seguridad Social,* cit., pp. 193-194; DE LA MATA BARRANCO, N., "La cláusula de regularización tributaria en el delito de defraudación fiscal del artículo 305 del Código Penal", cit., p. 318; FERRÉ OLIVÉ, J.C., *Tratado de los delitos contra la Hacienda Pública y contra la Seguridad Social,* cit., p. 320 o LANDERA LURI, M., *Excusas absolutorias basadas en conductas positivas postconsumativas: acciones contratípicas*, cit., p. 138.

58 SÁNCHEZ-OSTIZ GUTIÉRREZ, P., *La Exención de Responsabilidad Penal por Regularización Tributaria*, cit., p. 87.

59 Así, IGLESIAS RÍO, M.A., *La regularización fiscal en el delito de defraudación tributaria (un análisis de la «autodenuncia». Art. 305-4 CP)*¸ cit., pp. 366-367 o DE LA MATA BARRANCO, N., "La cláusula de regularización tributaria en el delito de defraudación fiscal del artículo 305 del Código Penal", cit., p. 319.

60 SÁNCHEZ-OSTIZ GUTIÉRREZ, P., *La Exención de Responsabilidad Penal por Regularización Tributaria*, cit., p. 86. En idéntico sentido, DE LA MATA BARRANCO, N., "La cláusula de regularización tributaria en el delito de defraudación fiscal del artículo 305 del Código Penal", cit., p. 320.

recaudación son objeto de la inspección"[61]. Los defectos materiales de la notificación podrían ocasionar la plena nulidad y que no fuera tenida en cuenta a efectos del art. 305.4 CP[62], sobre todo aquellos errores que impidieran al obligado tributario tener un conocimiento exacto del impuesto y el periodo impositivo objeto de investigación.

2.4. Los efectos del art. 305.4 CP en caso de caducidad del procedimiento tributario

Otra cuestión que es objeto de debate tiene que ver con los efectos del art. 305.4 CP cuando se produce la caducidad del procedimiento de comprobación o inspección iniciado por la Administración Tributaria. La caducidad es, en palabras de MARTÍN QUERALT, "un modo anormal de finalización del procedimiento administrativo que tiene su razón de ser en la previa fijación de un plazo legal, y que se produce por la inactividad o paralización de la actividad administrativa durante el plazo establecido por la Ley"[63].

Pues bien, en el ámbito tributario, los efectos que producen la caducidad del procedimiento administrativo dependen, por un lado, de si se han iniciado a instancia de parte o de oficio y, por otro, del tipo de procedimiento. En el caso de los procedimientos iniciados de oficio, que son los que nos interesan, los efectos de la caducidad dependerán del tipo de procedimiento (art. 104.4 LGT). Cuando no hubiera una regulación expresa sobre los efectos de la caducidad en algún procedimiento, el art. 104.5 LGT dispone que la caducidad del procedimiento producirá, entre otros efectos, el archivo de las actuaciones ya realizadas, que no interrumpirán el plazo de prescripción "ni se

---

61 IGLESIAS RÍO, M.A., *La regularización fiscal en el delito de defraudación tributaria (un análisis de la «autodenuncia». Art. 305-4 CP)*, cit., p. 364. Igualmente, DE LA MATA BARRANCO, N., "La cláusula de regularización tributaria en el delito de defraudación fiscal del artículo 305 del Código Penal", cit., p. 320.

62 Así, IGLESIAS RÍO, M.A., *La regularización fiscal en el delito de defraudación tributaria (un análisis de la «autodenuncia». Art. 305-4 CP)*, cit., p. 366 o LANDERA LURI, M., *Excusas absolutorias basadas en conductas positivas postconsumativas: acciones contratípicas*, cit., p. 139.

63 MARTÍN QUERALT, J./ LOZANO SERRANO, C./ TEJERIZO LÓPEZ, J.M./ CASADO OLLERO, G., *Curso de Derecho Financiero y Tributario*, 30ª ed., cit., p. 351.

considerarán requerimientos administrativos a los efectos previstos en el apartado 1 del artículo 27 de esta ley". Esto significa que los requerimientos administrativos llevados a cabo en el marco del procedimiento caducado se tendrán por no realizados.

Si analizamos el procedimiento de inspección, el art. 150.6 LGT establece que, aunque el incumplimiento del plazo de duración de dicho procedimiento no produce su caducidad, los ingresos ya efectuados por el obligado tributario durante la vigencia del procedimiento tendrán el carácter de espontáneos[64].

A efectos del cómputo del plazo previsto para la tramitación de los procedimientos tributarios, no tendrán relevancia, según el art. 104 LGT, los periodos de interrupción justificada del procedimiento, las dilaciones en el procedimiento causadas por factores ajenos a la Administración Tributaria, así como tampoco contarán los periodos de suspensión del plazo que se dicten conforme la ley. Entre las causas de dilación del procedimiento no imputables a la Administración Tributaria, el art. 104 del Reglamento General de las Actuaciones y Procedimientos de Gestión e Inspección Tributaria prevé multitud de actuaciones del obligado tributario que pudieran causar retrasos en el procedimiento, razón por la que los periodos que se deban a retrasos imputables al propio obligado tributario no computarán a efectos del plazo de terminación del procedimiento.

En el ámbito penal, serían posibles, según entendemos, dos interpretaciones. Por una parte, podría entenderse que la caducidad o la finalización del plazo de tramitación establecido para el procedimiento de comprobación o inspección debería tener los mismos efectos que en el ámbito tributario[65]. Por otra parte, sin embargo, podría considerarse que, aunque se haya producido la caducidad del procedimiento

---

64 Sobre el plazo de las actuaciones inspectoras, véase DE PABLO VARONA, C., "Plazo de las actuaciones inspectoras", en *Estudios sobre la reforma de la ley general tributaria,* de I. Merino Jara y J. Calvo Vérgez (coords.), Barcelona, 2016, pp. 229-256.

65 Es de esta opinión BRANDARIZ GARCÍA, J.A., *La exención de responsabilidad penal por regularización en el delito de defraudación a la Seguridad Social*, cit., p. 109. Según este autor, "la entidad de bloqueo que poseen esas actividades notificadas se pierde con su terminación insatisfactoria, que les priva de existencia". En el mismo sentido, véase SABADELL CARNICERO, C., "La regularización tributaria como causa de exención de la responsabilidad penal", cit., p. 218.

o haya finalizado el plazo de tramitación, la notificación de su inicio impide que la regularización pueda ser considerada espontánea[66].

Los Tribunales mayoritariamente interpretan –en nuestra opinión con acierto– que la finalización del plazo de tramitación del procedimiento o su caducidad conduce a que las actuaciones llevadas a cabo por el obligado tributario en el marco de dicho procedimiento sean consideradas espontáneas, también a efectos del art. 305.4 CP, siempre y cuando el retraso en la tramitación no se haya debido a causas imputables al obligado tributario[67]. En este sentido, se argumenta que, si en el ámbito tributario las declaraciones e ingresos extemporáneos y espontáneos no dan lugar a sanción administrativa, tampoco deberían generar responsabilidad penal.

Ahora bien, que los efectos de la caducidad del procedimiento previstos en las normas tributarias puedan ser utilizados para valorar la espontaneidad del art. 305.4 CP no significa que la caducidad conlleve automáticamente la aplicación de la cláusula, pues, para ello, habría que comprobar que se cumplen los demás requisitos –como el reconocimiento y pago completo de la deuda tributaria–. En definitiva, la caducidad del procedimiento no tendrá relevancia si durante el mismo el obligado tributario no hubiese llevado a cabo actuación alguna de regularización. Tampoco tendrá efecto alguno si con posterioridad al procedimiento tributario se hubiesen producido alguna de las demás causas de bloqueo previsto en el art. 305.4 CP.

Para concluir, restaría por remarcar que coincidimos con MARTÍNEZ-BUJÁN PÉREZ cuando afirma que la regularización tributaria tendría que considerarse espontánea si el procedimiento tributario de comprobación o investigación de las deudas objeto de regularización

---

66 Es partidario de esta postura BERTRÁN GIRÓN, F., *Regularización y delito contra la Hacienda Pública. Cuestiones prácticas,* cit., p. 298.

67 Véanse, en este sentido, la Sentencia de la Audiencia Provincial de Sevilla, sección 3ª, 95/2006, de 16 de febrero, Fundamento Jurídico Tercero (Tol 6.392.054); la Sentencia de la Audiencia Provincial de Sevilla, sección 1ª, 391/2007, de 28 de junio, Fundamento Jurídico Primero (Tol 1.632.800); el Auto de la Audiencia Provincial de Barcelona, sección 8ª, de 11 de enero de 2007, Fundamento Jurídico Primero (Tol 2.659.362).

"no hubiese sido capaz de descubrir el delito de defraudación tributaria que, sin embargo, efectivamente se habría cometido"[68].

3. SEGUNDO LÍMITE TEMPORAL: INTERPOSICIÓN DE QUERELLA O DENUNCIA

3.1. Cuestiones introductorias

La segunda causa de bloqueo que establece el art. 305.4 CP consiste en la interposición de querella o denuncia contra el obligado tributario por parte del Ministerio Fiscal, el Abogado del Estado o el representante procesal de la Administración autonómica, foral o local. Dicho límite opera, según ya hemos advertido antes, solo si la Administración Tributaria no ha notificado previamente el inicio de actuaciones de comprobación o investigación.

Según BUSTOS RUBIO, este límite temporal opera en un plano diferente al anterior ya que abandona el plano administrativo para pasar al judicial y sirve, en muchos casos, para contrarrestar "posibles defectos técnicos o delimitadores derivados de la primera [causa de bloqueo]"[69]. Así, entiende este autor, que, a pesar de su carácter secundario o alternativo, no puede decirse que su papel sea menos importante, toda vez que contribuye a "objetivar el elemento de la *voluntariedad*"[70].

Siguiendo la estructura que hemos adoptado al analizar el primer límite temporal, resulta oportuno detenernos a examinar las distin-

---

68 MARTÍNEZ-BUJÁN PÉREZ, C., *Los delitos contra la Hacienda Pública y la Seguridad Social,* cit., pp. 174-175. En idéntico sentido, LANDERA LURI afirma que "parece lógico que si las actuaciones de comprobación finalizan sin detectar el delito cometido, se reabra de nuevo la posibilidad de que el sujeto regularice su situación accediendo a la exención de pena" (LANDERA LURI, M., *Excusas absolutorias basadas en conductas positivas postconsumativas: acciones contratípicas*, cit., p. 146).

69 BUSTOS RUBIO, M., *La regularización en el delito de defraudación a la Seguridad Social*, cit., p. 364.

70 BUSTOS RUBIO, M., *La regularización en el delito de defraudación a la Seguridad Social*, cit., p. 364.

tas partes que conforman esta segunda causa de bloqueo, prestando especial atención a aquellas cuestiones que más controversia han suscitado entre la Doctrina. En concreto, nos interesa examinar, por un lado, las características de la querella y la denuncia y los sujetos legitimados para interponerlas y, por otro lado, analizar el momento en el que opera esta causa de bloqueo, toda vez que, según veremos, a diferencia de las demás causas de bloqueo, el art. 305.4 CP no exige en este caso que el obligado tributario haya adquirido el conocimiento formal de las actuaciones del Ministerio Fiscal y demás representantes procesales.

3.2. Las características de la querella o denuncia

Las características y estructura de la querella y la denuncia se encuentran previstas en el Real Decreto de 14 de septiembre de 1882, *por el que se aprueba la Ley de Enjuiciamiento Criminal* (LECRIM), concretamente, en su Libro I, Títulos I y II[71]. Ahora bien, no cualquier denuncia o querella sirve para bloquear la exención de pena según el art. 305.4 CP, sino que solo tendrán esa capacidad aquellas que interpongan el Ministerio Fiscal, el Abogado del Estado o los representantes procesales de las administraciones autonómicas, forales o locales. En consecuencia, quedarían fuera de esa lista, según reiterada Doctrina a la que nos unimos, las denuncias de particulares o la acción popular, en la medida en que la referencia que realiza el precepto a los sujetos es, en palabras de BUSTOS RUBIO, taxativa y no meramente ejemplificativa[72].

---

71 Sobre la estructura y características de la denuncia y querella, puede verse CORTÉS DOMÍNGUEZ, V./ MORENO CATENA, V., *Derecho Procesal Penal,* 9ª ed., Valencia, 2019, pp. 195 y ss.

72 Así, BUSTOS RUBIO, M., *La regularización en el delito de defraudación a la Seguridad Social*, cit., p. 378 y FERRÉ OLIVÉ, J.C., *Tratado de los delitos contra la Hacienda Pública y contra la Seguridad Social*, cit., p. 322. Con anterioridad a estos autores, véanse, entre otros, MARTÍNEZ-BUJÁN PÉREZ, C., *Los delitos contra la Hacienda Pública y la Seguridad Social,* cit., p. 176; IGLESIAS RÍO, M.A., *La regularización fiscal en el delito de defraudación tributaria (un análisis de la «autodenuncia». Art. 305-4 CP)*¸ cit., p. 385; SÁNCHEZ-OSTIZ GUTIÉRREZ, P., *La Exención de Responsabilidad Penal por Regularización Tributaria*, cit., p. 92; BRANDARIZ GARCÍA, J.A., "La regularización postdelictiva en los delitos contra la Hacienda Pública y la Seguridad Social", en *Estudios penales*

Algunos autores se han mostrado críticos con la limitación de los sujetos cuya denuncia o querella bloquea la exención de pena. Así, según MARTÍNEZ-BUJÁN PÉREZ, la naturaleza cerrada del catálogo de sujetos a los que se les atribuye la posibilidad de bloquear los efectos de la regularización tributaria crea un vacío legal que permitiría eximir de pena al obligado tributario que, conocedor del ejercicio de la acción popular en su contra, regulariza su situación tributaria antes de que "los órganos de persecución legitimados según el art. 349.3 CP [ahora art. 305.4 CP] interpongan querella o denuncia o antes de que, en su caso, se incoen las diligencias penales a que se alude en la tercera de bloqueo"[73]. A pesar de que, en opinión de este autor, el caso anteriormente descrito no merezca la exención de pena, *de lege lata* no queda otra opción que admitirla.

Según el tenor literal del art. 305.4 CP, habría que entender, por tanto, que, en caso de que sean los particulares quienes interpongan denuncia o querella, la posibilidad de eximir la pena por la regularización quedaría abierta –tal y como advierte IGLESIAS RÍO– hasta que el Ministerio Fiscal o el Juez de Instrucción notificare al obligado tributario el inicio de diligencias, momento en el cual empezaría a operar la tercera causa de bloqueo del art. 305.4 CP[74].

A diferencia de los autores antes citados, FERRÉ OLIVÉ, sin embargo, estima –probablemente con razón– que la exclusión de los particulares del art. 305.4 CP resulta totalmente acertada, toda vez que, en opinión de este autor, "otorgar poder de bloqueo a una denuncia presentada por un particular puede convertirse en un instrumento de presión o chantaje a su favor, o simplemente de negociaciones al mar-

---

y criminológicos, n. 24, 2002-2003, pp. 94-95; MORALES PRATS, F., "De los delitos contra la Hacienda Pública contra la Seguridad Social", cit., p. 1085; FERRÉ OLIVÉ, J.C., *Tratado de los delitos contra la Hacienda Pública y contra la Seguridad Social*, p. 322.

73 MARTÍNEZ-BUJÁN PÉREZ, C., *Los delitos contra la Hacienda Pública y la Seguridad Social,* cit., p. 176.

74 IGLESIAS RÍO, M.A., *La regularización fiscal en el delito de defraudación tributaria (un análisis de la «autodenuncia». Art. 305-4 CP)*, cit., p. 385. También concuerda con esta solución MORALES PRATS, F., "De los delitos contra la Hacienda Pública contra la Seguridad Social", cit., p. 1085 y MANJÓN-CABEZA OLMEDA, A., *Las excusas absolutorias en Derecho Español. Doctrina y jurisprudencia,* cit., p. 172.

gen de la ley si es que se ha tenido conocimiento oportuno del fraude cometido"[75].

3.3. *Sobre la falta de mención al conocimiento formal*

3.3.1. Planteamiento del problema

A diferencia de los demás, el segundo límite temporal del art. 305.4 CP sitúa el momento de preclusión de la posibilidad de eximir de pena en el momento de la interposición de querella o denuncia y no cuando el obligado tributario haya adquirido conocimiento formal de dichas actuaciones[76]. Así, tal y como señalan BOIX REIG y MIRA BENAVENT, "la regulación es ciertamente defectuosa, ya que su tenor literal desvela alguna contradicción entre diversos supuestos y no se compadece claramente con la finalidad pretendida por la norma"[77].

A pesar de que una interpretación estrictamente literal del precepto obligaría a fijar el momento de preclusión de la regularización tributaria en el momento de la interposición de la querella o denuncia –tal y como defiende un sector de la Doctrina[78]–, un extenso número

---

75 FERRÉ OLIVÉ, J.C., *Tratado de los delitos contra la Hacienda Pública y contra la Seguridad Social*, cit., p. 322.

76 En sentido crítico con la configuración de esta causa de bloqueo, véanse, entre muchos otros, MARTÍNEZ-BUJÁN PÉREZ, C., *Los delitos contra la Hacienda Pública y la Seguridad Social,* cit., p. 177; IGLESIAS RÍO, M.A., *La regularización fiscal en el delito de defraudación tributaria (un análisis de la «autodenuncia». Art. 305-4 CP)*, cit., p. 386; DE LA MATA BARRANCO, N., "La cláusula de regularización tributaria en el delito de defraudación fiscal del artículo 305 del Código Penal", cit., pp. 321-322; QUERALT JIMÉNEZ, J.J., "La regularización como comportamiento postdelictivo en el delito fiscal", cit., pp. 45-52 y, más recientemente, BUSTOS RUBIO, M., *La regularización en el delito de defraudación a la Seguridad Social*, cit., pp. 364 y ss.; MORALES PRATS, F., "De los delitos contra la Hacienda Pública contra la Seguridad Social", cit., p. 1085 o FERRÉ OLIVÉ, J.C., *Tratado de los delitos contra la Hacienda Pública y contra la Seguridad Social,* cit., p. 351.

77 BOIX REIG, J./ MIRA BENAVENT, J., *Delitos contra la Hacienda Pública y contra la Seguridad Social,* cit., p. 99.

78 Así, MORENO CÁNOVES, A./ RUIZ MARCO, F., *Delitos socioeconómicos. Comentarios a los arts. 262, 270 a 310 del nuevo Código penal (concordados y con jurisprudencia)*, cit., p. 449; FENELLÓS PUIGCERVER, V., "El concepto

de autores optan por una interpretación sistemática y teleológica que permitiría entender que este límite temporal, al igual que los demás del art. 305.4 CP, operaría desde el momento en que el obligado tributario tuviera conocimiento de la interposición de denuncia o querella en su contra por el Ministerio Fiscal, el Abogado del Estado o los representantes procesales de las distintas administraciones tributarias autonómicas forales o locales[79]. Dentro de este sector doctrinal, po-

---

de regularización tributaria a efectos de la exclusión de la pena por delito del artículo 305 del Código Penal", cit., p. 63; HERRERO DE EGAÑA ESPINOSA DE LOS MONTEROS, J.M., "Estudio sobre el delito fiscal del art. 349 del Código Penal tras la reforma operada por la Ley Orgánica 6/1995, de 29 de junio", cit., p. 5; MARTÍNEZ LUCAS, J.A., *El delito de defraudación a la Seguridad Social,* cit., pp. 195-196; SÁNCHEZ-OSTIZ GUTIÉRREZ, P., *La Exención de Responsabilidad Penal por Regularización Tributaria*, cit., p. 91; id., "La «regularización» tributaria en el conjunto de los medios para combatir el fraude fiscal en España", cit., p. 40; LINARES, M.B., *El delito de defraudación tributaria. Análisis dogmático de los artículos 305 y 305 bis del Código Penal español*, cit., p. 305 o BERTRÁN GIRÓN, F., *Regularización y delito contra la Hacienda Pública. Cuestiones prácticas,* cit., pp. 303 y ss.

79 Entre otros, MARTÍNEZ-BUJÁN PÉREZ, C., *Los delitos contra la Hacienda Pública y la Seguridad Social,* cit., p. 177; MAGALDI PATERNOSTRO, M.J., "De los delitos contra la Hacienda Pública y contra la Seguridad Social", cit., p. 1208; SUÁREZ GONZÁLEZ, C.J., "El delito de defraudación tributaria", cit., p. 126; ARIAS SENSO, M.A., "Delitos contra la Hacienda Pública: subtipos agravados y regularización fiscal", en *Actualidad Penal,* n. 32, 1999, s/p. Disponible en línea: www.laleydigital.es [fecha última consulta: 10/11/2020]; BOIX REIG, J./ MIRA BENAVENT, J., *Delitos contra la Hacienda Pública y contra la Seguridad Social,* cit., p. 100; OCTAVIO DE TOLEDO Y UBIETO, E., "Consideración penal de las cláusulas de regularización tributaria", cit., pp. 1472-1478; CHAZARRA QUINTO, M.A., *Delitos contra la Seguridad Social,* cit., p. 358; IGLESIAS RÍO, M.A., *La regularización fiscal en el delito de defraudación tributaria (un análisis de la «autodenuncia». Art. 305-4 CP),* cit., p. 386; id., "Aproximación crítica a la cláusula de exención de la pena por regularización en el delito de defraudación tributaria", cit., pp. 84-86; MORALES PRATS, F., "De los delitos contra la Hacienda Pública contra la Seguridad Social", cit., p. 1085; DE LA MATA BARRANCO, N., "La cláusula de regularización tributaria en el delito de defraudación fiscal del artículo 305 del Código Penal", cit., pp. 321-322; MERINO JARA, I./ SERRANO GONZÁLEZ DE MURILLO, J.L., *El delito fiscal,* 2ª ed., cit., p. 144; QUERALT JIMÉNEZ, J.J., "La regularización como comportamiento postdelictivo en el delito fiscal", cit., pp. 45-52; CARRERAS MANERO, O., "La cláusula de regularización tributaria como causa de exención de la responsabilidad penal en el delito contra la Hacienda Pública", cit., pp. 1-21; GÓMEZ PAVÓN, P., "La regularización en el delito de defraudación a la

dríamos distinguir, a su vez, entre un sector doctrinal que defiende la exigencia de una notificación o un conocimiento formal del inicio de dichas actuaciones[80], de otros, como MARTÍNEZ-BUJÁN PÉREZ[81], que entienden que bastaría con que se pudiera acreditar que el sujeto conocía la existencia de actuaciones, sin que dicho conocimiento tenga que ser necesariamente formal[82].

Seguridad Social", cit., p. 593; BUSTOS RUBIO, M., *La regularización en el delito de defraudación a la Seguridad Social*, cit., pp. 374 y ss.; FERRÉ OLIVÉ, J.C., *Tratado de los delitos contra la Hacienda Pública y contra la Seguridad Social*, cit., p. 321; LANDERA LURI, M., *Excusas absolutorias basadas en conductas positivas postconsumativas: acciones contratípicas*, cit., pp. 147 y ss.

80 Así, ARIAS SENSO, M.A., "Delitos contra la Hacienda Pública: subtipos agravados y regularización fiscal", cit., s/p; MAGALDI PATERNOSTRO, M.J., "De los delitos contra la Hacienda Pública y contra la Seguridad Social", cit., p. 1208; SUÁREZ GONZÁLEZ, C.J., "El delito de defraudación tributaria", cit., p. 126; OCTAVIO DE TOLEDO Y UBIETO, E., "Consideración penal de las cláusulas de regularización tributaria", cit., pp. 1472-1478; BOIX REIG, J./ MIRA BENAVENT, J., *Delitos contra la Hacienda Pública y contra la Seguridad Social,* cit., p. 99; IGLESIAS RÍO, M.A., "Aproximación crítica a la cláusula de exención de la pena por regularización en el delito de defraudación tributaria", cit., pp. 84-86; QUERALT JIMÉNEZ, J.J., "La regularización como comportamiento postdelictivo en el delito fiscal", cit., pp. 45-52; MORALES PRATS, F., "De los delitos contra la Hacienda Pública contra la Seguridad Social", cit., p. 1085; DE LA MATA BARRANCO, N., "La cláusula de regularización tributaria en el delito de defraudación fiscal del artículo 305 del Código Penal", cit., pp. 321-322; MERINO JARA, I./ SERRANO GONZÁLEZ DE MURILLO, J.L., *El delito fiscal,* 2ª ed., cit., p. 144; CARRERAS MANERO, O., "La cláusula de regularización tributaria como causa de exención de la responsabilidad penal en el delito contra la Hacienda Pública", cit., pp. 1-21; BUSTOS RUBIO, M., *La regularización en el delito de defraudación a la Seguridad Social*, cit., pp. 374 y ss.; FERRÉ OLIVÉ, J.C., *Tratado de los delitos contra la Hacienda Pública y contra la Seguridad Social*, cit., p. 321; DE VICENTE MARTÍNEZ, R., *Derecho Penal del Trabajo. Los delitos contra los derechos de los trabajadores y contra la Seguridad Social,* cit., p. 671.

81 MARTÍNEZ-BUJÁN PÉREZ, C., *Los delitos contra la Hacienda Pública y la Seguridad Social*, cit., p. 177. En el mismo sentido, BRANDARIZ GARCÍA, J.A., *La exención de responsabilidad penal por regularización en el delito de defraudación a la Seguridad Social*, cit., pp. 113-114.

82 En definitiva, pueden distinguirse, según advierte con razón BUSTOS RUBIO, hasta tres teorías distintas en torno a esta cuestión: una primera, a la que el autor denomina "teoría de la literalidad", según la cual el bloqueo de la cláusula se produciría en el momento de la interposición; una segunda, que recibe el nombre de "teoría intermedia", en la que se congregan los autores que defienden que el momento de preclusión tiene lugar con el conocimiento del obligado tributario y,

3.3.2. Interpretación literal: el bloqueo del art. 305.4 CP se efectúa en el momento de la interposición de querella o denuncia

En primer lugar, un sector minoritario de la Doctrina ha interpretado que el momento de preclusión de la segunda causa de bloqueo se produce con la interposición por el Ministerio Fiscal, el Abogado del Estado o los representantes procesales de las distintas administraciones tributarias autonómicas forales o locales de querella o denuncia contra el obligado tributario.

Desde esta perspectiva, la redacción del art. 305.4 CP no permite condicionar el bloqueo a la notificación o cualquier otro tipo de conocimiento del obligado tributario. Así, según SÁNCHEZ-OSTIZ GUTIÉRREZ, aunque sistemática y teleológicamente sería más adecuado exigir cierto grado de conocimiento del obligado tributario sobre el inicio de diligencias penales para bloquear los efectos del art. 305.4 CP, "la letra del precepto resulta terminante: se refiere a la interposición de querella, con independencia de la toma o no de conocimiento"[83]. En consecuencia, no siempre será exigible que el obligado tributario conozca las actuaciones que se llevan en su contra, de tal modo que "en algunos casos procede la regularización con conocimiento de haber sido descubierto y, en otros casos, aunque no se conozca tal circunstancia, no es posible regularizar"[84].

En la misma línea que lo anterior, SABADELL CARNICERO opina que, en el segundo límite temporal, no es posible hacer depender el bloqueo de la exención de pena del conocimiento del obligado tributario, toda vez que la referencia que se hace al momento de la interposición de la querella o denuncia no se debe a un "despiste" del

---

por último, una tercera teoría, a la que BUSTOS RUBIO llama "teoría formal", que defiende que esta causa de bloqueo opera con la notificación al obligado tributario de la interposición de querella o denuncia en su contra. Así, BUSTOS RUBIO, M., *La regularización en el delito de defraudación a la Seguridad Social*, cit., p. 364-376.

83 SÁNCHEZ-OSTIZ GUTIÉRREZ, P., *La Exención de Responsabilidad Penal por Regularización Tributaria*, cit., p. 91; id., "La «regularización» tributaria en el conjunto de los medios para combatir el fraude fiscal en España", cit., p. 40.

84 LINARES, M.B., *El delito de defraudación tributaria. Análisis dogmático de los artículos 305 y 305 bis del Código Penal español*, cit., p. 305.

Legislador, sino que es una opción consciente. Así, según recuerda la autora, durante la tramitación parlamentaria de la LO 6/1995, de 29 de junio, se propuso la modificación del segundo límite para exigir la notificación de la interposición de querella o denuncia, pero no prosperó[85].

3.3.3. Interpretación sistemática y teleológica: el bloqueo del art. 305.4 CP se efectúa con el conocimiento del obligado tributario sobre la interposición de querella o denuncia

Según un amplio sector doctrinal, la anterior interpretación literal genera resultados insatisfactorios, en tanto que dan por bloqueada la exención de pena con la mera interposición de la querella o denuncia podría atentar "contra las garantías del presunto responsable de un delito fiscal"[86], a la vez que podría generar incertidumbre, ya que se haría depender la eficacia del art. 305.4 CP de un hecho desconocido para el obligado tributario que podría desincentivar la regularización[87]. A todo ello podría añadirse que si se admite que la interposición de querella o denuncia por parte del Ministerio Fiscal o los representantes procesales de las distintas administraciones tributarias impida acogerse a la exención de pena, se confiere a estas autoridades, según QUERALT JIMÉNEZ, "un poder de disposición sobre el proceso que, además de injustificado, rompería el equilibrio procesal existente"[88].

Por todo ello, la opinión doctrinal mayoritaria –y también el Tribunal Supremo[89]– considera que lo correcto sería interpretar esta se-

---

85 SABADELL CARNICERO, C., "La regularización tributaria como causa de exención de la responsabilidad penal", cit., pp. 218-219.

86 Así, IGLESIAS RÍO, M.A., "Aproximación crítica a la cláusula de exención de la pena por regularización en el delito de defraudación tributaria", cit., p. 85.

87 En este sentido, IGLESIAS RÍO, M.A., "Aproximación crítica a la cláusula de exención de la pena por regularización en el delito de defraudación tributaria", cit., p. 85.

88 QUERALT JIMÉNEZ, J.J., "La regularización como comportamiento postdelictivo en el delito fiscal", cit., p. 46.

89 En este sentido, véase la Sentencia de la Sala 2ª del Tribunal Supremo 746/2018, de 13 de febrero [ponente: Sr. Del Moral García], Fundamento Jurídico Tercero (Tol 7.065.071).

gunda causa de bloqueo del art. 305.4 CP atendiendo a criterios sistemáticos o teleológicos, pues ello permitiría defender que el bloqueo no se producirá con la mera interposición de querella o denuncia, sino en un momento posterior, concretamente, cuando el obligado tributario tuviera conocimiento de dichas actuaciones[90].

En este sentido y desde una perspectiva sistemática o integradora, MARTÍNEZ-BUJÁN PÉREZ considera que el hecho de que las otras dos causas de bloqueo del art. 305.4 CP exijan, para operar, la notificación o conocimiento formal del obligado tributario, podría revelar que la voluntad de la norma apunta en esa dirección[91]. En la misma línea, BOIX REIG y MIRA BENAVENT remarcan, además, que solo esperando a la notificación se respetaría el derecho de defensa del denunciado o querellado, que ha de ser garantizado en todo momento según el art. 24 CE y el art. 118 LECRIM[92].

Desde un punto de vista teleológico, podría argumentarse, asimismo, que una regularización tributaria practicada antes de que el obligado tributario tuviera conocimiento sobre la interposición de

---

90 Véase, en este sentido, la nota 404.

91 MARTÍNEZ-BUJÁN PÉREZ, C., *Los delitos contra la Hacienda Pública y la Seguridad Social,* cit., p. 177. En el mismo sentido, SUÁREZ GONZÁLEZ, C.J., "El delito de defraudación tributaria", cit., p. 126; OCTAVIO DE TOLEDO Y UBIETO, E., "Consideración penal de las cláusulas de regularización tributaria", cit., pp. 1472-1478; MORALES PRATS, F., "De los delitos contra la Hacienda Pública contra la Seguridad Social", cit., p. 1085; DE LA MATA BARRANCO, N., "La cláusula de regularización tributaria en el delito de defraudación fiscal del artículo 305 del Código Penal", cit., pp. 321-322; FERRÉ OLIVÉ, J.C., *Tratado de los delitos contra la Hacienda Pública y contra la Seguridad Social*, cit., p. 321; DE VICENTE MARTÍNEZ, R., *Derecho Penal del Trabajo. Los delitos contra los derechos de los trabajadores y contra la Seguridad Social,* cit., p. 671. En sentido similar, el Tribunal Supremo entiende, siguiendo la Doctrina mayoritaria, que la segunda causa de bloqueo del art. 305.4 CP "requiere un acto efectivo de notificación para aportar idéntica seguridad jurídica y por coherencia sistemática" (así, la Sentencia de la Sala 2ª del Tribunal Supremo 746/2018, de 13 de febrero [ponente: Sr. Del Moral García], Fundamento Jurídico Tercero (Tol 7.065.071).

92 BOIX REIG, J./ MIRA BENAVENT, J., *Delitos contra la Hacienda Pública y contra la Seguridad Social,* cit., p. 100. En el mismo sentido, pueden verse, entre otros, OCTAVIO DE TOLEDO Y UBIETO, E., "Consideración penal de las cláusulas de regularización tributaria", cit., pp. 1472-1478 y MORALES PRATS, F., "De los delitos contra la Hacienda Pública contra la Seguridad Social", cit., p. 1085.

querella o denuncia demuestra la ausencia de "necesidades preventivo-generales y preventivo especiales de castigo"[93].

Junto a lo anterior, la exigencia de conocimiento para que opere la segunda causa de bloqueo presenta múltiples ventajas. Así, según IGLESIAS RÍO, esta interpretación aporta seguridad jurídica, contribuye a objetivar la causa de bloqueo, a la vez que "libera [al obligado tributario] de la incertidumbre de saber si su hecho estaba ya descubierto o si permanecía aún abierta la vía de la autodenuncia"[94]. Todo ello conduce, en definitiva, a reforzar "la función de «estímulo» a quien se sienta animado a presentar la autodenuncia, al tiempo de no querer perjudicar el fin recaudatorio"[95].

En conclusión, según este sector Doctrinal, el segundo límite temporal bloqueará la exención de pena del art. 305.4 CP en un momento posterior a la interposición de querella o denuncia, en concreto, tras la admisión a trámite del Juez de Instrucción y su comunicación al obligado tributario[96]. Por tanto, hasta que este último no haya tenido conocimiento de la existencia de una denuncia o querella en su contra, todavía podrá regularizar su situación tributaria y quedar exento de responsabilidad penal[97].

3.3.4. Sobre el tipo de conocimiento exigido

Entre los autores que defienden una interpretación sistemática y teleológica del segundo límite temporal del art. 305.4 CP existe cierto debate acerca del tipo de conocimiento que sería exigible para que se bloqueara la exención de pena. Así, tal y como hemos adelantado en las cuestiones introductorias, una parte minoritaria de la Doctrina, entre la que se encuentran MARTÍNEZ-BUJÁN PÉREZ y BRAN-

---

93 MARTÍNEZ-BUJÁN PÉREZ, C., *Los delitos contra la Hacienda Pública y la Seguridad Social,* cit., p. 177.

94 IGLESIAS RÍO, M.A., "Aproximación crítica a la cláusula de exención de la pena por regularización en el delito de defraudación tributaria", cit., p. 85.

95 IGLESIAS RÍO, M.A., *La regularización fiscal en el delito de defraudación tributaria (un análisis de la «autodenuncia». Art. 305-4 CP),* cit., p. 387.

96 Véase, por todos, MORALES PRATS, F., "De los delitos contra la Hacienda Pública contra la Seguridad Social", cit., p. 1085.

97 En estos términos, véase QUERALT JIMÉNEZ, J.J., "La regularización como comportamiento postdelictivo en el delito fiscal", cit., p. 46.

DARIZ GARCÍA, considera que la posibilidad de eximir de pena en virtud del art. 305.4 CP precluye en el momento en el que el obligado tributario tiene conocimiento susceptible de ser acreditado sobre la interposición de querella o denuncia[98]. La mayoría de la Doctrina, sin embargo, defiende la necesidad de que el conocimiento sea adquirido, en todo caso, a través de medios formales, concretamente a través de la notificación, al igual que en las otras dos causas de bloqueo del art. 305.4 CP[99].

Desde la perspectiva de MARTÍNEZ-BUJÁN PÉREZ, bastaría para dar por cumplida la segunda causa de bloqueo con que se pudiera demostrar "que el sujeto llegó a conocer efectivamente la interposición de la querella o la denuncia, lo que puede obedecer a diversas razones, como, por ejemplo, porque los propios autores de la denuncia o querella lo hubiesen comunicado públicamente o porque por cualquier otro medio hubiese llegado a conocimiento del destinatario"[100]. En opinión de este autor, la interpretación propuesta no contradice el tenor literal del precepto y presenta al menos dos ventajas: por un lado, evita un excesivo "objetivismo", pues tiene en cuenta el conocimiento del sujeto, pero no llega a requerir una notificación formal y, por otro, resulta compatible con el fundamento y fines que se atribuyen a la regularización tributaria[101].

De modo similar a lo anterior, BRANDARIZ GARCÍA considera que la exigencia de conocimiento para que opere la segunda causa de bloqueo debe ser interpretada en un sentido muy amplio porque el precepto no requiere expresamente de notificación y porque, de exigirse notificación, quedarían amparados por la exención de pena supuestos en los que el obligado tributario sabía por medios no formales de la existencia de querella o denuncia en su contra; algo que,

---

98 Así, MARTÍNEZ-BUJÁN PÉREZ, C., *Los delitos contra la Hacienda Pública y la Seguridad Social,* cit., p. 177. En el mismo sentido, BRANDARIZ GARCÍA, J.A., "La regularización postdelictiva en los delitos contra la Hacienda Pública y la Seguridad Social", cit., p. 94; id., *La exención de responsabilidad penal por regularización en el delito de defraudación a la Seguridad Social*, cit., pp. 113-114.

99 Véase, al respecto, la nota 404.

100 MARTÍNEZ-BUJÁN PÉREZ, C., *Los delitos contra la Hacienda Pública y la Seguridad Social,* cit., p. 177.

101 MARTÍNEZ-BUJÁN PÉREZ, C., *Los delitos contra la Hacienda Pública y la Seguridad Social,* cit., p. 178.

según el autor, resultaría "disfuncional desde una perspectiva político-criminal"[102].

Sin embargo, según la corriente doctrinal y jurisprudencial más extendida, la interpretación de la segunda causa de bloqueo del art. 305.4 CP debe proporcionar, en todo caso, "mayor seguridad jurídica y coherencia sistemática"[103], razón por la que se sostiene que esta causa de bloqueo surte efectos únicamente a partir de la notificación al obligado tributario sobre la existencia de querella o denuncia por delito fiscal. Dicha notificación deberá practicarse siguiendo lo dispuesto en los arts. 118 y 116 LECRIM, sin perjuicio de que, en virtud del propio art. 166 LECRIM, también será aplicable el régimen de notificaciones establecido en el Capítulo V, Título V, Libro I de la Ley 1/2000, de 7 de enero, *de Enjuiciamiento Civil*[104] (LEC).

---

102 BRANDARIZ GARCÍA, J.A., *La exención de responsabilidad penal por regularización en el delito de defraudación a la Seguridad Social*, cit., p. 114.

103 En esos términos lo expresan FERRÉ OLIVÉ, J.C., *Tratado de los delitos contra la Hacienda Pública y contra la Seguridad Social*, cit., p. 321 y DE VICENTE MARTÍNEZ, R., *Derecho Penal del Trabajo. Los delitos contra los derechos de los trabajadores y contra la Seguridad Social*, cit., p. 671.
También en este sentido, véase la Sentencia de la Audiencia Provincial de Barcelona, sección 2ª, 403/1998, de 12 de mayo, Fundamento Jurídico Segundo y la Sentencia de la Audiencia Provincial de Madrid, sección 4ª, 281/2003, de 11 de julio, Fundamento Jurídico Segundo y Tercero. Asimismo, véanse las Sentencias de la Sala 2ª del Tribunal Supremo 1371/2000, de 29 de septiembre [ponente: Sr. García Ancos], Fundamento Jurídico Segundo (Tol 4.923.283); 774/2005, de 2 de junio [ponente: Sr. Monterde Ferrer], Fundamento Jurídico Trigesimoquinto y Trigesimoséptimo (Tol 2.039.433) o 746/2018, de 13 de febrero [ponente: Sr. Del Moral García], Fundamento Jurídico Tercero (Tol 7.065.071).
En sentido contrario, puede verse la Sentencia de la Audiencia Provincial de Pontevedra, sección 4ª, 38/2017, de 30 de junio, Fundamento Jurídico Tercero (Tol 6.294.513), que, sin embargo, ha sido casada por el Tribunal Supremo –a través de la STS 746/2018, de 13 de febrero (Tol 7.065.071), que acabamos de mencionar–. Según la Audiencia Provincial de Pontevedra, el segundo límite cronológico del art. 305.4 CP no requiere notificación y, por tanto, "puede haberse interpuesto querella y no tener conocimiento de ello el defraudador, que posteriormente puede haber presentado una declaración complementaria para su desventura ya extemporánea".

104 Así lo señalan, entre otros, MARTÍNEZ-BUJÁN PÉREZ, C., *Los delitos contra la Hacienda Pública y la Seguridad Social*, cit., p. 178; OCTAVIO DE TOLEDO Y UBIETO, E., "Consideración penal de las cláusulas de regularización tributaria", cit., pp. 1472-1478; IGLESIAS RÍO, M.A., *La regularización fiscal en el delito de defraudación tributaria (un análisis de la «autodenuncia». Art. 305-4*

3.3.5. Posición personal

Vistas las distintas posiciones que la Doctrina mantiene sobre la exigencia de conocimiento del obligado tributario en la segunda causa de bloqueo del art. 305.4 CP y los inconvenientes que plantean cada una de ellas, quedaría por manifestar nuestra opinión al respecto; algo que no nos resulta sencillo debido a la calidad de los argumentos esgrimidos tanto en un sentido como en otro. Para ello queremos distinguir entre lo que se puede interpretar *de lege lata* y lo que sería deseable *de lege ferenda*.

Empezando por lo primero, y aunque poco se pueda añadir a lo ya dicho, consideramos que existen suficientes razones para posicionarnos a favor de una interpretación literal, que exige que el bloqueo de la exención de pena se produzca en el momento de la interposición de la querella o denuncia del Ministerio Fiscal, el Abogado del Estado o los representantes procesales de las administraciones autonómicas, forales o locales.

En nuestra opinión, la ausencia de cualquier referencia a la notificación o conocimiento del obligado tributario en la segunda causa de bloqueo impide que esta pueda ser exigida, a pesar de que ello resultaría, a todas luces, deseable político-criminalmente por una cuestión de coherencia y seguridad jurídica. Así, frente a quien opine que se trata de un mero despiste del Legislador, hay que recordar que durante la tramitación parlamentaria del anterior art. 349.3 CP se propuso la adición de una referencia expresa a la notificación, pero no prosperó. Asimismo, en las sucesivas reformas que afectaron en mayor o menor medida al art. 305 CP tampoco se incorporó tal referencia. Por tanto, creemos que, de haberse tratado de un error, este se habría corregido, sobre todo en la LO 7/2012 que ha afectado en especial a la regularización tributaria.

Junto a lo anterior, habría que añadir que, desde nuestro punto de vista, la interpretación gramatical tiene preferencia ante otros métodos interpretativos, de lo que podría colegirse que no es deseable el empleo de la interpretación sistemática o teleológica cuando el

---

CP), cit., p. 387 o MORALES PRATS, F., "De los delitos contra la Hacienda Pública contra la Seguridad Social", cit., p. 1085.

resultado al que conducen resulta manifiestamente contrario al tenor literal del precepto. Así, tal y como señalan MUÑOZ CONDE y GARCÍA ARÁN, el principio de legalidad –al que el intérprete se encuentra vinculado en todo momento– exige que la interpretación gramatical de las normas penales actúe "como límite [...] de los otros métodos que la complementan y que no podrán desbordar el tenor literal de los términos legales"[105].

Ahora bien, lo anterior no significa, sin embargo, que no compartamos con la Doctrina mayoritaria la necesidad de que *de lege ferenda* se incorpore a la segunda causa de bloqueo una expresa referencia a la notificación de este tipo de actuaciones, en la medida en que carece de sentido que en unas causas de bloqueo esta sea precisa y en otras no.

4. TERCER LÍMITE TEMPORAL: CONOCIMIENTO FORMAL DE LAS DILIGENCIAS DEL MINISTERIO FISCAL Y DEL JUEZ DE INSTRUCCIÓN

4.1. Cuestiones introductorias

El último límite temporal previsto en el art. 305.4 CP determina que la cláusula tampoco operará si antes de que el obligado tributario regularice su situación tributaria el Ministerio Fiscal o el Juez de Instrucción realizan actuaciones que le permitan tener conocimiento formal de la iniciación de diligencias penales. Se trata, en opinión de la Doctrina, de una causa de bloqueo que actúa a modo "de cierre", pues permite excluir la espontaneidad de la regularización tributaria en supuestos en los que el Ministerio Fiscal o el Juez de Instrucción adquieran la *notitia criminis* por medios no previstos en las dos causas de bloqueo anteriores[106]. En consecuencia, la tercera causa de blo-

[105] MUÑOZ CONDE, F./ GARCÍA ARÁN, M., *Derecho Penal. Parte General,* 9ª ed., cit., p. 138.

[106] En este sentido, pueden verse, entre muchos otros, MARTÍNEZ-BUJÁN PÉREZ, C., *Los delitos contra la Hacienda Pública y la Seguridad Social,* cit., p. 179; ARIAS SENSO, M.A., "Delitos contra la Hacienda Pública: subtipos agravados y regularización fiscal", cit., s/p; IGLESIAS RÍO, M.A., *La regularización fiscal en el delito de defraudación tributaria (un análisis de la «autodenuncia». Art.*

queo no permitirá eximir de pena cuando la regularización se practique después de que el obligado tributario tenga conocimiento formal de las siguientes actuaciones[107]:

a) el inicio de diligencias penales del Ministerio Fiscal o del Juez de Instrucción como consecuencia de una querella o denuncia interpuesta por un particular o mediante acción popular;
b) el inicio de dichas diligencias cuando el Ministerio Fiscal o el Juez de Instrucción hayan tenido noticia del delito por sus propios medios.

Como puede verse, la operatividad de esta causa de bloqueo se reduce a unos escasos supuestos, ya que, tal y como bien señala BRANDARIZ GARCÍA, lo más habitual será que concurran las otras dos causas de bloqueo previstas en el art. 305.4 CP[108]. Pese a su exigua

---

305-4 CP), cit., pp. 385-392; id., "Aproximación crítica a la cláusula de exención de la pena por regularización en el delito de defraudación tributaria", cit., pp. 84-85; SÁNCHEZ-OSTIZ GUTIÉRREZ, P., *La Exención de Responsabilidad Penal por Regularización Tributaria*, cit., pp. 91-93; BRANDARIZ GARCÍA, J.A., "La regularización postdelictiva en los delitos contra la Hacienda Pública y la Seguridad Social", cit., p. 96; MAGALDI PATERNOSTRO, M.J., "De los delitos contra la Hacienda Pública y contra la Seguridad Social", cit., p. 1208; DE LA MATA BARRANCO, N., "La cláusula de regularización tributaria en el delito de defraudación fiscal del artículo 305 del Código Penal", cit., p. 322; CARRERAS MANERO, O., "La cláusula de regularización tributaria como causa de exención de la responsabilidad penal en el delito contra la Hacienda Pública", cit., pp. 1-21; id., "De nuevo sobre los presupuestos temporales de la regularización tributaria como causa de exención de la responsabilidad penal en el delito de defraudación tributaria", en *Revista Quincena Fiscal,* n. 13, 2013, s/p. Disponible en línea: www.aranzadi.es [fecha última consulta: 22/11/2020]; MORALES PRATS, F., "De los delitos contra la Hacienda Pública contra la Seguridad Social", cit., p. 1085; BUSTOS RUBIO, M., *La regularización en el delito de defraudación a la Seguridad Social,* cit., pp. 382-384; FERRÉ OLIVÉ, J.C., *Tratado de los delitos contra la Hacienda Pública y contra la Seguridad Social,* cit., pp. 322-323; LANDERA LURI, M., *Excusas absolutorias basadas en conductas positivas postconsumativas: acciones contratípicas*, cit., p. 151; OLLÉ SESÉ, M., "Consumación, desistimiento y regularización en el delito de defraudación a la Seguridad Social", en *La Ley Penal*, n. 144, mayo-junio 2020, s/p. Disponible en línea: www.laleydigital.es [fecha última consulta: 25/11/2020].

107 Véase la nota anterior.

108 BRANDARIZ GARCÍA, J.A., "La regularización postdelictiva en los delitos contra la Hacienda Pública y la Seguridad Social", cit., p. 95. En el mismo sentido,

aplicación, coincidimos con aquellos autores que afirman que era necesaria su previsión[109].

A pesar de que la LO 7/2012 introdujo mejoras en la tercera causa de bloqueo[110], la redacción del art. 305.4 CP sigue siendo, en nuestra opinión, confusa[111]. Ello se debe, según MAGALDI PATERNOSTRO a que la descripción que el mencionado precepto realiza de la tercera causa de bloqueo "guarda escasa relación lógica con las normas que disciplinan la incoación de un precepto penal", lo que explica que todavía se mantengan serias dudas acerca de cuál es su contenido o su significado[112].

Por un lado, del tenor literal del art. 305.4 CP[113] podría deducirse que el momento en el que se produce el bloqueo no es aquel en el que el obligado tributario adquiere el conocimiento de las diligencias en su contra, sino, más bien, el momento en el que el Ministerio Fiscal o el Juez de Instrucción realizan las actuaciones dirigidas a poner en conocimiento el inicio de diligencias. No es este, sin embargo, el sentido otorgado por la Doctrina –el cual, dicho sea de paso, compartimos–, quien ha entendido que el momento de preclusión del tercer límite temporal del art. 305.4 CP debe ser el momento en el que el obliga-

---

véase BUSTOS RUBIO, M., *La regularización en el delito de defraudación a la Seguridad Social,* cit., p. 370.

109 Así, por ejemplo, MARTÍNEZ-BUJÁN PÉREZ, C., *Los delitos contra la Hacienda Pública y la Seguridad Social,* cit., p. 179; BRANDARIZ GARCÍA, J.A., "La regularización postdelictiva en los delitos contra la Hacienda Pública y la Seguridad Social", cit., p. 95; BUSTOS RUBIO, M., *La regularización en el delito de defraudación a la Seguridad Social,* cit., p. 371.

110 Nos referimos a la sustitución de la expresión "*cuando* el Ministerio Fiscal o el Juez de Instrucción [...]" por "*antes* de que el Ministerio Fiscal o el Juez de Instrucción [...]". La cursiva es nuestra.

111 En idénticos términos véase MAGALDI PATERNOSTRO, M.J., "De los delitos contra la Hacienda Pública y contra la Seguridad Social", cit., p. 1208; SUÁREZ GONZÁLEZ, C.J., "El delito de defraudación tributaria", cit., p. 126 y MORALES PRATS, F., "De los delitos contra la Hacienda Pública contra la Seguridad Social", cit., p. 1086.

112 MAGALDI PATERNOSTRO, M.J., "De los delitos contra la Hacienda Pública y contra la Seguridad Social", cit., p. 1208.

113 En concreto, el art. 305.4 CP establece que la regularización ha de practicarse "antes de que el Ministerio Fiscal o el Juez de Instrucción realicen actuaciones que le permitan tener conocimiento formal de la iniciación de diligencias".

do tributario adquiere conocimiento formal del inicio de diligencias penales.

Por otro lado, tampoco resulta sencillo dilucidar a qué tipo de actuaciones o diligencias del Ministerio Fiscal o del Juez de Instrucción hace referencia el precepto, a la vez que es preciso aún concretar el significado que ha de tener la expresión "conocimiento formal"[114].

4.2. Las actuaciones o diligencias previas del Ministerio Fiscal o del Juez de Instrucción

En relación con las concretas actuaciones procesales o diligencias penales del Ministerio Fiscal o del Juez de Instrucción que impiden la exención de pena, hay que precisar, en primer lugar, dos elementos que se derivan del tenor literal del art. 305.4 CP, que son, primero (y aunque parezca obvio) que han de ser realizadas necesariamente por el Ministerio Fiscal o el Juez de Instrucción y, segundo, que no deben traer causa del traslado del tanto de culpa por parte de la Administración Tributaria o como consecuencia de la querella o denuncia interpuesta por el Ministerio Fiscal, el Abogado del Estado o los representantes procesales de la administración tributaria autonómica, foral o local.

En definitiva, como hemos adelantado, las diligencias penales a las que hace referencia la tercera causa de bloqueo son las que se han iniciado bien por la denuncia de un particular o la acción popular, bien por la propia actividad investigadora del Ministerio Fiscal o del Juez de Instrucción[115]. Para ser más exactos, serían las siguientes:

---

114 Así lo entiende MARTÍNEZ-BUJÁN PÉREZ, C., *Los delitos contra la Hacienda Pública y la Seguridad Social,* cit., pp. 179-180.

115 Así, entre otros, MORENO CÁNOVES, A./ RUIZ MARCO, F., *Delitos socioeconómicos. Comentarios a los arts. 262, 270 a 310 del nuevo Código penal (concordados y con jurisprudencia)*, cit., p. 449; MARTÍNEZ-BUJÁN PÉREZ, C., *Los delitos contra la Hacienda Pública y la Seguridad Social,* cit., p. 179; OCTAVIO DE TOLEDO Y UBIETO, E., "Consideración penal de las cláusulas de regularización tributaria", cit., pp. 1472-1478; IGLESIAS RÍO, M.A., *La regularización fiscal en el delito de defraudación tributaria (un análisis de la «autodenuncia». Art. 305-4 CP)*, cit., pp. 385-392; SÁNCHEZ-OSTIZ GUTIÉRREZ, P., *La Exención de Responsabilidad Penal por Regularización Tributaria*, cit., pp. 91-93; BRANDARIZ GARCÍA, J.A., "La regularización postdelictiva en los

1) El inicio de diligencias penales por parte del Ministerio Fiscal o el Juez de Instrucción como consecuencia de una querella o denuncia interpuesta por un particular en los términos establecidos en los Títulos I y II del Libro II de la LECRIM o el ejercicio de la acción popular (art. 101 LECRIM). Como señala MORALES PRATS, en estos casos, el Juez Instructor ejerce "una función de filtro frente a denuncias o querellas de particulares por delito fiscal, permitiendo la regularización con efectos penales hasta el momento en que jurisdiccionalmente se confirme la seriedad y fundamento de la querella o denuncia a través de su admisión y la iniciación de diligencias judiciales"[116].
2) La realización por el Ministerio Fiscal de las diligencias de investigación, previas a la denuncia o querella, previstas para el procedimiento abreviado reguladas en el art. 773 LECRIM y el art. 5 de la Ley 50/1981, de 30 de diciembre, *por la que se regula el Estatuto Orgánico del Ministerio Fiscal* [117]. Según el art. 773 LECRIM, con anterioridad al inicio del procedimiento abreviado, el Ministerio Fiscal podrá realizar u ordenar a la Policía Judicial la práctica de diligencias dirigidas a comprobar el hecho o la responsabilidad de los intervinientes, para lo cual podrá, asimismo, citar a comparecer a cualquier persona para tomarle declaración.
3) La apertura de una investigación por parte del Juez de Instrucción cuando este conozca por sus propios medios de la existencia de hechos delictivos. En estos casos, el Juez podrá

---

delitos contra la Hacienda Pública y la Seguridad Social", cit., p. 96; MAGALDI PATERNOSTRO, M.J., "De los delitos contra la Hacienda Pública y contra la Seguridad Social", cit., p. 1208; DE LA MATA BARRANCO, N., "La cláusula de regularización tributaria en el delito de defraudación fiscal del artículo 305 del Código Penal", cit., p. 322; MORALES PRATS, F., "De los delitos contra la Hacienda Pública contra la Seguridad Social", cit., p. 1086; BUSTOS RUBIO, M., *La regularización en el delito de defraudación a la Seguridad Social,* cit., pp. 382-384; FERRÉ OLIVÉ, J.C., *Tratado de los delitos contra la Hacienda Pública y contra la Seguridad Social,* cit., pp. 322-323.

116 MORALES PRATS, F., "De los delitos contra la Hacienda Pública contra la Seguridad Social", cit., p. 1085.

117 En sentido crítico con la equiparación de estas diligencias previas del Ministerio Fiscal con las diligencias judiciales, véase QUERALT JIMÉNEZ, J.J., "La regularización como comportamiento postdelictivo en el delito fiscal", cit., p. 47.

iniciar el proceso penal y comunicar al Ministerio Fiscal la iniciación de diligencias para que ejerza la acusación (art. 308 LECRIM)[118]. En el marco de dicha investigación, "nada impide que el órgano judicial pueda llevar a cabo cualquier acto instructorio que tienda a la averiguación de los hechos" como, por ejemplo, el interrogatorio judicial o la declaración de testigos[119]. Las actuaciones que podrían dar lugar al bloqueo de exención de pena en estos casos podrían ser, en nuestra opinión, tanto el auto de incoación del sumario como las citaciones judiciales o los emplazamientos.

4.3. El significado de la expresión "conocimiento formal"

Para determinar el sentido de la expresión "conocimiento formal" a efectos del art. 305.4 CP es preciso distinguir, en nuestra opinión, dos planos de análisis: uno formal que consiste en establecer las vías para adquirir dicho conocimiento y otro material relativo al objeto o alcance del conocimiento.

En relación con las vías para adquirir el conocimiento formal la Doctrina no es unánime, ya que mientras unos autores afirman que el bloqueo de la exención de pena debe producirse únicamente con la notificación personal del obligado tributario[120], otros, sin embargo,

---

118 CORTÉS DOMÍNGUEZ, V., "Modos de iniciación del proceso penal", en *Derecho Procesal Penal,* 9ª ed., de V. Cortés Domínguez y V. Moreno Catena, Valencia, 2019, pp. 195-196.

119 Así, CORTÉS DOMINGUEZ, V., "La fase de instrucción", en *Derecho Procesal Penal,* 9ª ed., de V. Moreno Catena y V. Cortés Domínguez, Valencia, 2019, pp. 218-219.

120 Así, OCTAVIO DE TOLEDO Y UBIETO, E., "Consideración penal de las cláusulas de regularización tributaria", cit., pp. 1472-1478; BOIX REIG, J./ MIRA BENAVENT, J., *Delitos contra la Hacienda Pública y contra la Seguridad Social,* cit., pp. 99-100; MORALES PRATS, F., "De los delitos contra la Hacienda Pública contra la Seguridad Social", cit., p. 1086; BUSTOS RUBIO, M., *La regularización en el delito de defraudación a la Seguridad Social,* cit., pp. 374-376; FERRÉ OLIVÉ, J.C., *Tratado de los delitos contra la Hacienda Pública y contra la Seguridad Social,* cit., pp. 322-323. Hemos de advertir, no obstante, que estos autores admiten que la citación produzca el mismo efecto que la notificación cuando proceda del Ministerio Fiscal en el marco de las diligencias que puede realizar según el art. 773 LECRIM.

consideran que, junto a la notificación, también podrían producir el mismo efecto otras formas de comunicación como, por ejemplo, las citaciones judiciales[121].

En nuestra opinión y en la medida en que el art. 305.4 CP no lo requiere expresamente, el bloqueo de la exención de pena en estos casos no puede restringirse solo a las notificaciones que efectúen el Ministerio Fiscal o el Juez de Instrucción. Por el contrario, bastará a estos efectos con que la comunicación se practique por medios formales o formalizados, para lo cual la LECRIM prevé no solo la notificación, sino también la citación y el emplazamiento[122]. De este modo, según el art. 149 LEC –en el que se regula el régimen general de la comunicación de todo acto procesal–, se podrá utilizar la notificación cuando se quiera dar cuenta de una resolución o actuación; el emplazamiento para requerir a las partes a personarse o a actuar y las citaciones para pedir comparecer en un determinado momento con el objeto de realizar algún acto procesal[123].

En el mismo sentido, véase la Sentencia de la Sala 2ª del Tribunal Supremo 746/2018, de 13 de febrero [ponente: Sr. Del Moral García], Fundamento Jurídico Tercero (Tol 7.065.071).

121 En este sentido, pueden verse MARTÍNEZ-BUJÁN PÉREZ, C., *Los delitos contra la Hacienda Pública y la Seguridad Social*, cit., pp. 179-180; BRANDARIZ GARCÍA, J.A., "La regularización postdelictiva en los delitos contra la Hacienda Pública y la Seguridad Social", cit., pp. 95-96 o CARRERAS MANERO, O., "La cláusula de regularización tributaria como causa de exención de la responsabilidad penal en el delito contra la Hacienda Pública", cit., pp. 1-21.

122 En este sentido lo expresa también ARIAS SENSO, M.A., "Delitos contra la Hacienda Pública: subtipos agravados y regularización fiscal", cit., s/p, quien entiende que por conocimiento formal ha de entenderse "cualquier comunicación formal de la que se derive la puesta en conocimiento del sujeto del procedimiento o investigación. Igualmente, OLLÉ SESÉ opina que el "conocimiento formal, por lo general, aunque no exclusivamente, se corresponderá con la notificación al sujeto obligado de la citación para prestar declaración como investigado" (OLLÉ SESÉ, M., "Consumación, desistimiento y regularización en el delito de defraudación a la Seguridad Social", cit., s/p).

123 Además de lo dispuesto en los arts. 166 y ss. LECRIM y arts. 149 y ss LEC sobre los tipos de comunicación de actos procesales, puede verse MORENO CATENA, V., "Actos de comunicación y de auxilio judicial", en *Introducción al Derecho Procesal,* 10ª ed., de V. Moreno Catena y V. Cortés Domínguez, Valencia, 2019, pp. 285-305.

En suma, dependiendo del tipo de actuación que haya que realizar se utilizará un modo u otro de comunicación y todas ellas serán válidas para bloquear la posibilidad de eximir de pena[124]. Cuestión distinta será, no obstante, establecer si, a efectos del art. 305.4 CP, estos actos de comunicación han de hacerse en calidad de investigado o si también valdrán para bloquear la exención de pena aquellos actos que se comuniquen al obligado tributario como testigo. Mayores dudas plantearán, asimismo, los supuestos en los que la comunicación se entrega a personas distintas del obligado tributario o cuando no sea posible practicarla de forma efectiva[125].

Respecto de estas últimas cuestiones planteadas, restaría por mencionar, en primer lugar, que coincidimos con la Doctrina mayoritaria al señalar que el bloqueo se producirá cuando el obligado tributario sea imputado[126]. En este sentido, aun cuando el art. 305.4 no exige para esta causa de bloqueo que las diligencias se dirijan directamente contra el obligado tributario –tal y como lo hace con la segunda causa de bloqueo–, entendemos que la mera citación del obligado tributario en calidad de testigo no es suficiente para bloquear los efectos de

---

124 En esta línea parece apuntar también la Audiencia Provincial de Burgos, quien en su sentencia 100/2006, de 19 de julio, Fundamento Jurídico Sexto (Tol 1.034.343), al negar la exención de pena en un supuesto en el que la regularización se había producido después de la realización de un registro en el domicilio social de la empresa que regentaba el obligado tributario. En este caso, dicho Tribunal consideró que el acusado ya había adquirido el conocimiento del inicio de diligencias en el momento del registro.

125 Más ampliamente MARTÍNEZ-BUJÁN PÉREZ, C., *Los delitos contra la Hacienda Pública y la Seguridad Social*, cit., p. 180. Por su parte, IGLESIAS RÍO parece ser de la opinión de que la expresión "conocimiento formal" significa que las actuaciones han de ser conocidas personalmente por los sujetos a los que afecta (así, IGLESIAS RÍO, M.A., *La regularización fiscal en el delito de defraudación tributaria (un análisis de la «autodenuncia». Art. 305-4 CP)*, cit., p. 199). En el mismo sentido, véase QUERALT JIMÉNEZ, J.J., "La regularización como comportamiento postdelictivo en el delito fiscal", cit., pp. 49-52.

126 Así, FERRÉ OLIVÉ, J.C., *Tratado de los delitos contra la Hacienda Pública y contra la Seguridad Social*, cit., p. 323.
En contra, puede verse MARTÍNEZ-BUJÁN PÉREZ, C., *Los delitos contra la Hacienda Pública y la Seguridad Social*, cit., p. 180. Según este autor, no hay razón para limitar el bloqueo a las notificaciones en calidad de imputado, pues ello ni se establece de forma expresa en el precepto ni es acorde al fundamento jurídico-penal que persigue la regularización tributaria.

la cláusula, toda vez que el testigo es una persona "ajena al proceso penal"[127] y, por ello, las diligencias no se dirigen en su contra[128]. En segundo lugar, si la comunicación no pudiera ser entregada personalmente al obligado tributario tendrá el mismo efecto si lo recogiera alguna de las personas a las que el art. 172 LECRIM habilita para ello[129]. Por último, si la comunicación de las diligencias no pudiera entregarse a ninguno de los anteriores, habrá que estar a lo dispuesto en las normas procesales para estos casos.

---

127 De este modo lo expresa MORENO CATENA, V., "Los medios de prueba en el proceso penal", en *Derecho Procesal Penal,* 9ª ed., de V. Moreno Catena y V. Cortés Domínguez, Valencia, 2019, p. 454.

128 En este sentido se ha manifestado la Sala 2ª del Tribunal Supremo en su sentencia 746/2018, de 13 de febrero [ponente: Sr. Del Moral García], Fundamento Jurídico Tercero (Tol 7.065.071), al afirmar que: "Se requiere un conocimiento oficial, esto es, que la apertura de la investigación se comunique a las personas que serían responsables del delito en cuestión. Este conocimiento concurre cuando se llama al contribuyente para declarar como investigado."

129 En contra de esta solución, puede verse FERRÉ OLIVÉ, J.C., *Tratado de los delitos contra la Hacienda Pública y contra la Seguridad Social,* cit., p. 322, quien considera que los hechos han de ser "conocidos personalmente por las personas que serán perseguidas como autores del delito en cuestión". También se muestra reacio QUERALT JIMÉNEZ, para quien en caso de que el obligado tributario no pudiera ser encontrado para la entrega de la notificación, hay que entender que esta no se ha producido, salvo en los supuestos en los que el interesado "se sustraiga voluntariamente [...] a la práctica de la notificación", en cuyo caso, opina el autor, "podrá acudirse al sistema de presunciones para adquirir la certeza de que, pese a todo, el conocimiento llegó o pudo llegar a ser formal" (QUERALT JIMÉNEZ, J.J., "La regularización como comportamiento postdelictivo en el delito fiscal", cit., p. 52).

Conclusiones

I. En el año 1995, poco antes de que fuera aprobado el actual Código Penal, la Ley Orgánica 6/1995, de 29 de junio, introdujo en el art. 349.3 del Código Penal de 1973, una novedosa cláusula de exención de responsabilidad penal para aquel que regulariza, de forma espontánea y voluntaria, su situación con la Hacienda Pública. Tras la aprobación del Código Penal de 1995, dicha cláusula pasó a ocupar el art. 305.4 CP, cuyo contenido apenas varió hasta la llegada de la Ley Orgánica 7/2012, de 27 de diciembre, por la que se modifica la Ley Orgánica 10/1995, de 23 de noviembre, del Código Penal en materia de transparencia y lucha contra el fraude fiscal y en la Seguridad Social. Así, aunque el propósito de dicha ley fuera únicamente mejorar la redacción del art. 305.4 CP, su repercusión fue mucho mayor, en tanto que reabrió antiguos debates sobre cuestiones que contaban con un extenso apoyo doctrinal y jurisprudencial.

II. Para que la regularización tributaria surta efectos penales, el art. 305.4 CP exige los siguientes requisitos:

1) Que el obligado tributario reconozca y pague íntegramente la deuda tributaria (requisito objetivo).
2) Que lo anterior se realice antes de que tenga lugar alguna de estas actuaciones (requisito temporal):

   a) Que el obligado tributario haya sido notificado del inicio de actuaciones de comprobación o investigación por la Administración Tributaria dirigidas a determinar las deudas objeto de regularización.
   b) Que el Ministerio Fiscal, el Abogado del Estado o el representante procesal de la administración autonómica, foral o local interponga querella o denuncia contra el obligado tributario.
   c) Que el Ministerio Fiscal o el Juez de Instrucción realicen actuaciones que le permitan al obligado tributario tener conocimiento formal del inicio de diligencias en su contra.

Los efectos que produzca la regularización practicada en los términos que se acaban de exponer se proyectarán, asimismo y según dispone el propio art. 305.4 CP, sobre las eventuales irregularidades contables u otras falsedades instrumentales relacionadas con la deuda tributaria objeto de regularización o cuando lo regularizado fuera una deuda ya prescrita en vía administrativa.

III. El carácter controvertido de la regularización tributaria se debe a múltiples razones, entre las que destaca su difícil fundamentación, su indeterminada naturaleza jurídica, que genera polémica, y la imprecisa redacción del art. 305.4 CP, que suscita serias dudas sobre las condiciones para su aplicación. Así, aunque la LO 7/2012, de 12 de diciembre, haya contribuido a esclarecer algunos de los interrogantes, como, por ejemplo, el de la exigencia de pago de la deuda tributaria, todavía encontramos cuestiones abiertas en torno a su interpretación, además de las que ha suscitado la propia LO 7/2012, de 27 de diciembre.

IV. Si bien, con anterioridad a la LO 7/2012, de 27 de diciembre, había dudas sobre los delitos a los que se extendía la exención de pena por regularización tributaria, la actual redacción de este precepto permite aplicar el art. 305.4 CP tanto al delito contra la Hacienda Pública tipificado en el art. 305.1 CP, como al delito de fraude a la Hacienda Pública de la Unión Europea previsto en el art. 305.3 CP. Asimismo, el art. 305.2 *bis* CP establece que al tipo agravado del delito contra la Hacienda Pública le serán de aplicación todas las previsiones contenidas en el art. 305 CP, lo que significa que también le resultará de aplicación la cláusula de exención de pena por regularización tributaria.

Albergamos serias dudas de que sea posible, tal y como defiende parte de la Doctrina, aplicar la causa de exención de pena del art. 305.4 CP en aquellos supuestos en los que el delito fiscal se comete en grado de tentativa, por dos razones: primero, porque creemos que, debido a su configuración típica, no todas las modalidades defraudatorias del art. 305.1 CP admiten formas imperfectas de ejecución y, segundo, porque, aunque ello fuera posible, la tentativa implica que no se ha producido el perjuicio económico exigido por el tipo. Ante la ausencia de dicho perjuicio, sería poco coherente exigir para eximir de pena que se realice el pago de la deuda tributaria, tal y como lo hace el art. 305.4 CP.

V. Según establece el propio art. 305.4 CP, los efectos que se deriven de la regularización tributaria impedirá que se persiga al obligado tributario por las irregularidades contables u otras falsedades documentales que pudiera haber cometido con carácter previo a la defraudación y en relación con la deuda objeto de regularización.

Los requisitos exigidos para que se pueda aplicar esta cláusula son varios. En primer lugar, únicamente quedarán exentas de pena "las irregularidades contables", es decir, el delito contable tipificado en el art. 310 CP y "las falsedades documentales" que, en nuestra opinión, coinciden con los delitos de falsedad documental contemplados en el Capítulo II del Título XVII del CP, aunque hay autores que defienden un ámbito de aplicación más amplio. En segundo lugar, es preciso que los referidos delitos se hayan cometido con anterioridad a la regularización tributaria y que, además, sean instrumentales respecto de la defraudación fiscal cometida. Por último, estos delitos han de tener una particular conexidad objetiva y funcional con la defraudación fiscal.

VI. Especialmente problemático es el análisis sobre los efectos del art. 305.4 CP en los supuestos en los que se exime de responsabilidad penal por el delito fiscal, pero no por un eventual delito de blanqueo de capitales del art. 301 CP. Así pues, según la denominada "tesis del autoblanqueo", que ha ido ganando seguidores los últimos años, sobre todo a raíz de la Ley 10/2010, de 28 de abril, *de prevención del blanqueo de capitales y de la financiación del terrorismo*, el capital defraudado resultante del delito fiscal es un bien de origen delictivo a efectos del delito de blanqueo de capitales. Ello significa que, una vez cometido un delito fiscal, su posesión, utilización, conversión o transmisión sería constitutivo de un delito de blanqueo de capitales tipificado en el art. 301 CP.

Lo anterior significa que la regularización tributaria practicada en los términos previstos en el art. 305.4 CP eximiría al obligado tributario de responsabilidad penal por el delito fiscal, pero no por el delito de blanqueo de capitales, que quedaría al descubierto tras la regularización. Para solucionar este inconveniente –que podría desincentivar la propia regularización–, algunos autores han defendido que la cláusula del art. 305.4 CP es una causa de exclusión de la tipicidad, pues, así considerada, la regularización excluiría la tipicidad del delito fiscal y también la del delito de blanqueo de capitales.

En nuestra opinión, sin embargo, no cabe defender la tesis del autoblanqueo, toda vez que ello vulneraría el principio *non bis in idem*. Por esta razón, consideramos que es preferible la solución que adopta DEMETRIO CRESPO, quien entiende que, en estos casos, habría un concurso de normas entre el delito fiscal y el delito de blanqueo de capitales, que se resolvería según el principio de consunción del art. 8.3 CP. Además de evitar una duplicidad de sanciones por unos mismos hechos, la solución propuesta también evitaría que la regularización tributaria se convirtiera en un medio de autodenuncia del delito de blanqueo de capitales.

VII. El ámbito subjetivo de aplicación de la causa de exención de pena por regularización tributaria es una cuestión altamente controvertida. Ello se debe, en nuestra opinión, a que el art. 305.4 CP no precisa si sus efectos se aplican a los partícipes del delito, ni siquiera a los autores. En su lugar, hace referencia al "obligado tributario"; un concepto de origen tributario y desconocido para el Derecho Penal que, en nuestra opinión, no coincide con ningún título de imputación penal.

La Doctrina mayoritaria, sin embargo, considera que el obligado tributario es el autor del delito fiscal. Aunque *a priori* esto podría significar que los partícipes no se pueden beneficiar de la exención de pena del art. 305.4 CP, cada vez son más los autores que abogan por extender interpretativamente su eficacia a todos los sujetos que intervienen en el delito, siempre y cuando hayan participado de forma activa en la regularización o la hayan favorecido de algún modo.

Desde nuestro punto de vista, el sujeto activo del delito fiscal no es el mismo en todas las modalidades típicas del art. 305.1 CP, de tal modo que cada una de ellas tendrá como sujeto activo un obligado tributario, pero no a cualquier obligado tributario del art. 35 LGT. Por consiguiente y partiendo de la tesis que concibe el delito fiscal como delito especial, solo podrán ser autores aquellos obligados que sean, a su vez, sujetos activos de la modalidad típica correspondiente.

De lo anterior se deduce que todos los autores del delito tendrán la condición de obligado tributario. En consecuencia, todos los autores tendrán acceso a la exención de pena del art. 305.4 CP. Por su parte, podrán ser partícipes, en nuestra opinión, tanto algunos sujetos que tienen la consideración de obligado tributario según la LGT –como, por ejemplo, en algunos casos el responsable tributario–, como los sujetos que sean ajenos a la obligación tributaria defraudada –como, por ejemplo, el asesor fiscal–.

La aplicación de la exención de pena del art. 305.4 CP a los partícipes es especialmente problemática y depende, según nuestra Doctrina, de la posición sobre la naturaleza jurídica de la regularización tributaria.

En primer lugar, si se tratara de una excusa absolutoria o una causa de levantamiento o anulación de la pena, habría que negar la posibilidad de eximir de pena a los partícipes porque, por un lado, el principio de accesoriedad de la participación exige que, en caso de que el autor haya realizado un hecho típico, antijurídico y culpable, el partícipe responda penalmente y, segundo, porque la regularización tributaria es una cláusula de naturaleza personal, lo que significa que solo extiende sus efectos a quien regulariza y no a los demás.

No obstante, la Doctrina que acoge esta naturaleza jurídica de la regularización no comparte estas consecuencias, razón por la que buscan otras alternativas interpretativas para que el partícipe también pueda beneficiarse de la exención de pena del art. 305.4 CP, tales como la analogía *in bonam partem* o argumentos de política criminal.

En segundo lugar, para quienes defienden que la cláusula del art. 305.4 CP es una causa de exclusión de la tipicidad o de la antijuridicidad, la regularización tributaria tendría como efecto la ausencia de delito, con lo cual no habría responsabilidad penal para el autor del delito y tampoco para el partícipe.

Sin embargo, en nuestra opinión, es insuficiente el criterio de la naturaleza jurídica para determinar la posibilidad de aplicar la exención de pena a los partícipes, pues también habrá que tomar en consideración el carácter de obligado tributario del partícipe.

En consecuencia, los partícipes que, según el art. 35 LGT, son obligados tributarios se podrán beneficiar de la exención de pena, toda vez que así lo indica el propio art. 305.4 CP. Estos partícipes podrán reconocer y pagar la deuda, con independencia del comportamiento que adopte el autor del delito fiscal. Por el contrario, los partícipes que no tengan la condición de obligado tributario no podrán acceder a la exención de pena por sus propios medios, es decir, sin contar con el reconocimiento y pago de la deuda tributaria por parte del autor del delito. Los partícipes que no sean obligados tributarios podrán ver atenuada su pena hasta dos grados en caso de colaborar en la investigación, en virtud de lo previsto en el art. 305.6 CP.

VIII. El objeto de la regularización es la deuda tributaria. El concepto jurídico-penal de deuda tributaria a los efectos del art. 305.4 CP ha de construirse a partir del art. 58 LGT, convirtiéndose así en un elemento normativo que remite a la LGT. La deuda tributaria incluye la cuota o cantidad a ingresar que resulte de la obligación tributaria principal o de las obligaciones de realizar pagos a cuenta, los intereses de demora y, por último, si procedieran, los recargos que pueden ser de distintos tipos: 1) recargos por declaración extemporánea; 2) recargos del periodo ejecutivo y 3) aquellos otros que sean exigibles legalmente sobre las bases o las cuotas a favor del Tesoro o de otros entes públicos. No son "deuda tributaria" a efectos penales y tampoco lo son a efectos tributarios *ex* art. 58 LGT las sanciones tributarias.

La complejidad del cálculo de la deuda tributaria podría tener consecuencias a efectos del completo pago de la misma, en la medida en que el pago completo equivale al pago de la cantidad correcta. Por ello, es opinión muy extendida en la Doctrina que el cálculo de la deuda tributaria corresponde en exclusiva a la Administración Tributaria. Por su parte, el obligado tributario solo tendría que comunicar todos los datos necesarios –y correctos– para que la Administración Tributaria liquidare correctamente la deuda tributaria.

Ahora bien, en virtud del principio rector según el cual la determinación de los conceptos y cálculos tributarios corresponde a la legislación tributaria, avalado por el hecho de que el art. 305.4 CP no incluye referencia alguna a la forma y modos de regularización, lo cierto es que es preciso distinguir, a la hora de determinar quiénes han de realizar el cálculo de la deuda tributaria, entre dos grandes supuestos: los tributos que se gestionan mediante autoliquidación y aquellos otros en los que el obligado tributario realiza una mera declaración y es la Administración Tributaria la que realiza el cálculo de la deuda tributaria.

La autoliquidación deja a cuenta del obligado tributario el riesgo del error de cálculo u olvido de cantidades o conceptos sujetos al pago.

En los impuestos que exigen declaración y el cálculo de la deuda tributaria corresponde a la Administración Tributaria, sin embargo, es esta quien asumirá el riesgo, que no podría ser imputado al obligado tributario.

Como regla general, la declaración de datos incorrectos, erróneos o incompletos a la Administración Tributaria, sea a través de autoliquidación o declaración, perjudicará al obligado tributario, especialmente cuando responda a una voluntad falsa o a la intención de continuar con la defraudación. Pero si la declaración de la situación tributaria fuera incorrecta o deficiente por causas ajenas a la voluntad del obligado tributario, el efecto eximente dependerá de la naturaleza de los datos omitidos y de si dichos datos pueden ser obtenidos por la Administración por sus propios medios.

En consecuencia:

- Si el obligado tributario presentara una autoliquidación para regularizar su deuda tributaria en la que, de forma intencionada, ocultara datos esenciales que dieran lugar al pago de una deuda tributaria menor de la debida, no será posible aplicar la exención de pena del art. 305.4 CP.
- Si, como consecuencia del error, la nueva autoliquidación reflejara una deuda tributaria superior a la efectivamente debida se aplicará la exención de pena del art. 305.4 CP.
- Si, a diferencia de los anteriores supuestos, el obligado tributario presentara ante la Administración una autoliquidación incorrecta para regularizar su situación tributaria, la exención de pena del art. 305.4 CP debería aplicarse únicamente en caso de que se cumplieran dos condiciones: primero, que ello no fuera fruto de la voluntad del obligado tributario y, segundo, que la autoliquidación incorrecta fuera consecuencia de desviaciones insignificantes en perjuicio de la Hacienda Pública, de simples errores aritméticos o se debieran a una interpretación razonable de la norma.

IX. El reconocimiento de la deuda tributaria es uno de los requisitos esenciales para que se considere practicada la regularización. Este ha de ser:

a) Expreso, lo que significa que no será suficiente con que se realice el pago sin justificación alguna, así como tampoco se podrá deducir de otro tipo de actuaciones que realice el obligado tributario.
b) Espontáneo y voluntario o, dicho de otro modo, ha de realizarse antes de que se produzcan algunas de las actuaciones administrativas o judiciales dirigidas a determinar la deuda objeto de regularización establecidas en el art. 305.4 CP.
c) Aunque el art. 305.4 CP no lo especifique, el destinatario del reconocimiento será preferentemente la Administración Tributaria, aunque no habría inconveniente en admitir la exención de pena por regularización cuando, por razones de urgencia, dicho reconocimiento se practicará ante el Juzgado o el Ministerio Fiscal.
d) Los tributos que se gestionan mediante autoliquidación han de ser "regularizados" a través de la correspondiente autoliquidación, mientras que los tributos que se gestionan mediante declaración tendrán que regularizarse de igual modo.
e) El reconocimiento debe ser completo y tendrá tal consideración aquél que, al menos, contenga la identificación de quien regulariza y los datos esenciales para la correcta liquidación de la deuda tributaria. Si el tributo debiera regularizarse mediante autoliquidación, el obligado tributario estará obligado a declarar el hecho imponible y a autoliquidar la cuota que corresponda, incluyendo, si procedieren, los recargos e intereses de demora. Cuando hubiera que regularizar mediante una declaración tributaria, el obligado solo deberá manifestar, de la forma más detallada posible, el hecho imponible realizado.

X. Junto al reconocimiento, el art. 305.4 CP exige que el obligado tributario realice el pago completo de la deuda tributaria. Aunque la Jurisprudencia y Doctrina ya lo exigían, tras la LO 7/2012, de 27 de diciembre, no cabe duda de que el pago ha de cubrir la totalidad de la deuda tributaria, sin que el pago meramente parcial permita al art. 305.4 CP desplegar sus efectos.

Ahora bien, excepcionalmente –y con Doctrina en contra–, podría aceptarse el aplazamiento o fraccionamiento del pago en caso de insolvencia sobrevenida u otras circunstancias excepcionales del obligado tributario. No obstante, fuera de estos casos excepcionales, consideramos que eximir de pena cuando el pago se aplace o fraccione sería tanto como admitir que pagar es lo mismo que prometer pagar; algo que el Tribunal Supremo se ha negado a admitir respecto de la atenuante de reparación del daño del art. 21.5 CP.

El momento del pago viene determinado por el art. 252 LGT y variará según la forma en que se deba realizar la regularización. En este sentido, si la regularización hubiera que practicarse mediante autoliquidación, cosa que sucede en muchos impuestos, el art. 252 LGT establece que el pago tendrá que efectuarse de forma simultánea al reconocimiento. Si, por el contrario, la regularización hubiera de realizarse a través de una declaración complementaria, el ingreso de la deuda tributaria deberá efectuarse después de que la Administración comunique la liquidación de la deuda en el plazo que las normas tributarias establezcan.

XI. Como último requisito, el art. 305.4 CP exige que la regularización sea espontánea. La determinación de la espontaneidad de la regularización viene determinada por la comprobación de la ausencia de las tres causas de bloqueo previstas en el propio precepto que son:

a) Notificación al obligado tributario del inicio de actuaciones de comprobación o investigación por parte de la Administración Tributaria dirigidas a la determinación de las deudas objeto de regularización.
b) Interposición de querella o denuncia contra el obligado tributario por parte del Ministerio Fiscal, el Abogado del Estado o el representante procesal de la Administración autonómica, foral o local.
c) Puesta en conocimiento formal del obligado tributario sobre la iniciación de diligencias por parte del Ministerio Fiscal o el Juez de Instrucción.

XII. Según la primera causa de bloqueo contemplada en el art. 305.4 CP, la regularización practicada por el obligado tributario no será considerada ni espontánea ni voluntaria si se ha presentado con posterioridad al momento en el que es notificado del inicio de actuaciones administrativas de comprobación o investigación dirigidas a determinar las deudas objeto de regularización, que, en puridad, más que actuaciones son funciones que desarrolla la Administración Tributaria.

Tales funciones de comprobación e investigación se realizan, principalmente, mediante procedimientos de inspección. Ahora bien, estas funciones también pueden ejercerse en procedimientos tributarios de gestión y recaudación; de modo que la notificación del inicio de tales procedimientos también activaría la primera causa de bloqueo, siempre y cuando desarrollaran actuaciones administrativas de comprobación o investigación.

Ahora bien, los procedimientos tributarios iniciados para determinar las deudas tributarias correspondientes a impuestos distintos a los que son objeto de regularización o que corresponden a periodos impositivos distintos no impedirán que la regularización tributaria del art. 305.4 CP despliegue todos sus efectos.

Para que se active esta causa de bloqueo es necesario que el obligado tributario alcance conocimiento formal del inicio de las actuaciones dirigidas contra él. No es formal el conocimiento adquirido por medios no oficiales –periódicos, terceras personas– ni tampoco el derivado de la mera presentación del inspector tributario sin comunicación previa en el domicilio del obligado tributario o de su representante. Conocimiento formal es el que se deriva de una notificación que deberá ir dirigida al obligado tributario –o a su representante– y habrá de ser emitida por la Administración Tributaria, conforme a la Ley 39/2012, de 1 de octubre, que regula el procedimiento administrativo común, sin perjuicio de que, según el art. 109 LGT, las notificaciones en materia tributaria deberán seguir algunas especialidades reguladas en los arts. 110 a 112 LGT y los arts. 114 a 115 *bis* del Reglamento General de las Actuaciones y Procedimientos de Gestión e Inspección Tributaria. En definitiva, en este punto, como en otros tantos, el Derecho Penal es accesorio de la norma tributaria.

Cuando la notificación es recibida por el representante del obligado tributario o por un tercero (siempre y cuando se cumplan con todas las condiciones previstas en el art. 111 LGT) surte plenos efectos penales para bloquear la cláusula del art. 305.4 CP.

Las "notificaciones realizadas por comparecencia" (art. 112 LGT) también bloquean la exención de pena del art. 305.4 CP, pues es una forma de notificación válida en Derecho. Lo contrario sería supeditar la aplicación del art. 305.4 CP al conocimiento efectivo, forzaría a la Administración a numerosos intentos de notificación y mantendría abierta la posibilidad de regularizar en situaciones de fraude de ley si el obligado tributario evita la notificación en su propio beneficio.

XIII. La segunda causa de bloqueo surge con la interposición de querella o denuncia contra el obligado tributario por parte del Ministerio Fiscal, el Abogado del Estado o el representante procesal de la Administración autonómica, foral o local, según lo dispuesto por la Ley de Enjuiciamiento Criminal, pero con dos limitaciones: primero, ha de ir dirigida contra el obligado tributario y, segundo, solo las denuncias o querellas interpuestas por el Ministerio Fiscal, el Abogado del Estado o los representantes procesales de las administraciones autonómicas, forales o locales activarán la causa de bloqueo, lo que excluye a las denuncias de particulares o la acción popular.

En este caso, el art. 305.4 CP no exige conocimiento formal de la interposición de la querella o la denuncia; lo que ha sido objetado por la Doctrina que considera que la ausencia de exigencia de conocimiento formal genera incertidumbre, desincentiva y puede afectar al derecho a la defensa o a la seguridad jurídica.

Esto, sin embargo, ha sido una decisión consciente del Legislador, que tuvo la opción de corregir con la LO 7/2012, de 27 de diciembre. Por otro lado, cualquier interpretación teleológica debe respetar el tenor literal del precepto, conforme al principio de legalidad, por lo que, pese a las objeciones, no cabe, de *lege data,* más que admitir que la mera interposición de la denuncia o querella –con los requisitos citados– activa la causa de bloqueo.

XIV. El último límite temporal del art. 305.4 CP actúa a modo "de cierre" y permite excluir la espontaneidad de la regularización tributaria en supuestos en los que el Ministerio Fiscal o el Juez de Instrucción adquieren la *notitia criminis* por medios no previstos en las dos causas de bloqueo anteriores.

En consecuencia, la regularización tributaria no surte efectos penales cuando se haya comunicado formalmente al obligado tributario el inicio de diligencias penales por parte del Ministerio Fiscal o el Juez de Instrucción como consecuencia de una querella o denuncia interpuesta por un particular o mediante acción popular. Tampoco surtirá efectos cuando lo que se comunica es el inicio de diligencias del Ministerio Fiscal o el Juez de Instrucción sobre hechos que han conocido por sus propios medios.

Bibliografía

ACALE SÁNCHEZ, M., "Los delitos de mera actividad", en *Revista de Derecho Penal y Criminología,* n. 10, 2002, pp. 11-45.

ALONSO GALLO, J., "El delito fiscal tras la Ley Orgánica 7/2012", en *Actualidad jurídica Uría Menéndez,* n. 34, 2013, pp. 15-38. Disponible en línea: www.dialnet.es [fecha última consulta: 10/03/2020].

ÁLVAREZ GARCÍA, F.J./ DOPICO GÓMEZ-ALLER, J., *Estudio crítico sobre el Anteproyecto de Reforma Penal de 2012,* Ed. Tirant lo Blanch, Valencia, 2013.

APARICIO PÉREZ, A., *La regulación de los delitos contra la Hacienda Pública y la Seguridad Social en el nuevo Código Penal*, Ed. Lex Nova, Valladolid, 1997.

ARIAS SENSO, M.A., "Delitos contra la Hacienda Pública: subtipos agravados y regularización fiscal", en *Actualidad Penal,* n. 32, 1999, s/p. Disponible en línea: www.laleydigital.es [fecha última consulta: 10/11/2020].

AYALA GÓMEZ, I., "Delitos contra la Hacienda pública y contra la Seguridad Social", en *Memento práctico. Penal económico y de la empresa,* de I. Ayala Gómez e I. Ortiz de Urbina Gimeno (coords.), Ed. Francis Lefebvre, Madrid, 2016-2017, pp. 729-754.

AYALA GÓMEZ, I., *El delito de defraudación tributaria: artículo 349 del Código Penal*, Ed. Civitas, Madrid, 1988.

AYATS VERGÉS, M./ DE JUAN CASADEVALL, J., *Informe sobre las novedades introducidas en la nueva regulación del delito fiscal: algunas propuestas de mejora,* Ed. Epraxis, s/l, 2013.

BACIGALUPO ZAPATER, E., "Cuestiones de la autoría y la participación en el delito fiscal", en *Diario La Ley,* n. 8715, 2016, s/p. Disponible en línea: www.diariolaley.es [fecha última consulta: 13/03/2020].

BACIGALUPO ZAPATER, E., "El delito fiscal", en *Curso de Derecho Penal económico,* 2ª ed., de E. Bacigalupo (dir.), Ed. Marcial Pons, Madrid, 2005, pp. 473-501.

BACIGALUPO ZAPATER, E., "El delito fiscal", en *Estudios sobre el nuevo Código Penal de 1995,* de B. del Rosal Blasco (edit.), Ed. Tirant lo Blanch, Valencia, 1997, pp. 289-306.

BACIGALUPO ZAPATER, E., "La reforma del delito fiscal por la LO 7/2012", en *Diario La Ley,* n. 8637, 2013, s/p. Disponible en línea: www.diariolaley.es [fecha última consulta: 13/02/2020].

BACIGALUPO ZAPATER, E., *Delito y punibilidad,* Ed. Civitas, Madrid, 1983.

BAJO FERNÁNDEZ, M./ BACIGALUPO, S., *Delitos contra la Hacienda pública,* Ed. Centro de Estudios Ramón Areces, Madrid, 2000.

BERDUGO DE LA TORRE, I./ FERRÉ OLIVÉ, J.C., *Todo sobre el fraude tributario,* Ed. Praxis, Barcelona, 1994.

BERDUGO GÓMEZ DE LA TORRE, I., "Consideraciones sobre el delito fiscal en el Código Español", en *Themis,* n. 32, 1995, pp. 71-79.

BERDUGO GÓMEZ DE LA TORRE, I./ ARROYO ZAPATERO, L./ GARCÍA RIVAS, N./ FERRÉ OLIVÉ, J.C./ SERRANO PIEDECASAS, J.R., *Lecciones de Derecho Penal. Parte General,* 2ª ed., Ed. La Ley, Barcelona, 1999.

BERTRÁN GIRÓN, F., "El proyecto de ley de reforma del art. 305 del Código Penal: principales novedades", en *Carta Tributaria,* n. 20, noviembre 2012, s/p. Disponible en línea: www.laleydigital.es [fecha última consulta: 17/01/2020].

BERTRÁN GIRÓN, F., *Regularización y delito contra la Hacienda Pública: cuestiones prácticas,* Ed. Dykinson, Madrid, 2021.

BLANCO CORDERO, I., "Delitos contra la Hacienda Pública y la Seguridad Social", en *Eguzkilore: Cuaderno del Instituto Vasco de Criminología,* n. 14, 2000, pp. 5-46. Disponible en https://www.ehu.eus/documents/1736829/2174322/02+Blanco%2C%20Isidoro.pdf [fecha última consulta: 03/03/2020].

BLANCO CORDERO, I., "El delito fiscal como actividad delictiva previa del blanqueo de capitales", en *Revista Electrónica de Ciencia Penal y Criminología,* n. 13, 2011, pp. 1-46. Disponible en línea: www.dialnet.es [fecha última consulta: 25/02/2020].

BLANCO CORDERO, I., *El Delito de Blanqueo de Capitales,* 3ª ed., Ed. Aranzadi, Cizur Menor, 2012.

BOIX REIG, J., "Delito fiscal vs blanqueo de capitales", en *Intercambio de información, blanqueo de capitales y lucha contra el fraude fiscal,* de F. A. García Prats (dir.), Ed. Instituto de Estudios Fiscales, Madrid, 2014, pp. 47-50.

BOIX REIG, J., "Reflexiones sobre la reforma del delito fiscal", en *Boletín de la Real Academia de Jurisprudencia y Legislación de las Illes Balears,* n. 14, 2013, pp. 365-372. Disponible en línea: www.dialnet.es [fecha última consulta: 13/02/2020].

BOIX REIG, J./ GRIMA LIZANDRA, V., "Delitos contra la Hacienda Pública y contra la Seguridad Social", en *Derecho Penal. Parte Especial,* Vol. III, de J. Boix Reig (dir.), Ed. Iustel, Madrid, 2012, pp. 15-55.

BOIX REIG, J./ GRIMA LIZANDRA, V., "Delitos contra la Hacienda Pública y contra la Seguridad Social", en *Derecho Penal. Parte Especial,* V. II, de J. Boix Reig (dir.), Ed. Iustel, Madrid, 2020, pp. 803-866.

BOIX REIG, J./ MIRA BENAVENT, J., "De los delitos contra la Hacienda Pública y contra la Seguridad Social", en *Comentarios al Código Penal de*

1995, Vol. II, de T.S. Vives Antón (coord.), Ed. Tirant lo Blanch, Valencia, 1996, pp. 1471-1541.

BOIX REIG, J./ MIRA BENAVENT, J., *Delitos contra la Hacienda Pública y contra la Seguridad Social,* Ed. Tirant lo Blanch, Valencia, 2000.

BRANDARIZ GARCÍA, J.A., "La regularización postdelictiva en los delitos contra la Hacienda Pública y la Seguridad Social", en *Estudios penales y criminológicos,* n. 24, 2002-2003, pp. 59-126.

BRANDARIZ GARCÍA, J.A., "Sobre el concepto de regularización en las causas de levantamiento de la pena de los arts. 305 y 307 CP", en *Anuario da Facultade de Dereito da Universidade da Coruña,* n. 2, 1998, pp. 189-202.

BRANDARIZ GARCÍA, J.A., *El delito de defraudación a la Seguridad Social,* Ed. Tirant lo Blanch, Valencia, 2000.

BRANDARIZ GARCÍA, J.A., *La exención de responsabilidad penal por regularización en el delito de defraudación a la Seguridad Social*, Ed. Comares, Granada, 2005.

BUSTOS RAMÍREZ, J., *Manual de Derecho Penal. Parte General,* 4ª ed., aumentada, corregida y puesta al día por H. Hormazábal Malarée, Ed. PPU, Barcelona, 1994.

BUSTOS RUBIO, M., "La regularización del fraude contra la seguridad social en España: un ejemplo de comportamiento postdelictivo", en *Diritto Penale Contemporaneo,* n. 4, 2017, pp. 251-261.

BUSTOS RUBIO, M., "Más allá del injusto culpable: los presupuestos de la punibilidad", en *Estudios penales y criminológicos,* n. 35, 2015, pp. 189-238.

BUSTOS RUBIO, M., *La regularización en el delito de defraudación a la Seguridad Social*, Ed. Tirant lo Blanch, Valencia, 2016.

CALVO ORTEGA, R., "El Proyecto de Ley General Tributaria: aportaciones y aspectos críticos", en *Nueva Fiscalidad,* n. 8, 2003, pp. 9-69.

CALVO ORTEGA, R., "Obligados tributarios", en *Comentarios a la Ley General Tributaria,* 2ª ed., de R. Calvo Ortega (dir.) y J.M. Tejerizo López (coord.), Ed. Civitas, Cizur Menor, 2009, pp. 139-230.

CALVO ORTEGA, R./ CALVO VÉRGEZ, J., *Curso de Derecho Financiero,* 28ª ed., Ed. Civitas, Cizur Menor, 2018.

CALVO ORTEGA, R./ CALVO VÉRGEZ, J., *Curso de Derecho Financiero,* 23ª ed., Ed. Thomson Reuters, Cizur Menor, 2019.

CALVO VÉRGEZ, J., "Delitos contra la Hacienda Pública: los delitos de defraudación tributaria y contable a la luz de la reciente doctrina jurisprudencial", en *Revista Quincena Fiscal,* n. 11, 2012, s/p. Disponible en línea: www.aranzadi.es [fecha última consulta: 08/10/2020].

CALVO VÉRGEZ, J., "El delito contra la Hacienda Pública en la reforma de la LGT", en *Revista Quincena Fiscal,* n. 11, 2016, s/p. Disponible en línea: www.aranzadidigital.es [fecha última consulta: 11/02/2020].

CARRERAS MANERO, O., "De nuevo sobre los presupuestos temporales de la regularización tributaria como causa de exención de la responsabilidad penal en el delito de defraudación tributaria", en *Revista Quincena Fiscal,* n. 13, 2013, s/p. Disponible en línea: www.aranzadi.es [fecha última consulta: 22/11/2020].

CARRERAS MANERO, O., "La cláusula de regularización tributaria como causa de exención de la responsabilidad penal en el delito contra la Hacienda Pública", en *Revista española de Derecho Financiero,* n. 155, 2012, pp. 1-21.

CASTRO MORENO, A., "Nuevas tendencias sobre el delito de blanqueo: ¿anteblanqueo? Delito fiscal, blanqueo de capitales y regularización tributaria", en *Corrupción y delito: aspectos de Derecho penal español y desde la perspectiva comparada,* de A. Castro Moreno (dir.), P. Otero González (dir.) y A. M. Garrocho Salcedo (coord.), Ed. Dykinson, Madrid, 2017, pp. 139-154.

CAZORLA PRIETO, L.M., *Derecho Financiero y Tributario Parte General,* 19ª ed., Ed. Aranzadi, Cizur Menor, 2019.

CAZORLA PRIETO, L.M., *Derecho Financiero y Tributario. Parte General,* 18ª ed., Ed. Aranzadi, Cizur Menor, 2018.

CEREZO MIR, J., *Derecho Penal. Parte General – Lecciones,* 2ª ed., Ed. Universidad Nacional de Educación a Distancia, Madrid.

CHAVES GARCÍA, J.R., "La economía procesal como contrapeso a las tasas judiciales y otras rémoras", en *Revista Actualidad Jurídica Aranzadi,* n. 855, 2013, s/p. Disponible en línea: www.aranzadidigital.es [fecha última consulta: 07/02/2020].

CHAZARRA QUINTO, M.A., *Delitos contra la Seguridad Social,* Ed. Tirant lo Blanch, Valencia, 2002.

CHOCLÁN MONTALVO, J.A., "Un delito fiscal conceptual. La interpretación razonable de la norma en la regularización voluntaria", en *La Ley,* n. 9166, 2018, s/p. Disponible en: www.diariolaley.es [fecha última consulta: 24/09/2020].

CHOZA CORDERO, A./ RIZO LEÓN, A., "Reparación del daño en los delitos contra la Hacienda Pública: atenuante simple o muy cualificada", en *Revista Aranzadi Doctrinal,* n. 4, 2020, s/p. Disponible en línea: www.aranzadi.es [fecha última consulta: 13/10/2020].

COCA VILA, I., "Protección de las Haciendas Públicas y la Seguridad Social", en *Lecciones de Derecho Penal Económico y de la Empresa. Parte General y Especial,* de J.M. Silva Sánchez (dir.) y R. Robles Planas (coord.), Ed. Atelier, Barcelona, 2020, pp. 571-638.

CORDOBA RODA, J., "El Estatuto del Contribuyente y la prescripción de los delitos contra la Hacienda Pública: un debate actual", en *Revista jurídica de Catalunya*, n. 4, 1999, pp. 983-996.

CORTÉS DOMINGUEZ, V., "La fase de instrucción", en *Derecho Procesal Penal,* 9ª ed., de V. Moreno Catena y V. Cortés Domínguez, Valencia, 2019, pp. 218-219.

CORTÉS DOMÍNGUEZ, V., "Modos de iniciación del proceso penal", en *Derecho Procesal Penal,* 9ª ed., de V. Cortés Domínguez y V. Moreno Catena, Ed. Tirant lo Blanch, Valencia, 2019, pp. 195-204.

CUELLO CONTRERAS, J./ MAPELLI CAFFARENA, B., *Curso de Derecho Penal. Parte General,* 2ª ed., Ed. Tecnos, Madrid, 2014.

CUGAT MAURI, M./ BAÑERES SANTOS, F., "Delitos contra la Hacienda Pública y la Seguridad Social", en *Derecho Penal español. Parte Especial,* Vol. II, de F. J. Álvarez García (dir.), A. Manjón-Cabeza Olmeda y A. Ventura Püschel (coords.), Ed. Tirant lo Blanch, Valencia, 2011, pp. 793-880.

DE JUAN I CASADEVALL, J./ DEL CAMINO GARCÍA LLAMAS, M., "Arts. 305-310: Delitos contra la Hacienda Pública", en *Delitos societarios, de la receptación, y contra la Hacienda Pública,* de VV.AA., Ed. Bosch, Barcelona, 1998, pp. 265-415.

DE LA CUESTA AGUADO, P.M., "Autoría y participación en los delitos contra la Administración Pública", en *Tratado de Derecho Penal Español. Parte Especial,* T. III, de F. J. Álvarez García (dir.), A. Manjón-Cabeza Olmeda y A. Ventura Püschel (coords.), Ed. Tirant lo Blanch, Valencia, 2013, pp. 91-117.

DE LA CUESTA AGUADO, P.M., "Cuestiones jurisprudenciales sobre el delito fiscal. Especial consideración de la responsabilidad penal del asesor fiscal", en *prensa.*

DE LA CUESTA AGUADO, P.M., "El fundamento de la justificación", en *Represión penal y Estado de Derecho. Homenaje al Profesor Gonzalo Quintero Olivares,* de F. Morales Prats, J.M. Tamarit Sumalla y R. García Albero, Ed. Aranzadi, Cizur Menor, 2018, pp. 313-328.

DE LA CUESTA AGUADO, P.M., "Sociedad tecnológica y globalización del Derecho Penal", en *Derecho Penal Económico,* de P. M. De la Cuesta Aguado (dir.), Ed. Ediciones Jurídicas Cuyo, Mendoza (Argentina), 2003, pp. 21-52.

DE LA CUESTA AGUADO, P.M., *Tipicidad e imputación objetiva,* Ed. Tirant lo Blanch, Valencia, 1996.

DE LA MATA BARRANCO, N., "La cláusula de regularización tributaria en el delito de defraudación fiscal del artículo 305 del Código Penal", en *Estudios penales en homenaje al profesor Cobo del Rosal,* de J.C. Carbonell Mateu (coord.), Ed. Dykinson, Madrid, 2005, pp. 301-326.

DE LA MATA BARRANCO, N.J., "Cumplimiento fiscal, regularización tributaria y responsabilidad penal", en *Almacén de Derecho,* 06/09/2016, s/p. Disponible en línea: www.almacéndederecho.org [fecha última consulta: 21/03/2020].

DE LA MATA BARRANCO, N.J., "Delitos contra la Hacienda Pública y la Seguridad Social", en *Derecho Penal Económico y de la Empresa,* de N.J. de la Mata Barranco, J. Dopico Gómez-Aller, J.A. Lascuraín Sánchez y A. Nieto Martín, Ed. Dykinson, Madrid, 2018, pp. 529-591.

DE LA MATA BARRANCO, N.J., "El delito fiscal del art. 305 CP después de las Reformas de 2010, 2012 y 2015: algunas cuestiones, viejas y nuevas, todavía controvertidas", en *Revista General de Derecho Penal,* n. 26, 2016, pp. 1-43.

DE PABLO VARONA, C., "Plazo de las actuaciones inspectoras", en *Estudios sobre la reforma de la ley general tributaria,* de I. Merino Jara y J. Calvo Vérgez (coords.), Ed. Huygens, Barcelona, 2016, pp. 229-256.

DE VICENTE MARTÍNEZ, R., *Derecho Penal del Trabajo. Los delitos contra los derechos de los trabajadores y contra la Seguridad Social,* Ed. Tirant lo Blanch, Valencia, 2020.

DEMETRIO CRESPO, E., "La punibilidad", en *Lecciones y materiales para el estudio del Derecho Penal,* de I. Berdugo Gómez de la Torre (coord.), Vol. 2, Ed. Iustel, Madrid, 2010, pp. 359-372.

DEMETRIO CRESPO, E., "Sobre el fraude fiscal como actividad delictiva antecedente del blanqueo de capitales", en *Revista Nuevo Foro Penal,* Vol. 12, n. 87, junio-diciembre, 2016, pp. 99-119.

DÍAZ Y GARCÍA CONLLEDO, M., "El castigo del autoblanqueo en la reforma penal de 2010. La autoría y la participación en el delito de blanqueo de capitales", en *III Congreso sobre Prevención y Represión del blanqueo de dinero,* de M. Abel Souto y N. Sánchez Stewart (coords.), Ed. Tirant lo Blanch, Valencia, 2013, pp. 281-299.

DOPICO GÓMEZ-ALLER, J., "¿Debe derogarse la exención de pena por regularización fiscal?", en *Almacén de Derecho,* 16/07/2015, s/p. Disponible en línea: www.almacendederecho.org [fecha última consulta: 31/03/2020].

FALCÓN Y TELLA, R., "La doctrina constitucional en materia de recargos por ingreso extemporáneo", en *Quincena Fiscal,* n. 8, 2001, pp. 5-8.

FALCÓN Y TELLA, R., "Los ingresos fuera del plazo: ¿cláusulas penales no sancionadoras?", en *Quincena Fiscal,* n. 21, 1995, s/p. Disponible en línea: www.aranzadidigital.es [fecha última consulta: 09/01/2020].

FARALDO CABANA, P., "El blanqueo de capitales tras la reforma de 2010", en *Revista de Inteligencia,* n. 0, primer trimestre, 2012, pp. 30-33. Disponible en línea: http://www.ecrim.es/publications/2011/BlanqueoCapitales2010.pdf [fecha última consulta: 20/07/2020].

FARALDO CABANA, P., *Las causas de levantamiento de la pena,* Ed. Tirant lo Blanch, Valencia, 2000.

FENELLÓS PUIGCERVER, V., "El concepto de regularización tributaria a efectos de la exclusión de la pena por delito del artículo 305 del Código Penal", en *Crónica Tributaria,* n. 84, 1997, pp. 51-68.

FERNÁNDEZ BERMEJO, D., "Análisis normativo de la regularización penal tributaria como excusa absolutoria", en *Anuario de Derecho Penal y Ciencias Penales,* n. 1, 2020, pp. 601-641.

FERNÁNDEZ BERMEJO, D., "El delito previo al delito de blanqueo de capitales, ¿concurso de delitos o agotamiento del delito antecedente?", en *Revista General de Derecho Penal,* n. 28, 2017, pp. 1-27.

FERRÉ OLIVÉ, J.C., "Punibilidad y proceso penal", en *Revista General de Derecho Penal,* n. 10, 2008, pp. 1-16.

FERRÉ OLIVÉ, J.C., "Una nueva trilogía en Derecho Penal Tributario: fraude, regularización y blanqueo de capitales", en *Estudios financieros. Revista de contabilidad y tributación,* n. 372, 2014, pp. 41-82.

FERRÉ OLIVÉ, J.C., *Tratado de los delitos contra la Hacienda Pública y contra la Seguridad Social,* Ed. Tirant lo Blanch, Valencia, 2018.

FERREIRO LAPATZA, J.J., "Prescripción tributaria y delito fiscal", en *Diario La Ley,* n. 5, 1999, s/p. Disponible en línea: www.diariolaley.es [fecha última consulta: 13/02/2020].

GALLEGO SOLER, J.I./ DÍAZ MORGADO, C., "Delito fiscal (arts. 305-305 bis)", en *Manual de Derecho Penal Económico y de Empresa. Parte General y Parte Especial,* T. II, de M. Corcoy Bidasolo y V. Gómez Martín (dirs.) y C. Díaz Morgado (coord.), Ed. Tirant lo Blanch, Valencia, 2016, pp. 454-466.

GARCÍA NOVOA, C., "Elementos de cuantificación de la obligación tributaria", en *Comentarios a la Ley General Tributaria,* 2ª ed., de R. Calvo Ortega (dir.) y J.M. Tejerizo López (coord.), Ed. Civitas, Cizur Menor, 2009, pp. 231-459.

GARCÍA PÉREZ, O., *La Punibilidad en el Derecho Penal,* Ed. Aranzadi, Pamplona, 1997.

GÓMEZ LANZ, J., "Delitos contra la Hacienda Pública: Art. 305.4 CP", en Estudio crítico sobre el anteproyecto de reforma penal de 2012, de F.J. Álvarez García (dir.) y J. Dopico Gómez-Aller (coord.), Ed. Tirant lo Blanch, Valencia, 2013, pp. 841-853.

GÓMEZ LANZ, J., "Dos cuestiones recientes en torno a la regularización tributaria: la declaración tributaria especial de marzo de 2012 y la reforma del artículo 305 del Código Penal mediante la Ley Orgánica 7/2012", en *Revista de Derecho Penal y Criminología*, n. 1 (extraordinario), 2013, pp. 53-80.

GÓMEZ LANZ, J./ OBREGÓN GARCÍA, A., *Derecho Penal. Parte General. Elementos básicos de la teoría del delito*, 2ª ed., Ed. Tecnos, Madrid, 2015.

GÓMEZ PAVÓN, P., "La regularización en el delito de defraudación a la Seguridad Social", en *Libro homenaje al Prof. Luís Rodríguez Ramos,* de F.J. Álvarez García, M.A. Cobos Gómez de Linares, P. Gómez Pavón, A. Manjón-Cabeza Olmeda, A. Martínez Guerra (coords), Ed. Tirant lo Blanch, Valencia, 2003, pp. 567-602.

HAVA GARCÍA, E., "Evolución jurisprudencial en materia de fraudes a la Seguridad Social", en *Revista de Derecho Social,* n. 8, 1999, pp. 189-196.

HERRERO DE EGAÑA ESPINOSA DE LOS MONTEROS, J.M., "Estudio sobre el delito fiscal del art. 349 del Código Penal tras la reforma operada por la Ley Orgánica 6/1995, de 29 de junio", en *Revista Actualidad Jurídica Aranzadi,* n. 239, marzo 1996, pp. 1-7.

HIGUERA GUIMERA, J.F., *Las excusas absolutorias,* Ed. Marcial Pons, Madrid, 1993.

HUERTA TOCILDO, S., "Dos cuestiones constitucionales relacionadas con el delito fiscal: su distinción del fraude de ley tributaria y el momento de su prescripción", en *Delitos e infracciones contra la Hacienda Pública,* de E. Octavio de Toledo y Ubieto (dir. y coord.), Ed. Tirant lo Blanch, Valencia, 2009, pp. 167-194.

IGLESIAS RÍO, M.A., "Aproximación crítica a la cláusula de exención de la pena por regularización en el delito de defraudación tributaria", en *Revista de Derecho Penal,* n. 13, 2004, pp. 65-86.

IGLESIAS RÍO, M.A., "Artículo 305", en *Comentarios prácticos al Código Penal,* T. III, de M. Gómez Tomillo (dir.), 1ª ed., Ed. Aranzadi, Cizur Menor, 2015, pp. 733-783.

IGLESIAS RÍO, M.A., "Delitos contra la Hacienda Pública y la Seguridad Social: Arts. 305 a 310 *bis* CP", en *Estudio crítico sobre el Anteproyecto de reforma penal de 2012,* de F. J. Álvarez García (dir.) y J. Dopico Gómez-Aller (coord.), Ed. Tirant lo Blanch, Valencia, 2013, pp. 809-832.

IGLESIAS RÍO, M.A., *La regularización fiscal en el delito de defraudación tributaria (un análisis de la «autodenuncia». Art. 305-4 CP)*, Ed. Tirant lo Blanch, Valencia, 2003.

JESCHECK, H-H., *Tratado de Derecho Penal. Parte General,* Vol. II, traducción de la 3ª ed. alemana y adiciones de Derecho español realizada por S. Mir Puig y F. Muñoz Conde, Barcelona, 1981.

JIMÉNEZ DE ASÚA, L., *Tratado de Derecho Penal. Volumen VII. El delito y su exteriorización,* 3ª ed., Ed. Losada, Buenos Aires, 1970.

LANDERA LURI, M., *Excusas absolutorias basadas en conductas positivas postconsumativas: acciones contratípicas*, Ed. Tirant lo Blanch, Valencia, 2018.

LAUNA ORIOL, C./ MORUELO GÓMEZ, C., "El delito contra la Hacienda Pública", en *Tratado de Derecho Penal Económico,* de A. Camacho Vizcaíno (dir.), Ed. Tirant lo Blanch, Valencia, 2019, pp. 1405-1696.

LINARES, M.B., *El delito de defraudación tributaria. Análisis dogmático de los artículos 305 y 305 bis del Código Penal español*, Ed. Bosch, Barcelona, 2020.

LUZÓN CUESTA, J.M., *Compendio de Derecho Penal. Parte General,* 14ª ed., Ed. Dykinson, Madrid, 2003.

MAGALDI PATERNOSTRO, M.J., "De los delitos contra la Hacienda Pública y contra la Seguridad Social", en *Comentarios al Código Penal. Parte Especial,* T. I, de J. Córdoba Roda y M. García Arán (dirs.), Ed. Marcial Pons, Madrid, 2004, pp. 1173-1224.

MANJÓN-CABEZA OLMEDA, A., "Delitos contra la Hacienda Pública y Seguridad Social: art. 305, apartados 1, 4 y 5", en *Estudio crítico sobre el anteproyecto de reforma penal de 2012,* de F. J. Álvarez García (dir.) y J. Dopico Gómez-Aller (coord.), Ed. Tirant lo Blanch, Valencia, 2013, pp. 833-842.

MANJÓN-CABEZA OLMEDA, A., "Regularización fiscal y responsabilidad penal. La propuesta de modificación del delito fiscal", en *Teoría y Derecho,* n. 12, 2012, pp. 211-229.

MANJÓN-CABEZA OLMEDA, A., "Un matrimonio de conveniencia: blanqueo de capitales y delito fiscal", en *Revista de Derecho Penal,* n. 37, 2012, pp. 9-41.

MANJÓN-CABEZA OLMEDA, A., *Las excusas absolutorias en Derecho Español. Doctrina y jurisprudencia,* Ed. Tirant lo Blanch, Valencia, 2014.

MAPELLI CAFFARENA, B., *Estudio jurídico-dogmático sobre las llamadas condiciones objetivas de punibilidad,* Ed. Ministerio de Justicia, Madrid, 1990.

MARTÍN QUERALT, J., "Delito fiscal y delito de blanqueo de capitales", en *Intercambio de información, blanqueo de capitales y lucha contra el fraude fiscal,* de F. A. García Prats (dir.), Ed. Instituto de Estudios Fiscales, Madrid, 2014, pp. 23-45.

MARTÍN QUERALT, J./ LOZANO SERRANO, C./ TEJERIZO LÓPEZ, J.M., *Derecho Tributario,* 22ª ed., Ed. Aranzadi, Cizur Menor, 2017.

MARTÍN QUERALT, J./ LOZANO SERRANO, C./ TEJERIZO LÓPEZ, J.M./ CASADO OLLERO, G., *Curso de Derecho Financiero y Tributario. Parte General,* 28ª ed., Ed. Tecnos, Madrid, 2017.

MARTÍN QUERALT, J./ LOZANO SERRANO, C./ TEJERIZO LÓPEZ, J.M./ CASADO OLLERO, G., *Curso de Derecho Financiero y Tributario,* 29ª ed., Ed. Tecnos, Madrid, 2018.

MARTÍN REBOLLO, L., *Leyes administrativas,* 16ª ed., Ed. Aranzadi, Cizur Menor, 2010.

MARTÍNEZ LUCAS, J.A., *El delito de defraudación a la Seguridad Social. Régimen legal, criterios jurisprudenciales,* Ed. Sedaví, Valencia, 2002.
MARTÍNEZ PÉREZ, C., *Las condiciones objetivas de punibilidad,* Ed. Edersa, Madrid, 1989.
MARTÍNEZ-ARRIETA MÁRQUEZ DE PRADO, I., *El autoblanqueo. El delito fiscal como delito antecedente del blanqueo de capitales*, Ed. Tirant lo Blanch, Valencia, 2014.
MARTÍNEZ-BUJÁN PÉREZ, C., "Autoría y participación en el delito fiscal", en *El delito fiscal. Aspectos penales y tributarios,* de E. Demetrio Crespo y J.A. Sanz Díaz-Palacios (dirs.), Ed. Atelier, Barcelona, 2019, pp. 109-134.
MARTÍNEZ-BUJÁN PÉREZ, C., "Delitos contra la Hacienda Pública y contra la Seguridad Social", en *Derecho Penal. Parte Especial,* 5ª ed., de J.L. González Cussac (coord.), Ed. Tirant lo Blanch, Valencia, 2016, pp. 513-528.
MARTÍNEZ-BUJÁN PÉREZ, C., "El delito de defraudación tributaria", en *Revista Penal,* n.1, 1997, pp. 55-66.
MARTÍNEZ-BUJÁN PÉREZ, C., *Derecho Penal Económico y de la Empresa. Parte General,* 5ª ed., ED. Tirant lo Blanch, Valencia, 2016.
MARTÍNEZ-BUJÁN PÉREZ, C., *Derecho Penal Económico y de la Empresa. Parte Especial,* 2ª ed., Ed. Tirant lo Blanch, Valencia, 2005.
MARTÍNEZ-BUJÁN PÉREZ, C., *Derecho Penal Económico y de la Empresa. Parte Especial,* 5ª ed., Ed. Tirant lo Blanch, Valencia, 2015.
MARTÍNEZ-BUJÁN PÉREZ, C., *Derecho Penal Económico y de la Empresa. Parte Especial,* 6ª ed., Ed. Tirant lo Blanch, Valencia, 2019.
MARTÍNEZ-BUJÁN PÉREZ, C., *Derecho Penal Económico. Parte Especial,* Ed. Tirant lo Blanch, Valencia, 1999.
MARTÍNEZ-BUJÁN PÉREZ, C., *Los delitos contra la Hacienda Pública y la Seguridad Social*, Ed. Tecnos, Madrid, 1995.
MENDES DE CARVALHO, É., *Punibilidad y delito,* Ed. Reus, Madrid, 2007.
MENÉNDEZ MORENO, A., "Repasando la noción de obligado tributario y sus diferentes modalidades", en *Quincena Fiscal,* n. 1-2, enero 2017, s/p. Disponible en línea: www.aranzadidigital.es [fecha última consulta: 14/03/2020].
MENÉNDEZ MORENO, A., *Derecho Financiero y Tributario. Parte General,* 18ª ed., Ed. Civitas, Cizur Menor, 2017.
MERINO JARA, I./ LUCAS DURÁN, M., *Derecho Financiero y Tributario. Parte General,* 6ª ed., Ed. Tecnos, Madrid, 2017.
MERINO JARA, I./ LUCAS DURÁN, M., *Derecho Financiero y Tributario Parte General,* 8ª ed., Ed. Tecnos, Madrid, 2019.
MERINO JARA, I./ SERRANO GONZÁLEZ DE MURILLO, J.L., *El delito fiscal,* 2ª ed., Ed. Editoriales de Derecho Reunidas, Madrid, 2004.

MESTRE DELGADO, E., "Delitos contra la Hacienda Pública y contra la Seguridad Social", en *Delitos. La Parte Especial del Derecho Penal,* 3ª ed., de C. Lamarca Pérez (coord.), Madrid, 2015, pp. 503-520.

MIR PUIG, S., *Derecho Penal. Parte General,* 10ª ed., Ed. Reppertor, Barcelona, 2016.

MONTERO, F., "La regularización tributaria como equivalente funcional de la pena retributiva", en *InDret,* n. 2, 2022, pp. 304-349.

MORALES PRATS, F., "De los delitos contra la Hacienda Pública contra la Seguridad Social", en *Comentarios a la Parte Especial del Derecho Penal,* 10ª ed., de G. Quintero Olivares (dir.) y F. Morales Prats (coord.), Ed. Aranzadi, Navarra, 2016, pp. 1031-1149.

MORALES PRATS, F., "De los delitos contra la Hacienda Pública y contra la Seguridad Social", en *Comentarios al Código Penal Español,* T. II, 6ª ed., de G. Quintero Olivares (dir.) y F. Morales Prats (coord.), Ed. Aranzadi, Cizur Menor, 2011, pp. 461-563.

MORALES PRATS, F., "De los delitos contra la Hacienda Pública y contra la Seguridad Social", en *Comentarios al Código Penal Español,* T. II, 7ª ed., de G. Quintero Olivares (dir.) y F. Morales Prats (coord.), Ed. Aranzadi, Cizur Menor, 2016, pp. 539-681.

MORALES PRATS, F., "Delito de defraudación tributaria y blanqueo de capitales. Reflexiones en supuestos de regularización tributaria con efectos penales", en *Liber amicorum. Estudios Jurídicos en Homenaje al Prof. Dr. Dr. H.c. Juan Mª. Terradillos Basoco,* de VV.AA., Ed. Tirant lo Blanch, Valencia, 2018, pp. 895-903.

MORALES PRATS, F., "El delito fiscal: incardinación técnico-jurídica y consideraciones generales", en *Estudios jurídicos,* s/n, 2006, pp. 1-9.

MORALES PRATS, F., "Los efectos penales de la regularización tributaria en el Código Penal de 1995", en *La reforma de la justicia penal. Estudios en homenaje al Prof. Klaus Tiedemann,* de J.L. Gómez Colomer y J.L. González Cussac (coords.), Ed. Universitat Jaume I, Castellón, 1997, pp. 49-76.

MORENO CÁNOVES, A./ RUIZ MARCO, F., *Delitos socioeconómicos. Comentarios a los arts. 262, 270 a 310 del nuevo Código penal (concordados y con jurisprudencia),* Ed. Edijus, Zaragoza, 1996.

MORENO CATENA, V., "Actos de comunicación y de auxilio judicial", en *Introducción al Derecho Procesal,* 10ª ed., de V. Moreno Catena y V. Cortés Domínguez, Ed. Tirant lo Blanch, Valencia, 2019, pp. 285-305.

MORENO CATENA, V., "Los medios de prueba en el proceso penal", en *Derecho Procesal Penal,* 9ª ed., de V. Moreno Catena y V. Cortés Domínguez, Ed. Tirant lo Blanch, Valencia, 2019, pp. 449-472.

MORENO-TORRES HERRERA, M.R., "La punibilidad", en *Derecho Penal. Parte General,* de J.M. Zugaldía Espinar (dir.) y E.J. Pérez Alonso (coord.), Ed. Tirant lo Blanch, Valencia, 2002, pp. 861-873.

MORILLAS CUEVA, L., "Delitos contra la Hacienda Pública y contra la Seguridad Social", en *Curso de Derecho Penal español. Parte Especial,* Vol. I, de M. Cobo del Rosal (dir.), Ed. Marcial Pons, Madrid, 1996, pp. 857-889.

MORILLAS CUEVA, L., "Delitos contra la Hacienda Pública y contra la Seguridad Social", en *Compendio de Derecho Penal español,* de M. Cobo del Rosal (dir.), Ed. Dykinson, Madrid, 2000, pp. 542-561.

MUÑOZ CONDE, F., *Derecho Penal. Parte Especial,* 17ª ed., Ed. Tirant lo Blanch, Valencia, 2009.

MUÑOZ CONDE, F., *Derecho Penal. Parte Especial,* 20ª ed., Ed. Tirant lo Blanch, Valencia, 2015.

MUÑOZ CONDE, F., *Derecho Penal. Parte Especial,* 22ª ed., Ed. Tirant lo Blanch, Valencia, 2019.

MUÑOZ CONDE, F., *Derecho Penal. Parte Especial,* 23ª ed., Ed. Tirant lo Blanch, Valencia, 2021.

MUÑOZ CONDE, F./ GARCÍA ARÁN, M., *Derecho Penal. Parte General,* 10ª ed., Ed. Tirant lo Blanch, Valencia, 2019.

MUÑOZ CONDE, F./ GARCÍA ARÁN, M., *Derecho Penal. Parte General,* 9ª ed., Ed. Tirant lo Blanch, Valencia, 2015.

MUÑOZ CUESTA, F.J., "La reforma del delito fiscal operada por LO 7/2012, de 27 de diciembre", en *Revista Aranzadi Doctrinal,* n. 11, 2013, s/p. Disponible en línea: www.aranzadi.es [fecha última consulta: 17/01/2020].

NOCETE CORREA, F.J., "La aplicación de los tributos: de la gestión tributaria a la colaboración social", en *Tratado sobre la Ley General Tributaria*, T. II, de J. Arrieta Martínez de Pisón, M.A. Collado Yurrita y J. Zornoza Pérez (dirs.), Ed. Aranzadi, Cizur Menor, 2010, pp.35-52.

NUÑEZ CASTAÑO, E., "La penalidad", en *Nociones Fundamentales del Derecho Penal. Parte General*, 3ª ed., de M.C. Gómez Rivero (dir.), Ed. Tecnos, Madrid, 2015, pp. 319-330.

OCTAVIO DE TOLEDO Y UBIETO, E., "Consideración penal de las cláusulas de regularización tributaria", en *La Ley: Revista jurídica española de doctrina, jurisprudencia y bibliografía,* n. 7, 2000, pp. 1472-1478.

OCTAVIO DE TOLEDO Y UBIETO, E., "Los «delitos contra la Hacienda Pública» relativos a los ingresos tributarios: el llamado «delito contable» del artículo 310 del Código Penal", en *Delitos e infracciones contra la Hacienda Pública,* de E. Octavio de Toledo y Ubieto (dir. y coord.), Ed. Tirant lo Blanch, Valencia, 2009, pp. 195-213.

OLLÉ SESÉ, M., "Consumación, desistimiento y regularización en el delito de defraudación a la Seguridad Social", en *La Ley Penal,* n. 144, mayo-junio 2020, s/p. Disponible en línea: www.laleydigital.es [fecha última consulta: 25/11/2020].

ORTS BERENGUER, E./ GONZÁLEZ CUSSAC, J.L., *Compendio de Derecho Penal. Parte General,* 6ª ed., Ed. Tirant lo Blanch, Valencia, 2016.

PALAO TABOADA, C., "Derecho administrativo (tributario) y Derecho penal en materia de regularización voluntaria en caso de delito fiscal (A propósito de la Orden HAC/530/2020, de 3 de junio)", en *Revista de Contabilidad y Tributación,* n. 453, pp. 5-38.

PÉREZ MARTÍNEZ, D., "La regularización fiscal del artículo 305.4 del Código Penal como causa de exención de responsabilidad criminal", en *Manual de delitos contra la Hacienda Pública,* de AA.VV., Ed. Ministerio de Justicia, Madrid, 2004, pp. 197-225.

PÉREZ ROYO, F., *Derecho Financiero y Tributario,* 27ª ed., Ed. Civitas, Cizur Menor, 2017.

PÉREZ ROYO, F./ CARRASCO GONZÁLEZ, F.M., *Derecho Financiero y Tributario. Parte general,* 29ª ed., Ed. Civitas, Cizur Menor, 2019.

QUERALT JIMÉNEZ, J.J., "El comportamiento postdelictivo en los delitos contra las Haciendas Públicas y la Seguridad Social", en *Cuadernos de Derecho Judicial. Empresa y derecho penal,* Vol. I, n. 5, 1998, pp. 169-230.

QUERALT JIMÉNEZ, J.J., "La regularización como comportamiento postdelictivo en el delito fiscal", en *Política fiscal y delitos contra la Hacienda Pública: mesas redondas Derecho y Economía,* de M. Bajo Fernández (dir.), S. Bacigalupo y C. Gómez-Jara Díez (coords.), Ed. Ramón Areces, Madrid, 2007, pp. 31-58.

QUERALT JIMÉNEZ, J.J., *Derecho Penal español. Parte Especial,* 3ª ed., Ed. Bosch, Barcelona, 1996.

QUERALT JIMÉNEZ, J.J., *Derecho Penal español. Parte Especial,* Ed. Tirant lo Blanch, Valencia, 2015.

QUINTERO OLIVARES, G., "El delito fiscal y el ámbito material del delito de blanqueo", en *Actualidad Jurídica Aranzadi,* n. 698, 2006, s/p. Disponible en línea: www.aranzadi.es [fecha última consulta: 25/02/2020].

QUINTERO OLIVARES, G., "El nuevo delito fiscal", en *Revista de Derecho Financiero y de Hacienda Pública,* Vol. XXVIII, n. 137, septiembre – octubre 1978, pp. 1313-1329.

QUINTERO OLIVARES, G., *Parte General del Derecho Penal,* 2ª ed., Ed. Aranzadi, Cizur Menor, 2007.

QUINTERO OLIVARES, G., *Parte General del Derecho Penal,* 5ª ed., Ed. Aranzadi, Cizur Menor, 2015.

RANCAÑO MARTÍN, M.A., *El delito de defraudación tributaria,* Ed. Marcial Pons, Madrid, 1997.

RODRÍGUEZ ALIMRÓN, F.J., "Evolución de los delitos contra la Hacienda Pública a través de la Jurisprudencia del Tribunal Supremo", en *Anuario de Derecho Penal y Ciencias Penales,* T. 73, n. 1, 2020, pp. 643-685.

RODRÍGUEZ LÓPEZ, P., *Delitos contra la Hacienda Pública y contra la Seguridad Social*, Ed. Bosch, Barcelona, 2008.

RODRÍGUEZ MOURULLO, G., "El nuevo delito fiscal", en *Revista Española de Derecho Financiero*, n. 15-16, 1977, pp. 703-735.

RUIZ RESCALVO, M.P., *La prescripción tributaria y el delito fiscal*, Ed. Universidad Rey Juan Carlos, Madrid, 2004.

SABADELL CARNICERO, C., "La regularización tributaria como causa de exención de la responsabilidad penal", en *El delito fiscal*, de AA.VV., Madrid, 2009, pp. 201-221.

SAN MILLÁN FERNÁNDEZ, B., "Coacciones a la huelga: perspectivas de futuro ante la crisis económica derivada de la covid-19", en *La Ley Penal*, n. 146, septiembre-octubre 2020, s/p. Disponible en línea: www.diariolaley.es [fecha última consulta: 03/03/2020].

SÁNCHEZ-DÍAZ PALACIOS, J.A., "Regularización tributaria y delito fiscal (art. 305.4 del Código Penal)", en *Diario La Ley*, n. 7420, 2014, s/p. Disponible en línea: www.laleydigital.es [fecha última consulta: 30/06/2020].

SÁNCHEZ-OSTIZ GUTIÉRREZ, P., "La «regularización» tributaria en el conjunto de los medios para combatir el fraude fiscal en España", en *Estudios financieros. Revista de contabilidad y tributación*, n. 201, 1999, pp. 3-52.

SÁNCHEZ-OSTIZ GUTIÉRREZ, P., "Una aportación al estudio de la punibilidad a propósito de la autodenuncia tras el fraude fiscal", en *Revista de Derecho Penal*, n. 28, 2009, pp. 11-30.

SÁNCHEZ-OSTIZ GUTIÉRREZ, P., *La Exención de Responsabilidad Penal por Regularización Tributaria*, Ed. Aranzadi, Navarra, 2002.

SERRANO GONZÁLEZ DE MURILLO, J.L., "Artículo 305 del Código Penal", en *Delitos contra la Hacienda Pública*, de J.L. Serrano González de Murillo y E. Cortés Bechiarelli, Ed. Edersa, Madrid, 2002, pp. 16-140.

SERRANO GONZÁLEZ DE MURILLO, J.L./ CORTES BECHIARELLI, E., *Delitos contra la Hacienda Pública*, Ed. Edersa, Madrid, 2002.

SERRANO GONZÁLEZ DE MURILLO, J.L./ MERINO JARA, I., "La regularización tributaria en la reforma de los delitos contra la Hacienda Pública", en *Revista de Derecho Financiero y Hacienda Pública*, Vol. 45, n. 236, 1995, pp. 351-372.

SERRANO GONZÁLEZ DE MURILLO, J.L./ MERINO JARA, I., "Pasado, presente y futuro de las regularizaciones tributarias en Derecho Penal", en *Diario La Ley*, n. 8052, 2013, s/p. Disponible en línea: www.laleydigital.es [fecha última consulta: 23/06/2020].

SILVA SÁNCHEZ, J.M., "Prólogo", en *La Exención de Responsabilidad Penal por Regularización Tributaria*, de P. Sánchez-Ostiz Gutiérrez, Ed. Aranzadi, Cizur Menor, 2002, pp. 19-21.

SOTO NIETO, F., "Prescripción del delito fiscal", en *Diario La Ley,* n. 1, 2002, s/p. Disponible en línea: www.diariolaley.es [fecha última consulta: 13/02/2020].

SUÁREZ GONZÁLEZ, C.J., "Delitos contra la Hacienda Pública y contra la Seguridad Social", en *Compendio de Derecho Penal (parte especial),* Vol. II, de M. Bajo Fernández (dir.), Ed. Ramón Areces, Madrid, 1998, pp. 593-626.

SUÁREZ GONZÁLEZ, C.J., "El delito de defraudación tributaria", en *Comentarios a la legislación penal,* T. XVIII, de M. Cobo del Rosal (dir.) y M. Bajo Fernández (coord.), Ed. Revista de Derecho Privado, Madrid, 1997, pp. 97-133.

SUÁREZ-MIRA RODRÍGUEZ, C., *Manual de Derecho Penal. Parte Especial,* 7ª ed., Ed. Civitas, Cizur Menor, 2018.

SUÁREZ-MIRA RODRÍGUEZ, C./ JUDEL PRIETO, Á./ PIÑOL RODRÍGUEZ, J.R., *Manual de Derecho Penal. Parte General,* Ed. Civitas, Cizur Menor, 2002.

TORRES CADAVID, N., "El delito de defraudación tributaria: ¿un delito especial o un delito común? Una propuesta (*de lege lata*) de delimitación del círculo de posibles autores del art. 305 CP", en *Revista Electrónica de Ciencia Penal y Criminología,* n. 20, 2018, pp. 1-47.

TORRES CADAVID, N., "La responsabilidad penal del asesor fiscal en el delito de defraudación tributaria del art. 305 CP español. La aplicación de la cláusula del actuar en lugar de otro", en *Revista Nuevo Foro Penal,* Vol. 14, n. 90, enero-junio 2018, pp. 54-102.

VARONA ALABERN, J.E., "Concepto de tributo y principio de capacidad económica", en *Civitas. Revista española de Derecho Financiero,* n. 135, 2007, pp. 541-592.

VEGA HERRERO, M./ MUÑOZ DEL CASTILLO, J.L., "Tributos y obligaciones tributarias", en *Comentarios a la Ley General Tributaria,* de R. Calvo Ortega (dir.) y J.M. Tejerizo López, 2ª ed., Ed. Civitas, Cizur Menor, 2009, pp. 81-137.

VELARDE ARAMAYO, M.A., "Naturaleza jurídica de los recargos por declaración extemporánea", en *Tratado sobre la Ley General Tributaria,* T. I, de J. Arrieta Martínez de Pisón, M.A. Collado Yurrita y J. Zornoza Pérez (dirs.), Ed. Aranzadi, Cizur Menor, 2010, pp. 667-691.

VON LISZT, F., *Tratado de Derecho Penal,* T. II, 3ª ed., traducido de la 20ª edición alemana por L. Jiménez de Asúa y adicionado con el Derecho penal español por Q. Saldaña, Ed. Reus, Madrid, 1929.

WELZEL, H., *Derecho Penal alemán. Parte General,* 4ª ed. española, traducción de la 11ª ed. alemana realizada por los profesores J. Bustos Ramírez y S. Yáñez Pérez, Ed. Jurídica de Chile, Chile, 1993.